의사국가고시 | 레지던트시험 | 전문의시험 | 준비를 위한

HANDBOOK

POWER

Internal Medicine

Hematology & Oncology

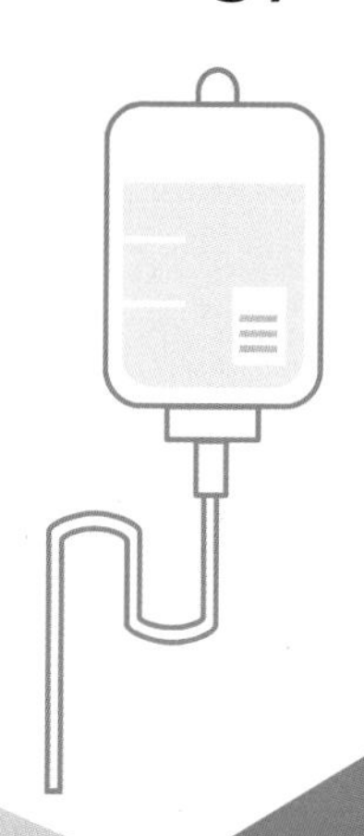

POWER MANUAL SERIES

혈액종양내과

Power 내과 04 3rd edition

첫 째 판 1쇄 발행 | 2009년 9월 25일
셋 째 판 1쇄 인쇄 | 2019년 10월 7일
셋 째 판 1쇄 발행 | 2019년 10월 22일

지 은 이 신규성
발 행 인 장주연
출 판 기 획 김도성
책 임 편 집 조형석, 안경희
표지디자인 김재욱
발 행 처 군자출판사(주)
등록 제 4-139호(1991. 6. 24)
본사 (10881) **파주출판단지** 경기도 파주시 서패동 474-1(회동길 338)
Tel. (031) 943-1888 Fax. (031) 955-9545
홈페이지 | www.koonja.co.kr

ISBN 979-11-5955-495-7
979-11-5955-490-2(세트)

정가 11,000원
세트 90,000원

머리말

6년 만에 파워내과-핸드북의 세 번째 개정판이 나오게 되었습니다. 그동안 많은 분야에서 진단과 치료에 큰 변화가 있었고, 그에 따라 파워내과(본책)는 상당히 두꺼워졌습니다. 핸드북은 휴대성이 중요하기 때문에 파워내과 내용의 일부가 빠지기는 했지만, 각종 시험 준비에는 충분하리라 생각합니다. 가능한 자주 휴대하면서 참고하고, 부족하거나 더 궁금한 부분은 교과서나 논문 등을 통해 확인하는 습관을 들이면 의사로서의 지식을 쌓는 데는 충분할 것으로 생각합니다.

요즘의 의학계는 가치추구 면에서 많은 변화를 겪고 있습니다. 인증제도의 활성화 등을 통해 의료의 질은 향상되고 있고, 전공의법을 통해 인턴/레지던트들도 삶의 질을 찾게 되었습니다. 이는 사회 전체적 변화의 일환으로 우리나라가 이미 선진국에 진입했기 때문입니다. 다만 빠르게 발전하다 보니 아직 과거 적폐의 잔재들이 남아있거나 새로운 문젯거리가 생기기도 합니다. 사이비극우 사이트에 중독되어 대표랍시고 설쳐대는 일부 의사들도 그 중 하나일 것입니다.

가장 유능한 인재로 의대에 들어온 만큼 그에 걸맞은 도덕성과 사회역사적 소양도 갖추어야 하는데, 오히려 사회의 공통 선(善)과 정의를 짓밟는 반인륜적 무리들에 동조한다면 그런 의사에게는 생명을 다룰 자격이 없습니다. 시험공부만 열심히 하며 자신의 이익만 추구하는 삶은 그런 괴물을 만들어 낼 위험성이 있습니다. 파워내과 및 핸드북의 취지는 시험공부의 부담을 가볍게 해보자는 것이므로, 의학 이외에 다른 인문사회적 학습과 경험에 더 많은 시간을 투자할 수 있기를 바랍니다.

끝으로 이번 개정판이 나오기까지 애써주신 군자출판사의 장주연 사장님과 김도성 차장님, 조형석님을 비롯한 직원 여러분들 모두에게도 감사를 드립니다.

2019년 10월 1일

신 규 성

▩ 파워내과 핸드북의 특징

1. 내과학의 중요 내용을 간략하게 정리하여 학습의 방향을 제시
2. 파워내과의 90% 정도 분량으로 충실하고 업데이트된 내용
3. 의사국가고시를 포함한 각종 시험의 마지막 정리용
4. 항상 가볍게 휴대하면서 참고할 수 있도록 과목별로 분책

▩ 안내

1. 여러 시험에 출제가 되었거나 출제 가능성이 높은 부분들은 ★, !, **굵은 글자**, 밑줄 등으로 중요 표시를 하였으니 학습할 때 꼭 확인을 하시기 바랍니다.
2. 각종 약자는 군자출판사 홈페이지의 약자풀이를 참고하시기 바랍니다. 약자나 용어는 대한의협 및 각 학회에서 사용되는 것과 실제 임상에서 통용되는 것을 함께 사용하여 학습의 편의를 도모하였습니다.

▩ 파워내과 핸드북의 본문에는 네이버(NHN)의 나눔글꼴이 사용되었습니다.

목차

contents

혈액종양 내과 *POWER Internal Medicine*

혈액종양 내과

1
서론 및 빈혈

개요

1. 빈혈 환자의 접근

(1) initial laboratory tests

1. CBC (complete blood count)
   Hb (Hematocrit)
   RBC index ; MCV, MCHC, RDW
   WBC count & differential
   Platelet count
2. Reticulocyte count (망상적혈구수)
3. Peripheral blood smear/morphology (말초혈액도말검사)
4. Serum iron, TIBC, ferritin
5. Stool OB test (대변잠혈검사)

* 4, 5는 이차 검사로 보기도 함

- 용혈성 빈혈이 의심되면 Coombs test도 시행
- BM exam : 가장 나중에 시행

(2) reference ranges

	남성	여성
Hematocrit (%)	41~53	36~46
Hemoglobin (g/dL)	13.5~17.5	12.0~16.0
RBC ($\times 10^6$/μL)	4.5~5.9	4.0~5.2
MCV (fL)	80~100	
MCHC (g/dL)	32~36	
RDW	<15	
WBC (/μL)	4,000~11,000	
Neutrophil (%)	40~70	
Lymphocyte (%)	20~44	
Monocyte (%)	2~11	
Eosinophil (%)	0~8	
Basophil (%)	0~3	
Platelet (/μL)	140,000~430,000	

- RBC의 수명 : 평균 120일

(3) RBC indexes

① **MCV** (mean cell volume) : RBC의 size를 반영, 참고치 90 ±8 fL (대략 80~100)

$$= \frac{\text{Hct (\%)} \times 10}{\text{RBC (million/mm}^3)} : \text{fL } (\times 10^{-15} \text{ L})$$

② MCH (mean cell Hb) : 참고치 30 ±4 pg

$$= \frac{\text{Hb (g/dL)} \times 10}{\text{RBC (million/mm}^3)} : \text{pg } (\times 10^{-12} \text{ g})$$

③ **MCHC** (mean cell Hb concentration) : chromacity를 반영, 참고치 34 ±2 g/dL (32~36)

$$= \frac{\text{MCH} \times 100}{\text{MCV}} = \frac{\text{Hb (g/dL)} \times 100}{\text{Hct (\%)}} : \text{g/dL}$$

* RDW (red cell distribution width)적혈구분포폭 : 적혈구 크기가 다양한 정도 (참고치 <15)
  ↳ 증가되면 (적혈구 크기가 다양해지면) anisocytosis(적혈구부동증)라고 부름

(4) 망상적혈구 (reticulocyte count)

: BM의 적혈구 조혈 상태를 반영, hemolysis의 m/g indicator

① absolute reticulocyte count = reticulocyte (%) × total RBC count
- 참고치 : 50×10^9/L (circulating RBC의 약 1%)

② corrected reticulocyte count (%) = reticulocyte (%) × $\frac{\text{환자의 Hct.}}{\text{정상 Hct. (45)}}$
- 빈혈 때 대개 old RBC가 먼저 파괴(감소)되므로 빈혈에 의한 reticulocyte (%)의 과대 평가를 교정하기 위해 고안된 공식

③ reticulocyte production index (RPI) = $\frac{\text{corrected reticulocyte count}}{\text{reticulocyte maturation time}}$ ★

Hct (%)	reticulocyte maturation time
45	1.0
35	1.5
25	2.0
15	2.5

RPI ≥2.5 → **hemolysis**, hemorrhage, hemoglobinopathy
RPI <2 → hypoproliferation (e.g., AA), maturation defect (e.g., IDA)

- reticulocytes의 혈중에서 normal maturation time이 1일 이므로 (BM에서는 3일), reticulocytes (erythrocytes) production도 약 50×10^9/L/day가 됨
- marrow에서의 release 증가 → reticulocytes의 혈중 maturation time (혈중에 머무르는 시간)이 증가 (shift) → reticulocyte (%)의 과대평가를 방지하기 위해 (shift의 교정) maturation time으로 나누어 줌

(5) 말초혈액도말검사 (peripheral blood smear/morphology, PBS)

정상 RBC

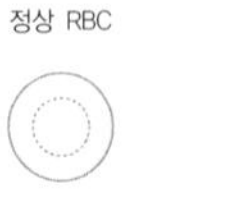

Target cell

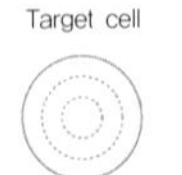

Macroovalocyte

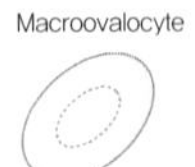

Tear-drop cell

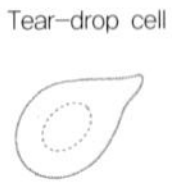

Spherocyte

Echinocyte

Acanthocyte

Schistocyte

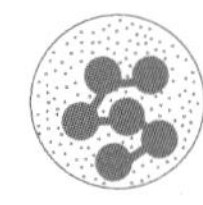

Hypersegmented neutrophil
: segment (lobe)가 5개 이상인 neutrophil이 5% 이상 *or* 6개 이상인 neutrophil이 하나라도 있을 때

	주요 원인	기타 원인
Macro-ovalocytes	Megaloblastic anemia (cobalamin, folate deficiencies)	MDS, myelofibrosis, autoimmune hemoylsis
Hypersegmented neutrophils	Megaloblastic anemia (cobalamin, folate deficiencies)	Renal failure, IDA, CML, congenital hypersegmentation
Tear-drop cells (dacrocyte)	Myelofibrosis	Myelophthisic anemia, thalassemia major
Spherocytes	Autoimmune hemolytic anemia, hereditary spherocytosis	Microangiopathic hemolysis, hypophosphatemia, 심한 화상
Sickle cells	Hemoglobin SS, SC, S-thalassemia	Hemoglobin C Harlem
Red cell fragments (schistocytes)	Microangiopathic or traumatic hemolysis ; DIC, TTP, HUS, SLE, 인공심장판막	IDA, megaloblastic anemia, cancer chemotherapy, 심한 화상
Target cells	Liver disease, thalassemias, hemoglobin C, SC	Artifact, SS disease, IDA, splenectomy
Elliptocytes	IDA, hereditary elliptocytosis	Myelofibrosis, megaloblastic anemia
Burr cells (echinocytes)	Renal failure	Artifact, pyruvate kinase deficiency
Spur cells (acanthocytes)	Liver disease, abetalipoproteinemia	
Howell-Jolly body	Splenectomy, megaloblastic anemia	Hemolytic anemia
Heinz body	Unstable Hb, oxidant stress	
Rouleaux formation	Paraproteinemia (monoclonal gammopathy)	
Agglutinated cells	Cold agglutinin disease	

2. Anemia의 분류

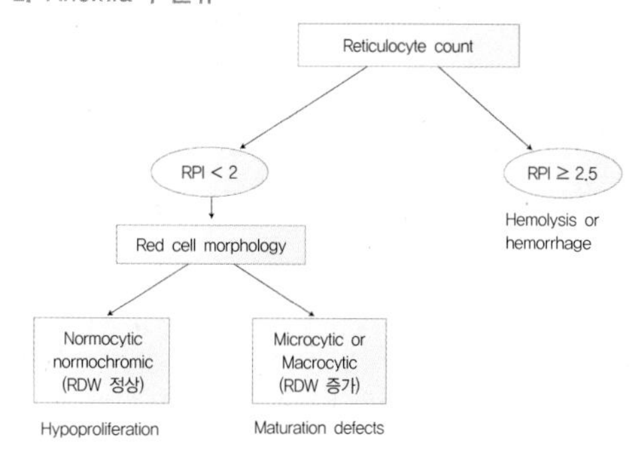

	Hypoproliferation (BM에서 생산 감소)	Maturation defects (Ineffective erythropoiesis)		RBC survival 감소 (Hemolysis/hemorrhage)
RPI	<2	<2		≥2.5
M:E ratio (G:E ratio)	>2–3:1 (<1:2–3)	≤1:1 (≥1:1)		<1:1 (>1:1)
RDW	정상	증가		정상 or 증가
PB smear	Normocytic normochromic	Microcytic hypochromic	Macrocytic	Normocytic or slightly macrocytic, Polychromasia
예	IDA (mild~moderate) Stimulation (EPO) ↓ inflammation renal disease hypometabolic state ; 단백영양실조, 내분비결핍 Marrow damage aplasia infiltration fibrosis	**Cytoplasmic maturation defect** IDA (severe) Thalassemia Sideroblastic anemia	**Nuclear maturation defect** Folate deficiency Vitamin B_{12} deficiency Drug toxicity MDS (e.g., RA)	Blood loss Intravascular hemolysis Metabolic disorder Membrane abnormality Hemoglobinopathy Autoimmune disorder Fragmentation hemolysis

c.f.) M:E ratio = BM에서 myeloid (granulocytic) cells : erythroid cells의 비율 (정상 = 2~4:1)

└ 엄밀히 따지면 G:E ratio가 정확한 표현이지만, 통상 M:E ratio로 부름

철 평형 (Iron balance)

* iron : Hb, myoglobin, 일부 enzymes (e.g., cytochrome) 등의 필수 성분
↳ O_2 운반

1. Transport & storage

- 정상인의 체내 iron 총량은 3~4 g 정도
- 분포 ; RBC [Hb] (약 2/3) > storage [ferritin] > myoglobin > enzyme > transferrin
- excess iron은 세포내에서 ferritin이나 hemosiderin의 형태로 저장됨 (약 23%) ; 간, 비장, 골수
- plasma내의 iron은 대부분 transferrin에 결합되어 있음
- transferrin-bound iron ; half-clearance time 매우 빠름 (60~90분), 거의 대부분 erythroid marrow로 전달됨
- 인체는 excess iron을 효과적으로 배설하는 기전이 없으므로, 장의 iron 흡수 조절을 통해서만 iron balance를 유지함
  - erythropoiesis 증가시 (→ iron 요구량↑) iron clearance time은 더 짧아짐
  - erythropoiesis 억제시 (→ iron 요구량↓) iron clearance time 길어짐 (→ plasma iron level↑)
- RBC의 평균 수명은 120일 → 매일 0.8~1.0%의 RBC가 RE system에서 파괴됨
  (→ iron은 재활용되어 transferrin과 결합해서 방출되거나, 저장됨)

2. Iron absorption

- 주로 duodenum (m/i) & upper jejunum에서 흡수됨
  - DMT1 (divalent metal iron transporter 1)을 통해 enterocytes 내로 유입됨
  - enterocytes 내의 iron은 ferritin으로 저장되거나, 세포 외로 release되어 transferrin과 결합함
- 하루 섭취량 (10~20 mg)의 6~12% 정도만이 흡수됨 : 0.5~2 mg
  - nonheme iron : 식이 iron의 85~90%, 흡수된 iron의 약 2/3 차지
  - heme iron : 식이 iron의 10~15%, 흡수된 iron의 약 1/3 차지 (더 잘 흡수됨)
- (nonheme) iron 흡수에 영향을 미치는 인자 ★

흡수 감소	흡수 증가
식사 후	공복시
제산제, H_2-RA, PPI	위산(HCl)
Vitamin C 이외의 다른 vitamins	Vitamin C
EDTA	Amino acid, sugars, citrate
Phosphates	Porto-caval shunt
Phytate (콩류, 곡물, 쌀)	Hemosiderosis
Polyphenols (과일, 야채, 커피, 홍차, 포도주)	Erythropoiesis↑, Iron deficiency
Duodenal mucosal injury	육류/생선 (heme iron도 함유)

- iron loss ; 혈액 소실 or 피부/위장관/비뇨생식관에서 상피세포의 소실을 통해 방출됨

3. Iron homeostasis 관련 단백

* cellular iron efflux (release) → systemic iron homeostasis 유지의 주 조절 포인트

(1) transferrin receptor (TfR)

- iron-bearing transferrin의 receptor-mediated endocytosis를 통해 세포내로 iron 유입
- erythroid precursors (최대), rapidly dividing cells, activated lymphocytes 등에 많음

(2) ferroportin

- iron export molecule, *SLC40A1, SLC11A3, IREG1, MTP1* genes
- 대부분의 세포 표면에 존재 (특히 enterocytes, RES, liver에 많이 존재)

(3) hepcidin

- ferroportin과 결합 → ferroportin의 internalization & degradation 유도
  → 십이지장의 enterocytes와 RES의 macrophage에서 iron release 억제
  → 철분 흡수와 저장철의 release 감소 → <u>serum iron↓</u>
- hepcidin gene (*HAMP*: hepcidin anti-microbial peptide) ; 염색체 19q13.1에 존재
- 간에서 주로 합성되지만, macrophages, neutrophils, fat cells, cardiomyocytes 등에서도 합성됨

(4) HFE (hemochromatosis Fe)

- hereditary hemochromatosis의 m/c 원인 mutation
- non-classic MHC class I molecule, 대부분의 조직에 존재(특히 간에 많이 존재)
- hepcidin 합성을 증가시키는 역할 (HFE mutations → hepcidin↓ → body iron↑)

(5) hemojuvelin

- 주로 근육과 심장에, 간에는 소량 존재
- *HFE2* gene (hemojuvelin) mutations → juvenile hemochromatosis
  (hepcidin이 부적절하게 감소 → hemojuvelin도 hepcidin 합성에 필요)

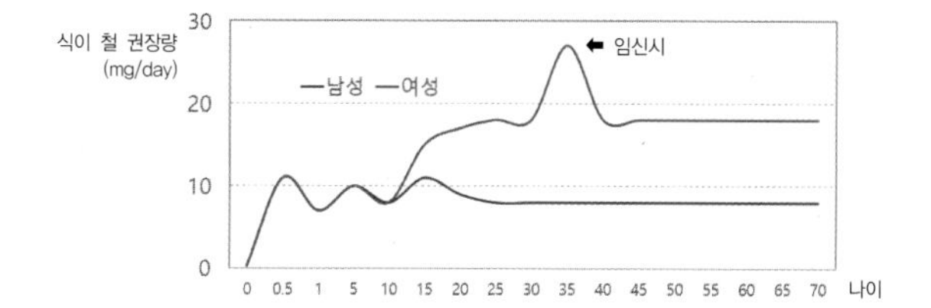

철결핍빈혈 (Iron Deficiency Anemia, IDA)

* m/c anemia, 여자>남자

1. 원인

Iron 이용/필요량 증가
- 유아(생후 5~6개월), 사춘기, 임신
- Erythropoietin 치료

Iron 소실 증가
- 월경 과다
- GI bleeding (e.g., ulcer, tumors)
- Genitourinary bleeding
- Pulmonary hemosiderosis
- Intravascular hemolysis, PNH
- Phlebotomy, 잦은 헌혈

Iron 섭취/흡수 감소
- 철분이 부족한 식사 (모유, 우유, 곡물)
- 채식주의자, 이식증(pica), 빈곤층, 노약자
- Malabsorption ; gastrectomy, sprue, CD ...
- Acute/chronic inflammation

- chronic blood loss가 m/c 원인
  (e.g., 남자 → GI bleeding, 여자 → menstrual loss, 후진국 → hookworm)
- gastrectomy시 IDA의 발생 기전 : malabsorption
  - HCl ↓ (∵ HCl은 iron 흡수를 촉진시킴)
  - transit time 빨라져 → 흡수 감소
  - bypass of duodenum (∵ duodenum에서 iron 흡수가 가장 왕성)

2. 임상양상

- 빈혈 증상은 보통 Hb이 7 g/dL 이하인 경우에 나타남
  - fatigue, headache, dizziness, exertional dyspnea, pallor
  - 빈혈 증상은 빈혈의 발생 속도와 깊은 연관이 있음
- 철 결핍 (IDA)의 증상 및 징후
  ① 이식증(pica) ; 얼음, 흙, 곡식 낟알, 페인트 등을 먹음
  ② 상피세포 이상 ; angular stomatitis, glossitis, atrophic rhinitis, dyspepsia, malabsorption ...
  ↳ 입꼬리염(구각염, cheilosis) … advanced IDA의 소견 (but, 다른 원인도 많음)
  * Plummer-vinson syndrome ; hypopharynx와 식도 경계부의 mucosal web (→ dysphagia), glossitis, IDA (advanced) → IDA가 호전되면 회복됨
  ③ 스푼형손톱(koilonychia) : 숟가락 모양으로 오목해진 손발톱 (손발톱이 얇아지고 부드러우며 갈라지기 쉬움)… advanced IDA의 소견 (but, 다른 원인도 있음)
- achlorhydria, menorrhagia (→ IDA의 원인 & 결과 될 수)

⇨ 진단은 혈액검사로 ; CBC, PBS, serum iron, TIBC, ferritin

3. 검사소견/진행단계

IDA의 stage에 따른 변화

	Normal	Mild	Moderate	Severe
Hemoglobin (g/dL)	≥13 (女≥12)	13	10	5
MCV	80~100	↓	↓	↓↓
MCHC	32~36	N	↓	↓↓
Marrow Iron stores	≥2+	↓	↓↓	↓↓
Serum Iron	50~150	N	↓	↓↓
TIBC	250~370	N or ↑	↑	↑↑
Ferritin	≥15 (女≥10)	↓	↓	↓↓
RBC protoporphyrin	30~50	N	↑	↑↑

① Stage Ⅰ : storage iron depletion (negative iron balance)
- BM : 철염색(prussian blue stain)에서 storage iron의 감소
- serum ferritin ↓ (정상: 남자 24~400, 여자 12~200 μg/L)
  → 가장 sensitive! (저장 철을 가장 잘 반영), 15 미만이면 BM iron store 고갈을 의미!
- ferritin은 acute phase reactant이기 때문에 염증, 암 등에서도 흔히 상승됨
  (→ IDA와 공존하면 ferritin level이 정상일 수 있으므로 해석에 주의)

② Stage Ⅱ : iron-deficient erythropoiesis
- serum iron (SI) ↓ (정상: 50~150 μg/dL)
- TIBC (≒ transferrin) ↑ (정상: 250~370 μg/dL)
- transferrin saturation (= SI/TIBC) ↓↓ (정상: 20~45%)
  (15% : erythropoiesis에 필수적인 최소 level, IDA <15%)
  → 15~20% 이하로 떨어지면 Hb 합성이 감소하게 됨
- sTfR (soluble TfR) ↑ (정상: 4~9 μg/L)
- ZPP (zinc protoporphyrin, free erythrocyte protoporphyrin [FEP]) ↑ (정상: 10~99 μg/dL)
- RBC : normal (or microcytic hypochromic), RDW↑
- hypochromic reticulocyte : CHr (reticulocyte Hb content) ↓
  → iron-deficient erythropoiesis (functional iron deficiency 포함)의 marker!

③ stage Ⅲ : IDA
- serum iron⬇, TIBC⬆ (sTfR⬆), ferritin⬇ 등이 매우 심해짐
- microcytic hypochromic RBCs와 poikilocytosis가 현저해짐 (형태 변화가 가장 마지막 단계!)

* peripheral blood smear (PBS) 및 CBC 소견
- microcytic hypochromic anemia (MCV↓, MCHC↓)
- poikilocytosis (e.g., elliptocytes, target cells), anisocytosis (RDW↑, 많은 빈혈에서 초기 소견)
- reticulocyte : %로는 보통 정상이지만, 절대수는 대개 감소
- WBC 정상, platelet은 종종 증가

* BM 소견
  - 다른 혈액 질환의 R/O위해 필요하며, IDA의 진단에는 필요 없음!
  - 초기에는 hypoproliferation, severe IDA로 진행되면 erythroid hyperplasia (normoblasts↑)
  - 철염색(prussian blue stain) → 철결핍의 확진 가능 (c.f., 염색 상태의 신뢰도가 부족해 실제로는 별로임)
    - macrophage 내의 iron 감소
    - sideroblast (siderotic [= iron] granules을 함유한 normoblast) 감소 (정상: 20~50%)

  c.f.) iron overload를 보는데는 BM iron보다 serum ferritin이 더 좋다

* sTfR (soluble TfR)
  - cellular TfR의 양을 반영, erythropoiesis 증가 및 IDA 때 증가 (정상: 4~9 μg/L)
  - 염증의 영향을 받지 않음 → ACD (AOI)에서는 정상으로 감별에 큰 도움!
  - erythropoietin 치료의 monitoring에도 이용됨 (erythropoiesis↑ → sTfR↑)

4. 감별진단

	IDA	ACD (AOI)	Thalassemia	Sideroblastic anemia
PBS (RBC 형태)	Microcytic hypochromic, Elliptocytes	보통 normocytic normochromic	Microcytic hypochromic, 다양한 형태 이상	다양
Serum iron	↓	↓~N	N~↑	N~↑
Serum TIBC	⬆	N~↓	N	N
Transferrin saturation	<10%	10~20%	30~80%	30~80%
Serum ferritin	⬇	N~↑	N~↑	N~↑
sTfR	⬆	N	N	N
ZPP (FEP)	↑	↑	N	↑
Hb electrophoresis	정상	정상	비정상	정상

5. 치료

(1) IDA의 원인을 밝히고 이를 치료하는 것이 가장 중요!

(2) 적혈구 수혈 : 빈혈이 심해 cardiovascular instability가 있는 경우나, 심한 출혈이 지속되는 경우에만 고려

(3) 경구용 철분제(oral iron)
- Hb level에 관계없이 iron deficiency가 있으면 iron 보충 치료
- 2가철 제제(e.g., ferrous sulfate)를 가장 흔히 사용
  : 325 mg (elemental iron은 65 mg 함유) × 3~4회/day 투여
  → elemental iron 200~300 mg/day 공급 → 최대 50 mg/day이 흡수됨
- m/c 부작용 : 위장 장애 (15~20%) → dose 줄이면 해결
  ; dyspepsia, nausea, constipation, diarrhea ...

- 식전(공복)에 복용해야 흡수율이 높지만, 위장 장애로 계속 복용을 못하는 경우가 많으므로, 식후 즉시 복용 or 취침 전 복용 / 매일 복용보다는 격일로 복용이 더 흡수가 잘 됨
- vitamin C (ascorbic acid) : 철을 환원 상태로 유지하여 흡수 향상
- 치료 시작 전 반드시 baseline reticulocyte count, ferritin level 측정
- Hb 정상화 이후에도 iron store 충전을 위해 6~12개월 더 복용해야 됨!
- 치료에 대한 반응
  - 증상 호전, 세포내 iron enzyme 보충 : 12~24시간
  - BM에서 erythroid hyperplasia : 36~48시간
  - reticulocyte 증가 : 4~7일에 시작, 10일에 peak
  - Hb level 정상화 : 2개월 (2주 후에 상승하여, 2개월에 정상화)
  - 호전순서 : Sx. & cellular iron enzyme → reticulocyte → MCV → Hb → TIBC (transferrin saturation) → serum ferritin (저장철)
  - 치료반응(호전속도)은 erythropoietic stimuli와 철 흡수 속도와 관련 (빈혈의 심한 정도와는 관련 없음)

Oral iron 치료 반응이 나쁜 경우의 원인
Noncompliance (m/c)
치료 기간 부족
Blood loss 지속
위산 저하 ; Antacids, H_2-RA, PPI, 위 질환/절제술 등
소장의 질환 (e.g., IBD, 절제)
철의 흡수 및 이용 방해 ; Calcium, Lead, CKD, 만성 염증, 종양 Aluminum intoxication (투석 환자)
잘못된 진단 ; Thalassemia, Sideroblastic anemia 등

(4) 비경구용 철분제(parenteral iron)

- Ix
  - oral iron의 부작용을 견딜 수 없는 환자
  - iron 흡수장애 (e.g., IBD, 위/소장 절제)
  - 혈액 소실이 지속되거나, iron store를 빨리 올려야할 때
  - EPO (erythropoietin) 치료를 받는 경우 (∵ iron 요구량↑)
  - 심한 빈혈인데(e.g., Hb <6 g/dL) 수혈을 할 수 없는 경우 등
  - 일반적인 임신은 적응 아님
- 효과는 oral iron과 비슷하지만 훨씬 많은 양 투여 가능, 빠른 증상 호전, compliance 좋음
- HMW(고분자량) iron dextran ; anaphylaxis 발생 위험(0.6~0.7%) → 현재는 거의 안씀
  - allergy 과거력이 있거나 이전에 dextran allergy가 있는 경우 발생 위험 증가
  - 소량(test dose)을 먼저 투여 or 천천히 주사 (anaphylaxis 증상 발생시 즉시 중단)
  - 수일 뒤 발생하는 arthralgia, skin rash, 미열 등의 전신증상은 계속 사용해도 됨
- 부작용 적은 새로운 제제들 → parenteral iron 사용 증가 (특히 EPO 사용이 늘면서)
  - ferumoxytol (Feraheme®), sodium ferric gluconate (Ferrlecit®), iron sucrose (Venofer®), LMW(저분자량) iron dextran (InFed®), ferric carboxymaltose (Injectafer®) 등
  - anaphylaxis 매우 드묾 (그래도 주입 종료 후 30분 이상 부작용 여부 관찰해야 됨)
    - ↳ LMW iron dextran을 제외하고는 투여 전에 test할 필요 없음

(5) 예방적 치료 ; 저체중 유아, 임산부, 반복 헌혈자 등

만성질환빈혈(Anemia of Chronic Disease, ACD) ≒ Anemia of inflammation (AOI)

- 2nd m/c anemia (입원 환자 중에서는 m/c)
- 공통기전 ; 저장 철의 이용능 장애, 골수의 부적절한 기능 저하, 적혈구의 수명 단축
- 진단
  ① 다른 anemia의 원인을 R/O
  ② serum iron 및 TIBC가 모두 감소/정상 (↔ IDA와 차이)
  ③ BM iron store (or ferritin)는 감소되어 있지 않음

Hypoproliferative anemia의 특징

	철결핍성 빈혈 (IDA)	만성질환에 의한 빈혈(ACD)			참고치
		염증/감염	신장질환	대사저하	
Anemia severity	mild~severe	mild	mild~severe	mild	
MCV (fL)	60~80	78~90	90	90	80~100
Serum iron	<30	<50	정상	정상	50~150
Serum TIBC	>360	<300	정상	정상	250~370
Transferrin saturation	<10%	10~20%	정상	정상	20~45
Serum ferritin (ng/mL)	<20	200~2000	100~2000*	정상	24~400**
Iron store	0	2~4+	1~4+	정상	2~4+

* CKD 환자는 염증, 감염, 종양, IDA or iron overload 등의 동반이 흔하기 때문에 다양한 양상을 보임
** 여성은 약 1/2 정도로 봄 ⇨ 12~200 ng/mL

1. 염증/감염에 의한 빈혈

(1) 원인

① 급성/만성 감염 ; viral, bacterial, parasitic, fungal
② 종양
③ 자가면역질환 ; RA, SLE, vasculitis, sarcoidosis, IBD ...
④ 기타 ; 장기이식 후 만성거부반응, CKD, LC, CHF ...

(2) 발생기전

① inflammatory cytokines
- 세균감염, 종양 ; TNF (INF-β를 통해 erythropoiesis 억제)
- RA, vasculitis ; IL-1 (INF-γ를 통해 erythropoiesis 억제)

→ 신장에서 EPO 생산↓, RES에 iron 저장↑(→ 혈중 iron↓), erythropoiesis 억제

② EPO에 대한 반응↓ (erythroid precursors의 EPO receptors↓)

③ iron homeostasis dysregulation
- hepcidin : storage iron regulator (간에서 합성됨)
  → 염증시 합성 증가 → iron 흡수 및 storage iron 방출 억제 → serum iron↓

• RES의 iron uptake & retention 증가 → serum iron↓ → iron-restricted erythropoiesis
④ RBC survival (life span) 감소 (∵ erythrophagocytosis↑, RBC damage)
⇨ chronic hypoproliferative anemia (iron availability↓)

* 급성 감염/염증에서는 수명이 다한 RBC의 용혈도 초기 anemia 발생에 많이 관여함

(3) 검사소견

① Hb : 보통 9~11 g/dL (8 이하는 드물다)
② 대부분 normocytic normochromic anemia
  * 장기간의 active RA, 만성감염(e.g., 결핵) 등은 microcytic hypochromic anemia도 가능
③ BM : hypoproliferative, erythroid maturation은 정상, sideroblast↓,
  macrophage 내의 iron↑ (hemosiderin↑)
④ corrected reticulocyte count↓
⑤ serum iron↓, TIBC (transferrin)↓, transferrin saturation 15~20%
  (c.f., TIBC는 negative acute phase reactant로서 감염/염증 때 감소함)
⑥ FEP (red cell protoporphyrin)↑
⑦ serum ferritin 정상~↑ (IDA와 구별되는 가장 큰 특징!)
⑧ ESR↑, fibrinogen↑

* IDA와 공존시 (e.g., chronic blood loss 동반) 진단 어렵다!
  - serum ferritin↓ (<60 μg/L)
  - serum transferrin (TIBC)은 보통 정상치까지 상승
  - serum sTfR (m/g), hepcidin 등으로 감별

2. 만성신장질환(CKD)에 의한 빈혈

(1) 발생기전

① 신장에서 EPO (erythropoietin) 생산↓ (m/i)
  → moderate~severe hypoproliferative anemia
② 요독성 물질 축적 → BM 기능 저하 (antiproliferative effect)
③ RBC의 수명↓, RBC의 iron 이용↓, ineffective erythropoiesis
④ 투석시 blood or folate loss
⑤ ESRD에서는 투석, 감염 등에 의한 만성염증으로 AOI의 전형적인 iron homeostasis 이상 소견

c.f.) HUS에 의한 ARF는 용혈에 대한 반응으로 EPO↑, ADPKD는 신부전에 비해 EPO 감소 정도가 덜함 (↔ DM, MM의 경우에는 신부전에 비해 EPO 감소 정도가 심함)

(2) 검사소견

① normocytic normochromic anemia : 심하다 (Hb : 4 g/dL까지도 떨어질 수 있음)
  - 빈혈의 정도는 신부전의 severity와 비례
  - DM : 신부전 정도에 비해 EPO 감소가 더 심함
② burr cells (= echinocyte) : 작고 규칙적인 돌기를 가진 RBC (1/3에서)
③ reticulocyte↓
④ serum iron, TIBC, ferritin 등은 정상! (but, 투석이나 출혈경향으로 인해 IDA 동반 흔함)

3. 대사 저하에 의한 빈혈

(1) endocrine deficiency

- thyroxine, testosterone, anabolic steroids, GH 등은 erythropoiesis를 촉진하는 역할
  (→ 결핍된 hormone을 보충하면 대개 빈혈은 회복됨)
- 예 ① hypothyroidism (myxedema)
  ② Addison's dz. (adrenal cortical hormone deficiency)
  ③ hypogonadism (testosterone↓)
  ④ panhypopituitarism (GH↓)
  ⑤ hyperparathyroidism (hypercalcemia → EPO↓, ineffective erythropoiesis)

(2) protein starvation

- metabolic rate↓ → EPO↓ (∵ O_2 demand↓)
- 다른 영양소의 결핍도 동반 가능 (e.g., iron, folate, vitamin B_{12})
  → 섭취 재개시 RBC index가 개선되면 반드시 의심

(3) liver diseases

- 발생기전 : RBC 수명 감소, erythropoietic compensation (EPO 생산) 부족
- 검사소견
  ① normocytic or slightly macrocyte
  ② plasma volume↑ → Hct↓
  ③ PB : target cells, stomatocytes, acanthocytes (불규칙한 돌기)
  (∵ lecithin cholesterol acyltransferase↓ → 세포막에 cholesterol 축적)
- alcoholic liver dz. : 다양한 기전이 관여하여 복잡한 양상을 보일 수 있음
  ① alcohol → 직접 erythropoiesis를 억제
  ② BM : RBC & WBC precursors 세포질의 vacuoles, ringed sideroblast (특히 영양결핍자에서)
  ③ folic acid 섭취 감소 흔함 → megaloblastic anemia
  ④ GI blood loss 위험증가 (e.g., gastritis, varices, PUD) → IDA

4. 치료

(1) 기저 질환의 치료

- 대부분 기저 질환이 치료되면 Hb은 정상으로 회복됨
- 기저 질환 치료가 어려운 경우 ; ESRD, 악성종양, 만성염증성질환 등

(2) 수혈

- 심한 심혈관계 또는 호흡기 질환이 없으면 대개 Hb 8 g/dL까지는 수혈을 안 해도 괜찮음
- 증상이 심한 환자는 Hb 11 g/dL 이상 유지가 필요할 수도 있음
- pack RBC 1 unit → Hb level 1 g/dL 상승

(3) EPO (erythropoietin)

- hypoproliferative anemia (e.g., CKD, 만성염증)처럼 EPO가 부적절하게 감소된 경우 특히 유용
- iron deficiency가 공존하면 반드시 교정 필요 (iron deficiency 없을 때는 iron 투여 금기)

- iron : 세포면역의 일부 억제, toxic radicals 생산↑, 종양/미생물에 이로울 수 있음
- CTx 중인 암 환자, 투석 환자에서는 parenteral iron 투여 (→ EPO에 대한 반응↑)

• CKD : 1주일에 3회, 50~150 U/kg IV (epoetin-α), 목표 Hb 10~12 g/dL (너무 높으면 나쁨)
→ 90%가 반응 (4~6주 내에), 목표 Hb에 도달하면 EPO 감량
• CTx 중인 암 환자 : 더 고용량 필요 (~300 U/kg), 약 60%만 반응, CTx 종료시 EPO도 중단
- EPO의 Cx ; 혈전색전증, 종양 증식 (c.f., lymphoma 환자는 아님)
• long-acting EPO (darbepoetin-α) : 1~2주에 1회 투여 가능
• EPO에 대한 반응을 감소시키는 원인 ; infection (감염이 치료될 때까지 EPO 중단), IDA 동반, aluminum toxicity, hyperparathyroidism ...

거대적아구성/거대적혈모구 빈혈 (Megaloblastic Anemia, MA)

• 병인 : DNA 합성장애 → 핵-세포질 발달의 불일치(RNA > DNA) → 조혈세포들의 거대화
• 대부분 cobalamin (vitamin B_{12}) or folate deficiency가 원인
(흡수장애 시에는 cobalamin보다는 folate deficiency가 더 흔히 발생)
• macrocytosis (MCV↑)의 원인

<u>거대적아구성빈혈</u>(cobalamin or folate 결핍, 대사이상)
Antifolate 약물 ; methotrexate
DNA 합성을 방해하는 약물 ; cytosine arabinoside, hydroxyurea, 6-MP, azidothymidine (AZT, Zidovudine)
혈액질환 ; <u>MDS</u>, 일부 AML, reticulocytosis (e.g., 용혈) ...
비혈액질환 ; <u>간질환</u>(LC, alcoholic liver dz.), 폐쇄성 황달, 갑상선기능저하증(myxedema)
생리적 변화 ; 신생아 (생후 4주까지는 대개 macrocytic)
기타 원인을 모르는 경우 ; 임신, 만성 폐질환, 호흡부전, 흡연, 악성종양
자동 혈액분석기의 artifacts ; cold agglutinins, leukocytosis, severe hyperglycemia, hyponatremia, stored blood, warm antibody to RBC

1. Cobalamin (vitamin B_{12}) deficiency

(1) cobalamin (vitamin B_{12})

• 체내에서 합성되지 않으므로 반드시 외부에서 공급되어야 한다
• 동물성 식품(고기, 생선, 유제품)에만 존재 (식물에는 없음!)
• 1일 최소 필요량 2~2.5 μg, 체내 cobalamin store 약 4 mg (간에 m/c, 2 mg)
• cobalamin의 흡수

┌ 수동적 흡수 : GI 점막 전체에서 흡수, 빠르지만 매우 비효율적임 (1% 미만만 흡수됨)
└ 능동적 흡수 : 회장에서 흡수, 매우 효율적 (cobalamin 흡수의 대부분 차지)

① **위**에서 <u>위산</u> 및 pepsin에 의해 음식물에서 분리된 뒤, R-protein와 결합하여 complex 형성
*<u>R-protein(factor)</u> [= haptocorrin (**HC**), transcobalamin-1 (TC-1)] : 구강의 타액선에서 생성됨
② **십이지장**에서 <u>pancreatic enzyme</u>에 의해 R-protein이 파괴된 뒤, <u>intrinsic factor (IF)</u>와 결합 cobalamin-IF complex 형성 (IF : <u>위의 parietal cells</u>에서 분비됨, HCl의 분비와 비례)
③ **회장 말단(distal ileum)**에서 cobalamin-IF complex가 점막의 receptor에 결합되어 흡수됨
④ 회장 점막에서 IF는 분해되고, cobalamin은 transcobalamin Ⅱ (TCⅡ)와 결합하여 순환되다가 간, BM 등에 흡수됨

- cobalamin의 이동
  - ① TC (transcobalamin = TC-2) : chief transport protein, 새로 흡수되는 cobalamin의 90% 이상이 결합, 혈중 cobalamin의 10~30%가 결합되어 있음 (→ 여러 조직에 운반 역할!)
  - ② HC (haptocorrin = TC-1) : reservoir 역할, 혈중 cobalamin의 70~90%가 결합되어 있음
  - ③ TC-3 : isoprotein of TC Ⅰ
  - transcobalamin (TC-2) 결핍시 심한 MA 발생 (haptocorin 결핍은 MA 별로 문제 안됨)
  - 상당량(0.5~5.0 μg)의 cobalamin은 enterohepatic circulation도 거침 (→ 흡수장애시 cobalamin deficiency가 더 빨리 발생)
  - 체내 cobalamin store (2~5 mg)는 섭취가 전혀 없어도 3~4 년간은 유지 가능

(2) cobalamin 결핍의 원인

① 식이성 섭취 부족 (드묾) : 엄격한 채식주의자

② 흡수장애 (거의 대부분)

- (a) 음식물에서 cobalamin 분리 감소 ; 무위산증(e.g., atrophic gastritis), 위부분절제술, 위산분비 억제제
- (b) intrinsic factor (IF) 생산 감소 ; 위전절제술(m/c), 악성빈혈(pernicious anemia) 등
- (c) 회장 말단의 장애 ; 회장절제술, 종양 및 육아종성질환(e.g., 결핵), 선택적 cobalamin 흡수장애, Imerslund's syndrome, sprue, HIV 감염, GVHD
- (d) cobalamin 갈취 ; 촌충(*D. latum*), 세균(e.g., blind loop syndrome)
- (e) 췌효소 결핍 ; 만성췌장염, ZES (과다한 위산이 췌효소를 불활성화)
- (f) 약물 ; 경구혈당강하제(metformine, biguanide), cholestyramine, *p*-aminosalicylic acid, colchicine, neomycin, cytotoxic drugs, 항경련제 ...

③ transcobalamin (TC-2) deficiency

④ cobalamin이 이용되지 못하는 대사질환

- (a) 선천성 ; homocystinuria, methylmalonic aciduria
- (b) 후천성 ; nitrous oxide (N_2O) 가스 흡입

(3) 병태생리

① megaloblastic myelopoiesis : DNA 합성↓ → S phase↑ → cell division 방해 → megaloblast

② ineffective erythropoiesis (& hemolysis) : erythroid precursors가 BM 내에서 과도하게 파괴됨 (심한 경우 90%까지 파괴됨 [정상은 10~15%] → erythroid precursor/reticulocyte ratio↑

- BM에선 erythroid hyperplasia (주로 immature precursors↑) : cellularity↑
- 말초에선 reticulocytes↓ & anemia

③ DNA 합성장애 : 증식이 빠른 세포에서 → 혀, 위, 장점막의 atrophy (→ IF 생산↓ → 악순환)

④ neuropathy : demyelination → axonal degeneration → neuronal death

(4) 악성빈혈(pernicious anemia, PA)

- 서양에서 cobalamin deficiency의 m/c 원인 (우리나라는 2nd m/c 원인)
- hereditary autoimmune disorder
- type A or atrophic gastritis와 관련
- 평균 70~80대에 발생 (약 10%만 40세 미만), 남<여
- 위 점막의 위축(atrophy) → parietal cells 파괴 (∵ complement-fixing Ab 때문, 세포면역도 관여)
  - IF 분비↓↓ (→ cobalamin 흡수↓), pepsin↓, pepsinogen Ⅰ↓

- 무산증(pentagastrin-fast achlorhydria), gastrin ↑

• autoantibodies
  ① anti-parietal cell Ab : 90%에서 (+), specificity 낮음 (노인 여성의 ~16%에서도 발견)
  ② anti-IF Ab : 50~70%에서 (+), 매우 specific! (c.f., 위액의 ~80%에서도 발견됨)
  ┌ 차단항체(type Ⅰ) : cobalamin과 IF의 complex 형성을 방해 (~55%)
  └ 결합항체(type Ⅱ) : cobalamin-IF complex가 회장말단부에 결합되는 것을 방해 (~35%)
  ③ thyroid Ab : 50%에서 (+)

• pathology
  ① gastric atrophy : fundus 만 (→ parietal cells ↓↓)
  ② megaloblastoid alteration (∵ cobalamin 결핍 때문)

• 위암 발생 위험 2배 증가, polyps도 잘 생김

• 다른 autoimmune dz. 동반 흔함 ; Hashimoto's thyroiditis, Grave's dz., myxedema, vitiligo, type 1 DM, adrenal insufficiency (Addison's dz.), hypoparathyroidism

• hypogammaglobulinemia 동반도 흔함

• Tx ; cobalamin 보충, steroid에 의해 일부 호전됨

■ 위절제술(gastrectomy) 후의 anemia

① megaloblastic anemia
  • cobalamin deficiency : total gastrectomy 뒤 5년 이후에 발생 (∵ 5년 동안은 IF가 저장되어 있어 별 이상 없음), partial gastrectomy 이후에도 드물게 발생 가능
  • folate deficiency : anorexia로 인해 발생할 수 있음

② IDA (m/c) → 경구형 철분 제제에는 잘 반응함
  • 원인 : 장운동 증가로 철 흡수 부위인 소장 근위부를 빨리 통과, achlorhydria로 철 흡수 감소
  • IDA와 megaloblastic anemia가 동반되는 dimorphic anemia시에는 macrocytic RBCs와 microcytic hypochromic RBCs가 섞여서 보일 수 있음

2. Folate deficiency

(1) 엽산 (folate, folic acid)

• source : 과일, 채소 (FDA에서 엽산의 식품 첨가 권고 이후, 정상적인 음식 섭취시 결핍은 드묾)

• 흡수 : 상부 공장(upper jejunum), 대개 섭취량의 약 50%가 흡수됨

• 1일 최소 필요량 : 50 μg (임신 등 때는 필요량 증가)

• 체내 folate store : 5~20 mg (간에 m/c) → 공급이 중단되면 3~4개월 이내에 folate 결핍 발생

(2) folate 결핍의 원인

① 섭취 부족 (m/c) ; 노인, 알코올중독자, 마약중독자, 인스턴트식품만 먹는 경우, 유아에서 산양젖 또는 엽산결핍 엄마의 수유 ...

② 요구량 증가 → folate의 예방적 투여가 권장됨!
 ; 조혈증가(e.g., chronic HA, thalassemia, MPN), 혈액/복막투석, 악성종양, 염증성질환 (e.g, TB, CD, 만성 박탈성 피부염, 건선), homocystinuria, 임신, 수유, 영아 등
 태아의 neural tube defects 예방에도 필요 ↵

③ 흡수장애 ; sprue, gluten-induced enteropathy, extensive jejunal resection, CD, partial gastrectomy, CHF, Whipple's dz., scleroderma, amyloid, DM enteropahty, 전신 세균 감염, lymphoma, salazopyrine

④ 엽산길항제(dihydrofolate reductase [DHFR] 억제제) ; 항경련제(e.g., phenytoin, pirimidone, barbiturates), sulfasalazine, nitrofurantoin, TC, methotrexate, trimethoprim, pyrimethamine, triamterene, pentamidine ...

⑤ 복합 원인 ; 간질환, 알코올중독자, ICU 입원 환자

c.f.) cobalamin 결핍 환자들의 약 25%는 장상피의 변화로 인한 이차적인 folate 결핍도 동반함

■ Cobalamin & folate deficiency의 임상양상

• 전신적으로 모든 기관/조직에 영향을 미치므로 매우 다양한 증상을 보일 수 있음

심혈관계	운동시 호흡곤란, 빈맥, 전신무력, 협심증, 심부전증, 부종, 기립성 저혈압
위장관계	설염(→ smooth beefy red, 혀의 통증), 인후통, 구내염, 식욕부진, 체중감소, 만성 복통, 설사, 변비, 오심
피부	과다멜라닌색소침착, 백반증(vitiligo), 조기백발(early graying)
근골격계	자가면역 골관절통, 야간 경련통
비뇨생식계	방광기능장애(→ 방광염), 발기부전, 자궁경부 형성이상(dysplasia), 불임 임산부의 folate 결핍 ⇨ 미숙아, 신경관결손(NTD), 구개열, 구순열 발생 위험 증가
신경계	다양한 중추 및 말초신경 관련 이상 증상 (cobalamin 결핍에서만 발생) Folate 결핍 알코올 중독자에서는 thiamine (vit B_1) 결핍에 의해 Werniches aphasia와 말초신경병증 발생 가능

• 빈혈은 매우 심할 수 있어서 Hct 15~20%인 경우도 있지만, 서서히 진행하므로 증상은 대개 경미

• 정신장애 ; mild irritability, 조울증, 기억장애, 불면증 ...

• 신경 증상 (myelin synthesis defect = methionine defect) : cobalamin 결핍에서만!!

- 빈혈 정도와 관계없이 나타나며, 오히려 역관계를 보임 (Hb, RBC index 정상이어도 발생 가능!)
- 상하지의 numbness & paresthesia : 가장 먼저 발생
- weakness, ataxia, sphincter disturbances (배뇨 곤란)
- reflexes ↑ or ↓, Romberg & Babinski sign (+), positional & vibration sense 감소

• folate 결핍 ; cobalamin 결핍 환자보다 영양결핍이 더 흔함, 신경 증상은 없음

3. 기타 megaloblastic anemia의 원인

(1) DNA 대사에 영향을 미치는 약물

① 항바이러스제 ; acyclovir, zidovudine 등

② 항암제 ; azathioprine or 6-mercaptopurine, capecitabine, cladribine, cytosine arabinoside, 5-fluorouracil, hydroxyurea, imatinib, sunitinib, methotrexate, procarbazine 등

(2) 유전성 (드묾)

① hereditary orotic aciduria

② congenital dyserythropoietic anemia

③ thiamine-responsive megaloblastic anemia (*SLC19A2* gene mutation)

(3) refractory megaloblastic anemia (MDS의 일종)

4. 검사소견/진단

(1) PB/PBS

- RBC ; macro(-ovalo)cytes, basophilic stippling, Howell-Jolly bodies, nucleated RBC ...
  - macrocytosis (MCV >100 fL) → 다른 원인들을 R/O 해야
    (MCV >110 fL면 megaloblastic anemia일 가능성이 높음)
  - IDA, thalassemia 등이 동반되면 MCV가 커지지 않을 수도 있음
- pancytopenia, reticulocytes ↓ (∵ ineffective erythropoiesis)
- hypersegmented neutrophil … 특징적! (초기부터 출현) /but, MDS에서도 나타날 수 있음

(2) BM

① hypercellularity (정상 : 40~60%) ← ineffective hematopoiesis (BM 내 apoptosis ↑)
② erythroid hyperplasia = M:E ratio 감소 (정상: 2~4:1)
③ stainable iron은 충분
④ erythroid precursors가 비정상적으로 크고(megaloblasts), 세포질의 성숙에 비해 핵은 미성숙
(nuclear-cytoplasmic asynchrony/dyssynchrony)
⑤ giant metamyelocytes, giant band neutrophils (∵ neutrophil precursors도 영향 받아)
⑥ megakaryocytes 감소 및 모양이상(크기 ↑)

* MDS와 BM 소견이 비슷하므로 감별에 주의해야 됨 (MDS는 dysplasia가 훨씬 더 심함)

(3) 생화학적 검사

① ineffective erythropoiesis (주로 BM 내에서 mature erythroblasts 파괴 ↑)
↳ 용혈은 BM & 말초 모두에서 일어남 (RBC 수명 30~50% 감소) ⇨ 경미한 용혈 소견
; LD ↑, unconjugated bilirubin ↑, haptoglobin ↓, urine urobilinogen ↑, hemosiderin(+), serum iron ↑, transferrin saturation ↑
(DAT도 약양성으로 나올 수 있으므로, AIHA와 혼동되지 않도록 주의)

② serum/plasma cobalamin *or* folate ↓
- folate는 식사의 영향을 받지만, cobalamin은 받지 않음 (→ RBC의 folate level 측정이 도움)
- false ↑/↓가 많으므로, 이것만으로는 진단할 수 없다!
  (cobalamin or folate 투여로 증상이 호전되어야 임상적 확진)
- 심한 cobalamin deficiency 및 bacterial overgrowth 때는 folate도 상승

③ serum holoTC
- holoTC : 혈중에서 transcobalamin (TC)과 결합되어 있는 cobalamin ("active cobalamin")
- functional cobalamin status를 더 잘 반영함 → cobalamin deficiency 진단에 이용 증가
- cobalamin absorptive capacity도 반영

④ serum/plasma MMA & Hcy
- methylmalonic acid (MMA) ↑ : cobalamin deficiency에서만
- homocysteine (Hcy) ↑ : cobalamin & folate deficiency 모두에서

- cobalamin과 folate 농도 측정만으로는 감별진단이 애매할 때에 유용!
- 매우 sensitive (조직의 vitamin stores를 반영) → subclinical cobalamin deficiency 진단 가능
  (Hb과 cobalamin은 정상이어도, MMA & Hcy 상승시 정신신경증상 발생 가능)

- MMA는 cobalamin deficiency가 없는 신부전 때도 경미하게 상승 가능
- homocysteine은 상승되는 다른 경우가 많음 (e.g., 신부전, 알코올중독, 흡연, pyridoxine def., hypothyroidism, steroid, cyclosporine, HRT, 경구피임약 복용 등)
  → cobalamin or folate deficiency의 진단에는 이용 못함
- 치료 F/U에도 이용 : 치료 시작 후 5~10일이면 정상화됨!

	참고치	Deficiency		
		Cobalamin	Folate	Cob. & Folate
Cobalamin	200~1000 ng/L (pg/mL)	↓	N	↓
Folate	2~20 μg/L (ng/mL)	N~↑	↓	↓
RBC folate	160~640 μg/L	N~↓	↓	↓
Methylmalonic acid	70~270 nmol/L	↑↑	N	↑↑
Homocysteine	4~14 μmol/L	↑↑	↑↑	↑↑

(4) cobalamin 흡수 검사 (결핍 원인 파악)

- Schilling test : 과거 cobalamin deficiency 원인 확인의 gold standard
  (복잡하고, radioactive cobalamin이 없어져서 현재는 사용 안됨)
- 기타 ; Cobasorb test (cobalamin 투여 후 holoTC의 변화 측정), [^{14}C]-cyanocobalamin 활용 등
  ⇨ 확립된 검사법은 없어서.. 내시경검사, anti-parietal cell Ab, anti-IF Ab 등을 주로 사용

5. 치료

(1) cobalamin deficiency

- cobalamin (vitamin B_{12}) replacement ; cyanocobalamin, hydroxocobalamin
  - 거의 대부분 흡수장애가 원인이므로 (초기에는) 비경구적으로 투여 (IM)
    ; 1000 μg/week (8주, 부하요법) → 1000 μg/month (유지요법, 평생!)
  - 경구 투여도 효과는 동일함 (고용량 1~2 mg/day → 1~2%가 수동확산으로 흡수됨)
    ; 섭취 부족, 흡수장애, PA 등 모든 cobalamin 결핍 환자에서 효과적
    (특히 출혈경향 등으로 IM이 어려운 환자에서 선호됨)
  - IM & oral B_{12} 모두 거부하는 환자는 sublingual therapy 고려
- 치료 초기에 hypokalemia와 salt retention이 나타날 수 있음
- 신경학적 증상은 치료에 반응이 늦거나, 호전되지 않을 수도 있음
  (12~18개월 치료해도 호전되지 않으면 대개 회복 불가능)
- 다량의 folate 투여에 의해서도 혈액학적 소견은 호전될 수 있지만, 신경학적 증상은 호전되지 않거나 악화될 수도 있으므로 주의 → 검사를 통해 반드시 cobalamin deficiency를 R/O!

(2) folate deficiency

- folate replacement : oral 1~2 mg/day (흡수장애시에는 5~15 mg/day)
- 치료 기간은 원인에 따라 다름
  (투석, 만성 hemolytic anemia, 흡수장애, 만성 영양실조 등의 경우에는 평생 투여)
- 대개 1~4개월 뒤면 folate 결핍 RBCs가 folate가 충분한 RBCs로 교체되어 호전됨
- 비경구적 투여는 대부분 필요 없음 (경구가 불가능한 환자나 증상이 매우 심한 경우 IV 고려)

• folinic acid (5-Formyl-THF, leucovorin) : fully reduced folate의 stable form, DHFR inhibitors (e.g., methotrexate)의 부작용을 치료하기 위해 투여

(3) 기타

• 수혈은 거의 필요 없고, 권장 안됨 (심한 빈혈로 응급 수혈이 필요한 경우 소량의 RBC 수혈)
• 치료에 대한 반응
  ① BM 소견의 호전 (수시간 ~ 2-3일) ② 전신 증상의 호전 (PB 소견 호전보다 먼저 발생)
  ③ reticulocytosis (3~5일에 시작, 7일경 peak), WBC & platelet count 정상화
  ④ Hb (1~2달 뒤에 정상화)
• 일부에서 치료 초기에 hypokalemia가 발생할 위험이 있으므로 K^+ 보충 권장
• 때때로 치료 1~2주에 platelet count가 크게 상승될 수도 있음
  (→ 80만 이상으로 상승되면 aspirin 같은 antiplatelet therapy 시행)

예방적 투여가 필요한 경우

Vitamin B_{12} (cobalamin)	Folate
채식주의자	임신, 수유, 미숙아
Gastric or bariatric surgery	신경관결손이 있는 아이의 출산 위험이 있는 임산부
소장 질환/절제	혈액투석을 받고 있는 CKD 환자
Cobalamin 결핍 산모에서 태어난 영아	Hemolytic anemia, MPN
선천성대사이상으로 특별식을 받고 있는 영아	Methotrexate 치료 중인 환자
Nitrous oxide (N_2O) gas 노출	Hyperhomocysteinemia와 연관된 혈전색전증 위험

혈색소이상증 (Hemoglobinopathy)

I. Hereditary
  [1] Structural hemoglobinopathies (globin chain의 구조 이상)
    1. Sickle cell anemia
    2. Unstable hemoglobins
    3. Hemoglobins with abnormal oxygen affinities
    4. Methemoglobins (M hemoglobins)
  [2] Thalassemias (globin chain의 합성 감소)
    1. α Thalassemias
    2. β Thalassemias
    3. $\delta\beta$, $\gamma\delta\beta$, $\alpha\beta$ Thalassemias, HPFH (hereditary persistence of fetal Hb)
  [3] Thalassemic hemoglobin variants (위 두가지 장애가 공존)
    1. HbE
    2. Hb Constant Spring
    3. Hb Lepore
  [4] Hereditary persistence of fetal hemoglobin

II. Acquired
  1. Toxic carboxyhemoglobinemia ; CO poisoning
  2. Toxic methemoglobinemia ; benzocaine, aniline, nitrites, NO gas, nitrobenzene, dapsone, pyridium ...
  3. Toxic sulfhemoglobinemia
  4. HbH in erythroleukemia
  5. Erythroid stress 및 BM dysplasia 상태에서 HbF의 증가

* autosomal recessive/codominant 유전 → homozygote면 심한 증상, 여러 composite 양상도 가능
* 진단법 ; Hb electrophoresis (EP), isoelectric focusing, HPLC, Hb profile 정량검사,
DNA sequencing, spectrophotometer (carboxyHb, metHb에 대한 응급검사) ...

1. 지중해빈혈(thalassemia) 증후군

- m/c hemoglobinopathy ; 지중해 연안, 동남아, 아프리카 일부, 인도, 중동 등에서 호발
  ≒ 열대열 말라리아 유행지역 (우리나라는 매우 드묾 → 외국인 유입으로 점점 증가 추세)
- $\alpha_{(or\ \beta)}$-globin gene 이상 ⇨ $\alpha_{(or\ \beta)}$-globin↓ ⇨ Hb↓ ⇨ microcytic hypochromic anemia,
  심할수록 serum iron↑, TSAT↑, ferritin↑ (∵ ineffective erythropoiesis 및 수혈로 인한 iron overload)
- β-thalassemia major (c.f. α-thalassemia가 더 많지만 대부분 경미하기 때문에 β~가 임상적으로 문제됨)
  - β-globin gene mutation이 원인 (대부분 point mutation)
  - 소아때 심한 빈혈 (Hb 2~3 g/dL) 및 간비종대, HbF 및 HbA2의 증가
  - PBS 소견 ; severe IDA와 비슷하지만 (Hb 정도에 비해 microcytic hypochromic이 심함)
    target cells, tear-drop cells, basophilic stippling, nRBCs 등이 매우 많음
  - 지속적인 수혈 필요! (Hct 27~30% 유지) → erythropoiesis 억제
- β-thalassemia intermedia ; major와 비슷하지만, 수혈 없이도 Hb 6 g/dL 이상은 유지됨
- β-thalassemia minor (trait) ; mild anemia (Hb은 대개 9 g/dL 이상)
  ⇨ IDA로 오진하지 않도록 주의! (임신, 만성출혈 등 꼭 필요한 경우만 철분 복용)
- α-thalassemia trait ; 빈혈은 없이 microcytic hypochromic RBCs (HbF와 HbA2도 정상)
- 치료 ; 수혈(+ iron chelator), folic acid 보충, HCT (유일한 완치법), gene therapy (연구중)

2. 겸상적혈구 증후군 (sickle cell syndrome)

- β-globin gene의 mutation ($\beta^{6Glu\rightarrow Val}$) → HbS : 특징적인 sickle cells 모양 형성
- stiff, viscous sickle cells
  → vasoocclusive crisis ; 허혈, 통증, 장기부전
  → 수명 감소 (hemolytic anemia)
- 흑인에서 많고 열대열 말라리아 유행지역에서 호발 경향 (c.f., 미국 흑인의 약 3%), 우리나라는 無
- sickle cell anemia의 임상양상 (vasoocclusive crisis)
  - spleen, CNS, bone, liver, kidney, lung 등을 잘 침범
  - painful crisis (m/c) ; 신체 모든 부위에서 발생 가능, 수시간~2주까지 지속
  - splenic crisis, hand-foot syndrome, acute chest syndrome (lung) ...
  - 기타 ; 망막혈관폐색, 신유두괴사(등장뇨, CRF), CVA, priapism ...
  - 감염 위험 증가 (∵ spleen 기능↓, 면역저하)
- 검사소견 ; normocytic normochromic anemia (Hb 5~9 g/dL), 심한 reticulocytosis, sickle cells,
  target cells, nRBCs, Howell-Jolly bodies, WBC 약간 증가
- 진단 ; PBS, Hb EP, sickling test, DNA 검사
- 합병증 및 사망률이 증가되는 경우 ; 1년에 3회 이상 입원이 필요, chronic neutrophilia,
  splenic crisis or hand-foot syndrome의 병력, 2회 이상의 acute chest syndrome 병력

• 치료
  - 철저한 예방접종, 수혈에 의한 iron overload 방지 위해 desferroxamine 투여
  - painful crisis ; 수액공급, 진통제, 감염 등의 유발인자를 찾아 교정
  - acute chest syndrome (내과적 응급) ; 수액, 산소, 수혈(교환수혈)
  - hydroxyurea → HbF 생성 유도 및 혈액학적 이상 호전 (수명도 연장됨)
  - HCT ; 유일한 완치법, 소아에서만 효과적이고 안전

3. Methemoglobinemia

• Hb의 2가철이 3가철로 산화되어 O_2 affinity가 비정상적으로 높아진 것
• 원인 ; 선천적(globin or metHb 환원 효소[e.g., metHb reductase, NADP diaphorase]의 mutation)
  후천적-toxins (e.g., nitrate or nitrate 함유 물질)
• PaO_2가 높은데도 불구하고 hypoxia 증상 & 청색증처럼 보이면 의심
• metHb level이 15% 이상이면 cerebral ischemia Sx 발생, 60% 이상이면 사망
• 혈액이 매우 탁하고 청갈색이면 의심(muddy brown), 진단은 metHb 검사
• 치료 ; 응급시엔 methylene blue IV, 이후 or 경미할 때는 oral methylene blue or ascorbic acid

HEME 합성 장애

1. 철적아구성 빈혈 (sideroblastic anemia, SA)

• heme 합성 장애로 Hb 형성이 감소된 질환
  → iron이 mitochondria에 과다 축적됨 (total body iron 증가)
  → erythroid precursors의 핵 주위에 iron-laden mitochondria가 분포 ("ringed sideroblast")
• 원인

1. Hereditary sideroblastic anemia (매우 드묾)
   X-linked sideroblastic anemia (XLSA)
   Autosomal sideroblastic anemia
   Mitochondrial sideroblastic anemia
2. Acquired sideroblastic anemia
   MDS (RARS) → 5장 MDS 편 참조
   Drugs & toxins (e.g., alcohol, lead, INH, PZA, cycloserine, chloramphenicol)
   Alkylating agent chemotherapy (e.g., cyclophosphamide)
   Neoplastic (e.g., carcinoma, leukemia, lymphoma)
   Inflammatory disease, rheumatoid arthritis

• 정확한 원인은 모름 (c.f., X-linked SA의 경우는 ALA synthase 변이)
• BM : iron store↑, ringed sideroblast (특징!), erythroid hyperplasia
  - RBC 생산↓ (ineffective erythropoiesis)
• PB : microcytic (or normocytic) hypochromic anemia (dimorphism), nucleated RBC
• serum iron N~↑, TIBC 정상, transferrin saturation↑
• 약 10%에서 intractable AML 발생

- 치료
  ① 기저 질환의 치료, offending drugs & toxins 중단
  ② pyridoxine (vitamin B6), folic acid
  ③ androgen, GM-CSF, IL-3, erythropoietin
  ④ transfusion 등의 supportive therapy
  ⑤ iron overload → phlebotomy (anemia 안 심할 때), desferroxamine

2. 포르피린증 (porphyrias)

(1) 개요

- heme 합성단계의 효소들이 유전적 or 후천적으로 결핍되었을 때 그 전 중간대사물이 축적되어 발생하는 질환군 (대개 환경/유발인자가 동반되었을 때 증상 발생)
- 중간대사물이 축적되는 주요 장소에 따라 hepatic or erythropoietic으로 분류
  - hepatic porphyria (e.g., AIP, PCT) ; 대개 성인 이후에 유발인자 노출시 증상 발생
  - erythropoietic porphyria (e.g., CEP, EPP) ; 어릴 때부터 skin photosensitivity 발생

(2) Acute intermittent porphyria (AIP)

- HMB-synthase (HMBS) activity가 1/2로 감소 (→ ALA와 PBG 축적), AD 유전
- 여성에서 흔함, 대개는 무증상이며 특히 사춘기 이전에는 거의 대부분 증상 발생 안함
- acute attack의 유발인자 ; steroids, 월경, 약물, 알코올, 흡연, low-calorie diet .. (임신은 아님)
- acute attack의 임상양상
  - 소화기 증상 (∵ 자율신경계 기능장애에 의한 신경내장증상) ; 복통(m/c), ileus, 복부팽만, 장음감소, N/V, 변비, 설사 ...
  - 교감신경계 활성 증가 ; 빈맥, 고혈압, 발한, 불안, 떨림 ...
  - 신경 증상 ; 말초신경병증(주로 운동신경을 침범), 근력약화, 호흡 및 연수 마비, 경련 ...
  - hyponatremia : ADH 분비↑ (SIADH), N/V/설사 등에 의한 소실 때문
- 검사/진단 ; 혈장/소변에서 ALA 및 PBG level↑, RBC HMBS↓, HMBS mutations
- 치료 (유발인자 회피)
  - 증상 조절 ; narcotic analgesics, phenothiazines, chloral hydrate, benzodiazepines ...
  - IV glucose loading : mild attack 때
  - IV heme (hematin) : severe attack or glucose loading 1~2일 뒤에도 반응 없는 mild attack
  - 월경 때마다 attack이 반복될 때 → GRH analogue (배란 및 progesterone 생산 억제)

AIP, acute porphyria 유발/악화 위험 약물	Alcohol, Barbiturates, carbamazepine, Carisoprodol, Clonazepam, Danazol, Diclofenac 등의 NSAIDs, Ergots, Estrogens, Ethchlorvynol, Glutethimide, Griseofulvin, Mephenytoin, Meprobamate, Methyprylon, Metochlopramide, Phenytoin, Primidone, Progesterone, Pyrazinamide, Pyrazolones, Rifampin, Succinimides, Sulfonamide, Valproic acid ...
안전한 약물	AAP, Aspirin, Atropine, Bromides, Cimetidine, EPO, Gabapentin, Glucocorticoids, Insulin, Narcotics, Penicillin & derivatives, Phenothiazines, Ranitidine, Streptomycin, Vigabatrin

(3) Porphyria cutanea tarda (PCT)

- m/c porphyria, hepatic uroporphyrinogen (URO)-decarboxylase 결핍 (20% 이상 결핍되어야)

  ┌ type 1 (sporadic) : 대부분(~80%)
  └ type 2 (familial) : heterozygous *UROD* (uroporphyrinogen decarboxylase) mutations 가짐
  (↳ 유전자 침투도는 낮으므로 대부분 가족력은 없음)
- 유발인자 ; HCV, HIV, 알코올, iron↑, estrogens, 피임약 ...
  (acute porphyria를 유발/악화할 수 있는 모든 약물들은 PCT에서는 안전함!)
- 임상양상 ; blistering skin lesions (등과 손에 m/c), skin friability, milia, photosensitivity, 만성 간질환(때때로 LC), HCC 발생위험↑,
- 치료 ; 유발인자 회피, phlebotomy (excess iron 제거)-TOC, hematin (IV heme), low-dose chloroquine or hydroxychloroquine (excess porphyrin과 결합하여 배설 촉진), ESRD 환자는 erythropoietin도 투여함

(4) Congenital erythropoietic porphyria (CEP)

- AR 유전, URO-synthase 결핍 → uroporphyrin I 및 coproporphyrin I isomers 축적
- hemolytic anemia (∵ RBC porphyrin의 심한 증가 때문) → splenomegaly
- 심한 피부 광과민성(photosensitivity)

(5) Erythropoietic protoporphyria (EPP)

- 2nd m/c porphyria, ferrochelatase 결핍
- 피부 광과민성(photosensitivity) : 햇빛에 노출 된 직후 angioedema 비슷한 병변 발생
- hemolytic anemia는 없거나 경미함

2 용혈성 빈혈(hemolytic anemia)

개요

1. 정의 및 검사소견

- hemolytic anemia (HA) : RBC 수명이 반복적 또는 지속적으로 감소되어 발생한 빈혈
  (RBC 감소 속도가 매우 빠르거나 BM의 보상능력 장애시 빈혈 발생)

[RBC의 평균 수명 : 120일
  RBC 생산 중단시 → Hct는 하루에 1/100 씩 감소 (1주일에 약 3%)

- 용혈(RBC 파괴 증가)에 의한 검사 소견
  ① unconjugated bilirubin 증가 (indirect hyperbilirubinemia의 m/c 원인)
  → 황달, 짙은 소변색 (∵ urobilinogen ↑)
  ② LD 증가 (intravascular HA시엔 최대 10배까지), AST 증가
  ③ haptoglobin 감소 [N: 30~200 mg/dL]
  [hemolysis시 free Hb과 결합 → haptoglobin ↓ or 0
    간에서 생성됨 (hepatocellular dz.시 감소)
    inflammation시엔 증가 (∵ acute-phase reactant) → 해석에 주의

- reticulocytosis (RPI >2) : BM에서 RBC 생산 증가 (∵ EPO ↑)
  - 용혈(hemolysis)의 single most useful indicator
  - MCV ↑ (∵ reticulocyte는 RBC보다 큼), polychromasia, 때때로 nRBC도 출현

- compensated hemolysis : erythropoiesis (EPO ↑) 증가로 anemia는 발생하지 않은 상태
  → decompensation이 유발되면 (e.g., 임심, folate 결핍, 신부전, 감염) anemia 발생 가능

- hemolytic anemia에서는 대개 BM biopsy까지는 할 필요 없다

2. 병인 및 분류

[intrinsic to RBC (membrane, enzyme, Hb)
  external factors

■ Extravascular v/s Intravascular Hemolysis

① **extravascular hemolysis** (더 흔함) → splenectomy가 효과 있다
: spleen, liver의 RES (macrophage)에 의해 RBC가 파괴됨

예) • autoimmune hemolytic anemia (AIHA, warm Ab)
• hereditary spherocytosis
• thalassemias, sickle cell dz.
• splenomegaly

② intravascular hemolysis → splenectomy 효과 없다
예) • microangiopathic hemolytic anemia (MAHA)
• PNH, PCH, hemolytic transfusion reaction, AIHA (cold Ab)
• RBC membrane의 화학적 변화 (e.g., toxin, drug)
• RBC enzyme disorders (e.g., G6PD deficiency)

1. RBC 내부의 이상	Enzyme defects Hemoglobinopathies	Intracellular defect (대개 hereditary)
2. RBC membrane의 이상	Hereditary spherocytosis PNH (acquired)	
	Spur cell (acanthocyte)	Extracellular defect (대개 acquired)
3. Extrinsic factors	Splenomegaly Antibody (immune hemolysis) Microangiopathic hemolysis Infections, toxins	

		Extravascular	Intravascular
혈액	Polychromasia	+	++
	Reticulocyte count	↑	↑↑
	Poikilocytosis	Spherocytes	Schistocytes
혈장(혈청)	Unconjugated bilirubin	↑	N~↑
	Plasma (free) Hb	N~↑	↑↑
	LD	↑	↑↑
	Haptoglobin	↓	Absent
	Hemopexin	↓	↓↓
소변	Urobilinogen	↑	↑
	Hemosiderin	–	+
	(free) Hemoglobin	–	+ (severe)

Intravascular hemolysis의 특징적인 검사소견
Hemoglobinemia (plasma Hb↑), LD↑, Haptoglobin↓↓ Hemosiderinuria Hemoglobinuria (심할 때) Methemalbuminemia (심할 때) * bilirubin은 정상이거나 약간 증가

→ pigment-induced injury (e.g., ARF, DIC) 가능

유전 적혈구막 질환

1. 유전구형적혈구증 (Hereditary spherocytosis, HS)

(1) 개요

- 적혈구 막을 구성하는 spectrin, ankyrin, protein 4.2, band 3 등의 단백질 구조 이상
  → 구형 모양 (∵ RBC surface/volume ratio 감소) → deformability 감소
  → spleen을 통과할 때 쉽게 파괴됨 (extravascular hemolysis)
- 유전 양상 ; 약 75%는 AD 유전, 25%는 AR or spontaneous mutation (가족력 無)
- 유병률 약 1/5000 (유전성 용혈빈혈 중 m/c), 소아 용혈빈혈 중 m/c, 대개 성인이 되어야 발견됨

(2) 임상양상

- anemia, jaundice, splenomegaly (∵ 만성 용혈 때문) ; 증상의 출현 시기, 심한 정도는 다양함
- gallstones : pigment type (∵ bile pigment 생성 증가로) … F/Hx.
  - 특히 담석 환자가 가족력이 있거나 젊은 나이면 HS를 의심
  - 간질환으로 오인하지 않도록 주의
- "aplastic crisis" (특히 parvovirus B19 등의 virus 감염시) : 빈혈 증상/소견이 심해짐
- chronic leg ulcers, spinal cord dysfunction, cardiomyopathy 등은 드묾
- 용혈이 심한 경우(e.g., aplastic crisis) vitamin B_{12}, folate 결핍도 발생 가능

(3) 검사소견/진단

- MCHC↑, MCV↓, reticulocytosis
- PBS ; spherocytosis (가장 특징적!, 다른 원인에 의한 spherocyte와 달리 모양과 크기가 매우 일정함), polychromasia ...
- hyperbilirubinemia (indirect), LD↑ (∵ hemolysis)
- Coombs' test (-) → AIHA에 의한 spherocytosis와의 차이점
- **삼투압취약성검사** : osmotic fragility (OF)↑ (spheroidicity를 정량적으로 평가)
  - 정상인보다 높은 농도의 생리식염수에서 용혈 발생
  - sensitivity 낮음, 경미한 경우는 정상일 수도 있음
    (→ 실온에서 24시간 incubation한 뒤에 검사하면 sensitivity↑)
  - 다른 경우에도 OF 증가할 수 있음 ; AIHA, 수혈, G6PD deficiency, unstable Hb 등
- pink test (glycerol lysis test) : classic osmotic fragility test를 간단하게 변형한 것
  (pH 6.66의 glycerol 용액에서 RBC가 용혈되는 속도를 측정함)
- 자가용혈검사 : autohemolysis↑ (정상 : 0.2%~2.0% hemolysis), specificity는 떨어짐
- EMA (eosin-5-maleimide) binding test : flowcytometry를 이용한 적혈구막 단백 정량검사
  ↳ 적혈구막 단백(특히 band 3, Rh-related proteins)에 결합
  - 삼투압취약성검사(OF)보다 sensitivity & specificity 좋음, 적혈구막 질환 screening에 유용
  - HS는 ↓, AIHA는 N/↑, hereditary pyropoikilocytosis (elliptocytosis)는 ↓↓
  - 전형적이지 않은 경우(e.g., MCV ≥90 fL) 시행 권장
- 기타 ; cryohemolysis test, RBC 수명 단축 (^{51}Cr study), plasma iron turnover rate 증가

- 확진을 위한 검사
  - 적혈구막 단백 분석 : SDS-PAGE (gel electrophoresis), mild한 경우엔 sensitivity 떨어짐
  - HS 원인 단백질들의 gene study (DNA sequencing) … 보통은 필요 없음

(4) 치료

- 5세 이전 ⇨ conservative Tx. (∵ splenectomy시 감염 위험↑)
- 5세 이후 ⇨ splenectomy (∵ spleen은 RBC 파괴의 주 장소이며, RBC spheroidicity를 악화시킴)
  - splenectomy 2주 전까지는 pneumococcus, meningococcus, *H. influenzae* 등에 대한 예방접종을 마쳐야 하고, folic acid도 투여해야 됨
  - splenectomy 이후에도 spherocytes는 계속 남지만, RBC 수명은 정상화 됨 (→ RBC 수명이 정상화 안되면 accessory spleen 또는 다른 질환 의심)
  - splenectomy 후 18세까지는 prophylactic antibiotics (효과는 논란)
  - 성인에서 발견된 mild case에서는 가능하면 splenectomy는 피함
  - 흔히 cholecystectomy도 같이 시행하게 됨!
- 만성 용혈의 경우 folic acid 보충도 필요함 (∵ 골수 조혈 요구량↑) → Hb level ↑
- steroid는 효과 없다! (∵ 면역학적 기전이 아니므로)

2. 유전타원적혈구증 (Hereditary elliptocytosis)

- 원인 : 적혈구막을 구성하는 spectrin, protein 4.1, glycophorin C 등의 단백질 구조 이상
- 유병률 1/2000~4000, 아프리카와 지중해연안에 흔함 (우리나라 적혈구막 질환의 6%), AD 유전
- HS에 비해 경미하여 대부분 빈혈은 없음 (Hb >12 g/dL, reticulocyte <4%)
- 10~15%에서만 HA 동반 (Hb 9~12 g/dL, reticulocyte ~20%)
- 임상양상 및 검사소견은 HS와 비슷, PBS에서 elliptocytes가 15% 이상

적혈구 효소 이상

1. Glucose-6-phosphate dehydrogenase (G6PD) deficiency

- 지중해연안, 아프리카, 중국 남부, 미국 흑인 등에서 흔함, XR 유전
- 평상시에는 정상(무증상), oxidant drugs or infections에 의해 episodic hemolysis 발생
- 유발인자 ; 감염, 발열, acidosis, hypoxia, drugs (aspirin, sulfonamide, antimalarials, dapsone, quinidine, quinine, nitrofurantoin, doxorubicin, 수용성 vitamin K ...)
- PB 이상 소견은 경미함 (e.g., "bite cell" = Heinz body [brilliant cresyl blue 염색])
- Tx : 특별한 치료는 필요 없음, oxidant causes 제거, 심한 HA시에는 수혈

2. Pyruvate Kinase (PK) deficiency

- AR 유전, 대개 유아~소아 때 HA 증상 발생
- reticulocytosis 매우 심함, Heinz body는 없음

자가면역 용혈빈혈 (Autoimmune hemolytic anemia, AIHA)

1. 개요

- immune HA : antibody에 의해 발생하는 hemolytic anemia, 후천적 HA의 m/c 원인
  - 자가항체(autoantibody) : 자기 자신의 RBC에 반응(결합)하는 Ab
  - 동종항체(alloantibody) : 다른 사람의 RBC에 반응(결합)하는 Ab
    (e.g., 수혈된 RBC, 임신부의 태아 RBC에 대한 Ab)
- antibody와 결합된 RBC는 혈관외에서(e.g., spleen, liver, BM) macrophages에 의해 파괴됨
  cold Ab (대개 IgM)의 일부는 혈관내에서 complement activation에 의해 파괴 가능
- 유병률 약 1/10만 (ITP보다 적음), 남<여, 중년에서 호발
- AIHA의 50~70%에서는 원인을 밝힐 수 없음

	Warm AIHA	Cold AIHA
1. Ig class	IgG (드물게 IgM or IgA)	IgM (예외; PCH는 IgG)
2. Optimal reactivity	37℃	<30℃
3. Specificity	대개 anti-Rh	대개 auto-anti-I (PCH는 anti-P)
4. 용혈 기전	Self RBC에 대해 반응하는 IgG Ab가 생성되어 RBC에 부착되고, Ab-RBC는 spleen, macrophage에 의해 파괴됨 (extravascular hemolysis)	Self RBC에 반응하는 IgM Ab가 생성되어 RBC에 부착되고, complement도 활성화하여 부착되어 주로 extravascular hemolysis 유발, 심한 경우 intravascular hemolysis도 발생 가능
5. 연령, 성	Younger, 남<여	Older, 남>여, 매우 드묾 (AIHA의 약 1/5)
6. 원인	Idiopathic Neoplasm (ovary, stomach) Collagen vascular dz. (SLE-m/c, RA) Lymphoproliferative dz. (CLL, NHL, HL) Viral infections, chronic inflammation Drugs 1. α -methyldopa type 2. penicillin type (stable hapten) 3. quinidine type (unstable hapten)	Cold hemagglutinin disease (CHD) Primary - idiopathic (m/c) Secondary - infection (*Mycoplamsa*, infectious mononucleosis [EBV], CMV, malaria ...) lymphoproliferative dz. (lymphoma) benign monoclonal gammopathy Paroxysmal cold hemoglobinuria (PCH)
7. 임상양상	매우 다양 (mild~very severe) Anemia, jaundice, splenomegaly 때때로 venous thrombosis도 발생 가능	감염에 의한 경우 : self-limited hemolysis Idiopathic lymphoma에 의한 경우 지속적 용혈 추위 노출시 painful acrocyanosis, hemoglobinuria
8. 검사소견	WBC & platelet 정상 PBS : spherocytosis, anisocytosis, polychromatophilia, reticulocyte 증가 Urine hemosiderin (-) Direct Coombs test (+) Indirect Coombs (±)	Mild reticulocytosis PBS : RBC agglutination 혈액측정기에서 false MCV↑, RBC count↓ Complement fixation test (+) Cold Ab titer 증가 Direct Coombs test (+) : complement에 대해서만

c.f.) Coombs tests (= antiglobulin tests)

① direct Coombs test (direct antiglobulin test, DAT)
- RBC 막에 IgG나 complement (C3d)가 부착되어 있는지를 보는 검사
  (C3d : IgM 등에 의한 complement activation 때 나타남)

- 환자의 washed RBC에 antiglobulin serum (시약)을 첨가하여 반응을 봄
  → 환자의 RBC 막에 IgG나 C3d가 부착되어 있으면 응집 발생 (+)
- 사용하는 시약에 따라 anti-IgG, anti-C3d 등이 있다

Anti-IgG	Anti-C3d (IgM)	원인
+	−	α-methyldopa나 penicillin에 의한 용혈
+	+	Warm AIHA, glycoprotein 항원에 대한 Ab, SLE
−	+	Cold-reactive Ab, 대부분의 drug-related Ab, IgM Ab, low-affinity IgG Ab, IC에 의한 complement 활성화

② indirect Coombs tests
- 혈청 중에 있는 RBC에 대한 autoAb들이 RBC 막에 결합은 하지만 응집을 유발하지 못하는 경우가 있다
- 환자의 혈청 + O형 RBC → antiglobulin serum (시약)을 첨가하여 반응을 봄
  → 환자 혈청 내에 Ab가 있으면 응집 발생 (+)

③ Coombs test (−)인 경우 ⇨ immune 원인이 아님
; PNH, sickle cell dz., HS, hypersplenism, MAHA (e.g., TTP, HUS, DIC) ...

* 드물게 Coombs-negative AIHA도 있을 수 있음
  - 원인 ; IgA autoAb, low-affinity IgG autoAb, 기술적인 문제
  - 예 ; lymphoma, CLL ...

2. Warm Ab에 의한 AIHA

- 대부분 체온(37℃)에서 가장 잘 반응하는 IgG autoAb에 의한 HA
- 약 10%에서는 immune thrombocytopenia도 동반됨 (Evans syndrome)
- direct Coombs test : 98%에서 양성 (IgG ± C3)
- 치료 (원인 질환을 교정하는 것이 중요)
  - mild → 필요 없음 (경과 관찰)
  - moderate~severe → prednisone (1 mg/kg/day)
  - very severe → prednisone IV + splenectomy (or rituximab)

① glucocorticoids (e.g., prednisone) : TOC
- steroid의 작용기전
  - Ab가 RBC에 결합하는 것을 억제
  - macrophages가 IgG-coated RBC를 파괴하는 것 (phagocytosis) 억제
  - Ab 합성 자체를 억제 (late effect)
- 3~4일 뒤 Hb 상승 (대부분 1~2주 이내에는 상승)
- 약 75%가 반응 (but, 이중 약 1/2은 재발)

② IV γ-globulin : 일반적인 치료에 반응 없거나 매우 심할 때만 고려, 매우 높은 용량이 필요함 (but, ITP 때 보다는 효과 많이 떨어짐!, 약 40%만 반응, 대개 일시적)

③ splenectomy : steroid에 반응 없거나 의존적인 chronic AIHA 환자에서 시행, 장기간 효과적

④ rituximab (anti-CD20) : splenectomy 불가능/거부시, 심할 때는 초기부터 steroid와 병용
- 기전 : pathogenic autoAb를 생산하는 B cells 억제 + 다른 기전
- 90% 이상에서 반응 (c.f., 소아에서는 2nd line Tx로 splenectomy보다 먼저 선호됨)

⑤ 면역억제제 : steroid & splenectomy/rituximab에 반응 없으면 고려
- cyclosporine, cyclophosphamide, azathioprine, 6-MP 등 → 약 ~50%에서 반응

⑥ 수혈 : 빈혈이 심해 적응이 되면 수혈! (→ 대부분 문제 안 생김), 교차시험에는 주의 필요
- autoAb는 대개 panagglutinin이므로 거의 모든 헌혈 혈액과 반응
  → 교차시험(cross-matching)에서 적합한 혈액을 찾기가 불가능
  → autoadsorption (환자의 RBC로 autoAb를 흡착) 후 검사
- 혹시 alloAb도 동반되었는지 검사해야 됨
- 부작용 발생 여부를 면밀히 관찰하면서 천천히 수혈

⑦ 교환수혈(exchange transfusion), plasmapheresis (IgG는 효과 별로) 권장×

- 예후는 대개 원인 질환에 의해 좌우됨
- 사망원인
  ① 매우 심한 용혈에 의한 빈혈
  ② 치료에 의한 면역저하 (steroid, splenectomy, 면역억제제 등)
  ③ 심한 혈전증 동반

3. Cold Ab에 의한 AIHA (Cold agglutinin disease, CAD)

- 매우 드묾 (AIHA의 약 1/5), 대부분 60세 이상
- 정상인에서도 저농도의 cold Ab (cold agglutinin)는 존재 가능
- 주로 anti-I IgM → RBC의 I Ag과 결합 → complement activation 발생
  - monoclonal Ab : lymphoid malignancies or chronic CAD
  - polyclonal Ab : infection → 대개 자연 소실됨
- 체온보다 낮은 온도에서 활성화됨 (RBC에 대한 affinity↑)
- 임상양상
  ① cold-induced Sx (intravascular agglutinin)
  - acrocyanosis, livido reticularis, or Raynaud phenomenon 등
  - 체온이 낮은 신체 부위에서 발생 가능 (손가락, 코, 귀)
  - 따뜻하게 해주면 소실됨

  ② AIHA : 주로 extravascular hemolysis (대개 경미함), 심한 경우 intravascular hemolysis도 가능
- hemolysis의 정도를 결정하는 요인
  ① Ab titer (대개 1:2000↑, 채혈후 검사전까지 37℃ 유지 필요)
  ② Ab의 thermal amplitude (Ab가 RBC와 반응하기 시작하는 가장 높은 온도)
  - 대부분 23~30℃
  - 높을수록 hemolysis↑ (∵ 체온에 가까워지므로)

  ③ 주위 환경의 온도 : 낮을수록 hemolysis ↑
- 치료 : 원인 질환이 있으면 교정하는 것이 우선
  ① 추위에의 노출을 피함

② plasmapheresis or IVIG : acute severe HA에서 고려
③ monoclonal cold agglutinin
 ┌ lymphoid malignancies → rituximab + bendamustine (or fludarabine, prednisone)
 └ monoglonal gammopathies → bortezomib
 - 위 치료에 실패하면 chlorambucil, cyclophosphamide, IFN-α 등 고려 (효과는 별로)
④ anti-complement therapies (연구중) : sutimlimab (anti-C1s), eculizumab (anti-C5)
* 대부분의 CAD에서 steroid나 splenectomy는 효과 없음! (∵ monoclonal Ab)

4. 발작한랭혈색소뇨증 (paroxysmal cold hemoglobinuria, PCH)

┌ acute form : viral infection 뒤에, 대부분 소아에서 발생 (5세 이하 소아 AIHA의 약 1/3 차지)
└ chronic form : congenital syphilis와 관련

- 원인 : Donath-Landsteiner Ab (anti-P IgG Ab) ; 저온에서 RBC에 결합 (4℃에서 최대)
  → 37℃로 되면 complement-mediated lysis (intravascular hemolysis) 유발
- Coombs test ; reagents가 anti-complement activity를 가지고 있을 때만 (+)
- 진단 : cold-reacting IgG Ab의 확인 (lytic test, special antiglobulin test)
- 치료
  ① 보존적 치료 ; 수혈, 추위에의 노출을 피함
   (c.f., syphilis에 의한 경우 → syphilis 치료하면 회복됨)
  ② severe chronic PCH → steroid or 면역억제제(azathioprine, cyclophosphamide, rituximab)
  * splenectomy는 대개 효과 없고, plasmapheresis로도 Ab 잘 제거 안 됨

약물에 의한 면역용혈빈혈

1. 적혈구막에 immune complex가 흡착 (innocent bystander)

- drug-induced Ab (보통 IgM) → drug와 immune complex를 이룬 뒤 적혈구막에 결합
  → complement fixation → RBC lysis
- intravascular hemolysis, hemoglobinemia, hemoglobinuria
- direct antiglobulin test (+) : anti-C3에 대해서만
- diagnosis ; patient's serum, offending drug, target erythrocytes를 같이 incubation
  → agglutination, lysis, sensitization of RBCs 관찰

2. 약물이 적혈구막에 흡착 (hapten)

- penicillin, cephalosporin 등
- RBC membrane에 정상적으로 존재하는 protein과 drug가 결합 → haptenic groups 형성
  → immune response 유발 (Ab. 생성)
- IgM과 IgG 모두 형성되나, IgG Ab만 immune hemolysis와 관련 (complement는 관여 안 함)
- IgG Ab-coated erythrocytes → splenic macrophages의 Fc receptors에 의해 제거

3. 약물이 autoantibody 생산을 유도

- α-methyldopa, L-Dopa, procainamide, mefenamic acid 등
- warm Ab에 의한 AIHA와 유사
- T-lymphocyte suppressor activity를 억제
  → B cells에서 autoantibody 생산 증가 (type II hypersensitivity)
- methyldopa 사용 환자의 15%에서 direct antiglobulin test (+)
  → 실제 hemolytic anemia는 1%에서만 발생

4. 적혈구막의 변화 (비면역학적 Ig 흡착)

- cephalosporins → 적혈구막을 변화시킴 → nonspecific (non-immune) adsorption of plasma proteins to RBCs surface (IgG와 IgM Ig도 RBC membrane에 약하게 결합)
- direct antiglobulin test (+)

동종면역 용혈빈혈 (Isoimmune hemolytic anemia)

- 주로 신생아에서, maternal anti-fetal RBC Ab가 placenta를 통과하여 발생
- 확인법 ; 신생아 RBC의 DAT(+), Ab elution & identification

1. Rh 혈액형 부적합 (incompatibility)

- isoimmune HA가 발생하기 위해서는, 예전의 "sensitization"이 필요
  ① 이전의 임신시, Rh(D) fetal RBCs가 placenta를 통과하여 Rh(−) 산모의 circulation에 들어갔을 때 주로 발생
  ② Rh 음성인 산모가 예전에 Rh 양성인 혈액을 수혈 받았을 때
- maternal anti-fetal RBC Ab (IgG) 생성 → 다음 임신시 fetal RBCs가 다시 maternal circulation에 들어오면 Ab response가 restimulation → anti-Rh(D) Ab가 태반을 통과 fetal RBCs를 lysis 시킴
- 임상증상은 매우 다양 ; only mild jaundice ~ markedly pale, jaundice, prominent hepatosplenomegaly, bleeding diathesis, kernicterus
- blood ; normoblasts ↑ ("erythroblastosis fetalis"), reticulocyte ↑, macrocytic anemia, leukocytosis with shift to the left
- marrow ; 심한 erythroid hyperplasia
- 신생아 RBC의 direct antiglobulin test (+)

2. ABO 혈액형 부적합 (incompatibility)

- O형 산모에서 이미 존재하던 anti-A or anti-B Ab (IgG class)가 placenta를 통과하여 <u>첫 임신</u>시에도 fetal RBCs (A or B형)를 용혈시킬 수 있음 (sensitization 필요 없다)
- O형 산모에서 태어난 A or B형 신생아에서 발생한 unexplained hyperbilirubinemia시 의심
- Rh incompatibility보다는 hemolysis가 덜 심함 (∵ ABO Ag의 성숙 속도가 느림)

• mild anemia, modest reticulocytosis (Rh incompatibility보다 spherocytosis는 심함)
• direct antiglobulin test ; weakly (+)

발작성 야간혈색소뇨증 (Paroxysmal nocturnal hemoglobinuria, PNH)

1. 개요

• 드묾 (AA의 약 1/5~1/10), 남=여, 평균 발생 연령 40세
• acquired stem cell disorder로 complement에 민감한 RBC, WBC, platelet 들이 생산됨 (preneoplastic dz. → aplastic anemia, MDS, AML로 진행 가능)
• 병인 : X 염색체의 ***PIGA*** (**p**hosphatidyl**i**nositol **g**lycan anchor biosynthesis, class **A**) gene의 acquired mutations, self-renewing hematopoietic stem cells에서 발생하여 clonal expansion (정상 조혈의 억제 + PNH clone의 대량 증식으로 인해 classic PNH 발병)
  → glycophosphatidyl inositol (**GPI**) anchor 생성에 장애
  → 방어역할을 하는 GPI-linked proteins (e.g., CD59, CD55)이 세포막에 결합 못하고 소실됨
  → complement에 의한 적혈구들의 파괴 증가 (intravascular and/or extravascular hemolysis)
  - **CD59** (m/i) : C5 fragments 방어, 결핍시 intravascular hemolysis 발생 (PNH의 주 병인)
  - CD55 : C3 fragments (e.g., C3d) 방어, 결핍시 extravascular hemolysis 발생 (intravascular hemolysis보다 mild anemia, C3d에 대한 Coombs test 양성일 수)
• 일반적으로 clone size와 PNH의 severity는 비례하지만, 일치하지 않는 경우도 있음 (clone size가 작아도 PNH의 전형적인 증상 동반 가능)
• 다른 stem cell disorder와 동반될 수도 있음 ; aplastic anemia (m/c, 20~30%), myelofibrosis, MDS, MPN 등 (aplastic anemia의 ~50%, low-risk MDS의 ~15%에서 PNH clone 존재)

2. 임상양상

• 특징 ; deficient hematopoiesis (pancytopenia), hemolytic anemia (chronic intravascular hemolysis), thrombosis
• episodic hemolysis 반복 (수면, 감염, 수술, 활동증가시 ↑)
  → episodic jaundice *and/or* gross hemoglobinuria (특히 자고난 뒤 아침 첫 소변)
  (∵ 수면 중 mild respiratory acidosis 발생 → complement 활성화↑)
• fatigue : 대부분 빈혈 정도에 비해 심함 (∵ 혈관내 용혈 → free Hb↑ → NO depletion)
• smooth muscle dystonia (∵ NO depletion → 과도한 smooth muscle 수축)
  → 복통 (thrombosis에 의해서도 가능), dysphagia/odynophagia, 발기부전 등

3. 합병증

• **thrombosis** (m/i) ; 20~40%에서 발생, 동맥보다는 정맥 침범이 훨씬 많음
  - complement 활성화 → platelet 활성화, 혈관내 용혈에 의한 free Hb, RBC fragments 등

→ 응고촉진 & 혈전형성
- 복부내 정맥 침범이 m/c (약 2/3)
  - mesenteric vein thrombosis 등 → 복통!
  - hepatic vein thrombosis → Budd-Chiari syndrome
  - portal or splenic vein, IVC thrombosis → congestive splenomegaly
- DVT, pulmonary thromboembolism
- 피부정맥 (→ 발적, 부종, 통증), 뇌 정맥 (→ 두통, 신경장애 등) ...

• infection, hemorrhage, IDA ...
• pulmonary HTN (∵ NO depletion and/or pulmonary emboli) ; 심한 경우 ~50%에서 동반
• renal failure ; 심한 급성 혈관내용혈시에는 free heme 등에 의한 직접 신 독성에 의해 AKI 가능, 만성 용혈에 의한 free Hb, iron, hemosiderin 등의 신장내 축적으로 CKD 발생 (~64%에서)
• aplastic anemia (~30%, 과거에 AA의 병력도 드물지 않음), MDS, AML ...

c.f.) PNH에서 빈혈의 원인 ; PNH clone의 용혈, BMF (e.g., AA, MDS), IDA, splenomegaly

4. 검사소견

• normo(~macro)cytic normochromic anemia (Hb은 대개 8~10 g/dL)
  - intravascular hemolysis의 소견 ; plasma Hb↑, serum LD↑↑, haptoglobin↓, hemoglobinuria, hemosiderinuria ...
  - 장기간의 hemoglobinuria & hemosiderinuria로 인하여 IDA도 흔히 동반됨 (→ MCV↓)
• reticulocytosis (but, hemolytic anemia의 정도에 비해서는 낮다)
• pancytopenia 흔함 (∵ WBC나 platelet도 complement에 민감) ··· hemolytic anemia 중 유일!
• BM : 대개 normo~hypercellular (aplastic anemia 동반시 hypocellular), erythroid hyperplasia
• Coombs test (-), low LAP score, low RBC acetylcholinesterase

5. 진단

(1) sucrose hemolysis test (Hartman test) ; sensitivity↑, specifictiy↓ (screening)
(2) Ham's test (acidified serum test) ; specificity↑ (diagnostic)
(1), (2) ⇨ complement에 대한 sensitivity 증가를 의미 (flowcytometry로 대치되어 거의 시행 안 됨)

(3) **flowcytometry (FCM)** : 확진, Ham's test보다 더 sensitive & specific
  • markers (GPI-linked protein or GPI-anchor)의 결핍으로 진단
    ① **CD55** (decay accelerating factor, DAF) : RBC, granulocyte, platelet
    ② **CD59** (membrane inhibitor of reactive lysis, MIRL) : RBC (CD55보다 선호됨)
    ③ **FLAER** (**fl**uorescent **aer**olysin) : GPI-anchor에 직접 결합하는 항체로 결핍되면 백혈구에 GPI-anchor가 없음을 의미, CD55/59보다 더 sensitive & specific (RBC에는 잘 결합 안함)
  • 이용되는 markers의 조합 (high-sensitivity/multicolor FCM) ··· 3 계열 모두 시행 권장
    ① RBC ; CD55/CD59, glycoporinA/CD59 (c.f., reticulocyte에선 PNH clone size 더 크게 나옴)
      ↳ 치료받지 않는 PNH 환자는 용혈 and/or 수혈로 인해 WBC clone size보다 작게 나옴
    ② neutrophil ; FLAER/CD24,CD15,CD66b,CD55,CD59 → RBC PNH clone size보다 크게 나옴
    ③ monocyte ; FLAER/CD14,CD55,CD59 → neutrophil PNH clone size와 비슷하게 나옴

6. 치료

(1) anti-complement agent : eculizumab (Soliris®)

- FDA 승인된 최초의 PNH 치료제 (2007년), 2주마다 IV로 투여, 매우 비쌈
- 적응 : PNH 증상이 심하거나, large PNH clone (>20%)인 경우
- C5에 대한 monoclonal Ab. : C5가 C5a와 C5b로 분해되는 것 차단 → MAC 형성 억제
  → PNH의 근본 병인인 complement-mediated intravascular hemolysis를 효과적으로 억제함!
- C3 fragments에는 결합 안함 → CD55 결핍에 의한 extravascular hemolysis는 억제 못함
  → mild anemia (C3d Coombs test+) 지속 가능 (대개 수혈이 필요할 정도로 심하지는 않음)
- PNH 합병증(e.g., thrombosis) 크게 감소, 삶의 질 향상 → 장기 생존율 증가
- 수막알균 감염 위험이 높아지므로, 치료 시작 최소 2주 전에 수막알균 백신 접종 필수

* ravulizumab : eculizumab과 효과/부작용 비슷하면서 반감기 길, 8주마다 투여 (2018년 FDA 허가)

(2) 보존적/기타 치료

- 수혈 ; 반드시 WBC-depleted (e.g., filtered) or washed RBC
  - 혈중 Hb level 상승, BM에서 새로운 RBC가 생산되는 것을 억제
  - 장기간 수혈 치료시 수혈 부작용 및 삶의 질 저하
- folic acid 보충 (∵ anemia)
- iron 보충 (∵ IDA) : 새로운 RBC 생산을 증가시켜 일시적으로 hemolysis가 증가될 수 있음
  (→ prednisone 투여 또는 수혈로 최소화)
- steroid (e.g., prednisone) : 효과가 별로 없고 부작용 위험이 크므로 권장 안됨
  (염증이 용혈을 악화시키는 경우에만 단기간 사용 고려 가능)
- acute thrombosis → anticoagulation (e.g., LMWH, warfarin), fibrinolytics (tPA)
  - prophylactic anticoagulation은 권장 안됨 (∵ 효과 적고, 출혈 부작용 위험)
  - thromboembolism 발생 이후에는 eculizumab으로 2차 예방 권장
  - eculizumab을 사용 못하는 경우에는 평생 anticoagulation (예외: very small PNH clone)
  - 혈전 성향을 높이는 약물은 복용 금기 (특히 경구피임약)
- BM hypoplasia (aplastic anemia) 동반시 (PNH-AA syndrome)
  - ALG or ATG (antithymocytic globulin) + cyclosporine A : SCT donor 없을 때
  - allogenic HCT (유일한 완치법) : eculizumab 도입 후 HCT는 많이 감소되었지만,
    젊고 심한 PNH or PNH-AA 환자에서는 고려

7. 예후

- 만성 경과, 대부분 결국엔 합병증 발생, 치료 안하면 진단 후 평균 10~20년 생존
  → eculizumab 도입 이후 생존율 훨씬 향상된 것으로 예상됨 (거의 정상인 수준)
- 사인 ; thrombosis (28%), pancytopenia (15%), MDS (5%), acute leukemia (5~15%)
- 예후가 나쁜 경우
  ① 진단시 55세 이상 ② thrombosis … m/c 사망원인(40~67%) ③ renal failure (CKD)
  ④ pancytopenia로 진행 (c.f., AA 이후에 PNH가 발생된 경우는 예후 좋음)
  ⑤ MDS or acute leukemia 발생 ⑥ 진단시 thrombocytopenia

TRAUMATIC HEMOLYSIS

- 기계적 손상에 의해 intravascular hemolysis가 발생하는 질환군으로, 대부분 말초혈액에서 RBC fragments (schistocytes)가 관찰됨

  - macrovascular traumatic hemolysis (e.g., artificial heart valve)
  - microvascular traumatic hemolysis : MAHA

Microangiopathic hemolytic anemia (MAHA)미세혈관병 용혈빈혈

Thrombotic microangiopathy (TMA)혈전미세혈관병증

↳ 미세혈관의 thrombosis ▶ MAHA + thrombocytopenia

Thrombotic microangiopathy (MAHA)의 분류/원인 ★

TTP : Autoimmune (ADAMTS13 Ab)
Congenital TTP (Upshaw-Schulman Syndrome) : *ADAMTS13* mutations
STEC-HUS : Shiga Toxin-Producing *E. Coli* (EHEC)
aHUS (atypical HUS) : ADAMTS13 or Shiga Toxin/EHEC와 관련 없음
  Primary ; Complement-mediated HUS, Non-complement gene mutations (e.g., *DGKE, PLG, MMACHC*)
  Secondary ; *Streptococcus pneumoniae* 등   functional cobalamin deficiency ↲

Secondary Thrombotic Microangiopathy
  Disseminated intravascular coagulation (DIC)
  감염 ; bacterial (e.g., *Streptococcus pneumoniae*), viral (e.g., HIV), fungal
  장기이식 관련 ; CTx, RTx, Rejection, GVHD
  암 ; 위암, 유방암, 폐암, 간암 등
  임신 관련 ; Preeclampsia, Eclampsia, HELLP (hemolysis, elevated liver enzymes, low platelet count)
  자가면역질환 ; SLE 및 기타 혈관병, APS
  Cavernous hemangioma (Kasabach-Merritt syndrome)
  Malignant HTN
  Mechanical hemolysis (e.g., Prosthetic heart valves)
  Drug-induced thrombotic microangiopathy (DITMA)
    Immune ; Gemcitabine, Oxaliplatin, Sulfisoxazole, TMP-SMX, Quetiapine, Quinine, Ticlopidine
    Toxic ; Bevacizumab, Bortezomib, Carfilzomib, Docetaxel, Imatinib, Ixazomib, Mitomycin, Palbociclib, Pentostatin, Ponatinib, Sunitinib, Cyclosporine, Everolimus, Interferons, IVIG, Sirolimus, Tacrolimus, Gemcitabine, Valproic acid, Cocaine, Oxymorphone ER, Oxycodone ...
  Toxins ; Carbon monoxide, Bee sting, Arsenic, Iodine ...

*SLE는 autoimmune HA와 MAHA 모두 발생 가능

원인	Schistocyte	Hemolytic anemia	Thrombocytopenia
TTP	++++	++++	++++
HUS	++++	++++	++++
DIC	++	±	++++
Prosthetic heart valves	+++	++	−
Vessel disease*	+++	+	+

* Malignant HTN, eclampsia, renal graft rejection, hemangioma, immune disease (scleroderma)

1. 혈전혈소판감소자색반병 (Thrombotic thrombocytopenic purpura, TTP)

(1) 개요/병인

• 비교적 드문 질환, 남:여 = 2:3, 30~40대에 호발, 대부분 idiopathic/primary TTP임

┌ primary TTP : 만성 재발성 (ADAMTS13 deficiency)
└ secondary TTP : ADAMTS13 activity를 억제하는 항체 존재 *or* direct endothelial injury
(임신, estrogen 복용, SLE, Sjögren's syndrome, scleroderma, metastatic ca., high-dose CTx., mitomycin C, ticlopidine 등)

c.f.) 유전성 TTP는 매우 드묾(<5% of TTP) ; 대개 소아 때 발병, plasma infusion으로 치료

• ADAMTS13 (plasma metalloproteinase) : UL (unusually/ultra large)-vWF를 분해하는 효소
(↳ A Disintegrin And Metalloprotease with a ThromboSpondin type 1 motif, member 13)
→ 결핍되거나 Ab에 의해 activity가 억제되면 UL-vWF ↑
→ 병적인 platelet adhesion & aggregation → thrombosis 유발됨 (→ TTP)

• endothelial injury → endothelial cell에서 vWF와 다른 procoagulant 유리 ↑
→ 다양한 장기의 arterioles에서 thrombotic lesions 발생

(2) 임상양상

① severe thrombocytopenia (<20,000/mm^3) → purpura, petechiae 등 전반적인 출혈 증상
• platelet-associated IgG와 complement는 정상
• coagulation test (PT, PTT, FDP 등)는 정상 (or 약간 연장) ↔ DIC와 차이!
(∵ DIC에서와 같은 과도한 응고활성화 및 fibrinolysis는 없으므로)

② microangiopathic hemolytic anemia (>96%)
• PB ; schistocytes (fragmented RBCs ; helmet cell, triangle cell), marked reticulocytosis, nucleated RBCs ...
• intravascular hemolysis ; indirect hyperbilirubinemia (→ jaundice), LD ↑, haptoglobin ↓ ...
• direct Coombs test (DAT) 음성! (∵ 면역학적 기전이 아니므로)

③ fever (98%)

④ CNS 침범 : neurologic Sx. (>92%)
• 두통, 의식장애, 착란, 혼수 ...
• focal neurologic deficits ; seizure, hemiparesis, aphagia ...

⑤ 신장 침범 (88%) ; proteinuria, hematuria, azotemia, casts ...
• 보통 mild (creatinine이 3 mg/dL를 넘는 경우는 드물다)
• renal failure시 → reversible!

(3) 감별진단

• HUS, DIC, malignancy, vasculitis, SLE 등 ⇨ 우선 2ndary thrombotic microangiopathy를 R/O

┌ HUS → 신장 침범(ARF)이 주 증상, ADAMTS13 정상, EHEC/Shiga toxin(+)
└ TTP → 신경 침범이 주 증상, ADAMTS13 level ↓

	Autoimmune disorders	DIC	TTP/HUS
PBS	Microspherocytes	Schistocytes (+)	Schistocytes (+++)
Reticulocyte	↑↑↑	정상 or ↑	↑↑↑
Coombs test	(+)	(−)	(−)
응고검사(PT, PTT)	정상	비정상	정상

(4) 진단

① 대개 임상양상 및 검사소견(e.g., schistocytes)으로 진단

② ADAMTS13 activity ; fluorescence resonance energy transfer (FRET)-based assay

③ 침범된 장기(e.g., skin, muscle, gingiva, LN, BM)의 biopsy
; arteriole, capillary 내에서 hyaline platelet thrombi (+ fibrin) deposit

(5) 치료

* 치명적이므로 빨리 치료해야 됨(medical emergency)

① plasmapheresis (plasma exchange) with FFP : TOC (70~90% cure)

- 기전
  - 비정상 UL-vWF 및 ADAMTS13 inhibitor Ab의 제거
  - 부족한 정상 protease (ADAMTS13)의 공급
- 의식상태는 즉시 회복되며, platelet count는 수일 후에 회복됨
- CR (신경증상 소실, Hb/platelet/LD/bilirubin/Cr 등의 정상화)될 때까지 매일 1~2회 시행

② 면역억제치료

- secondary TTP에서 ADAMTS13에 대한 Ab 생성 억제/차단
- 대개 plasmapheresis에 반응 없는 **refractory** TTP에 사용 (심하면 처음부터 사용)

- high-dose steroid (prednisone) ; 처음부터 plasmapheresis에 보조적으로 단기간 사용, refractory TTP에서는 intensified regimen (methylprednisolone, SoluMedrol)으로 사용
- caplacizumab (anti-vWF mAb) ; vWF-platelet 결합을 차단하여 microthrombi 형성 억제, 생명을 위협하는 severe TTP에서는 처음부터 사용 권장 (∵ 빠른 효과로 사망률↓)
- rituximab (anti-CD20) ; 처음부터 사용 경향 (∵ 악화 및 재발↓ 효과)
- 위 치료들에 반응 없으면 cyclophosphamide, bortezomib, cyclosporine, mycophenolate, N-acetylcysteine (NAC), splenectomy 등 고려

③ 기타

- platelet clot에 대한 치료 (e.g., 항혈소판제) : 현재는 거의 이용 안함
- platelet transfusion은 생명을 위협하는 심한 출혈(e.g., 뇌출혈) 위험 때 외에는 금기 (∵ thrombosis를 악화시켜 MI, CVA 유발 가능)

(6) 예후

- 치료 안하면 사망률 90% (대부분 3개월 내에 사망)
- plasmapheresis를 시행해도 사망률은 약 15%
- 초기에 잘 치료되면 residual renal or neurologic dz. 없이 완전히 회복됨
- 약 12~42%에서는 재발 가능 (severe ADAMTS13 deficiency에서 재발 더 흔함)

2. 용혈요독증후군 (Hemolytic uremic syndrome, HUS)

(1) 개요

- 대부분 5세 미만 소아에서 발생 (성인에서는 드묾), 남≒여
- TTP와 임상양상 및 검사소견이 비슷함 (but, ADAMTS13은 대부분 정상)
- TTP와 달리 신장을 주로 침범하고, 신경 증상은 거의 없음
- 분류/원인
  - ① STEC-HUS (과거 D+ HUS) : 주로 소아에서 **혈성설사** 후 발생 (소아 HUS의 90%)
    - 원인균 ; EHEC (*E. coli* O157:H7-m/c, 다른 혈청형들도 있음),
      Shigella dysenteriae type 1, *Salmonella, C. jejuni, Y. enterocolitica, C. difficile* ...
    - Shiga toxin (Stx) → 혈관/내피세포 손상 유발
  - ② atypical HUS (aHUS) : 5~10%, 설사와 관련 없이 발생, TTP와 유사, 주로 성인에서 발생
    - (1) primary : ***hereditary (genetic, familial) HUS***
      - aHUS의 ~60%, 예후 나쁨 (사망률 54%, 일부는 지속적인 투석 필요)
      - complement alternative pathway 조절단백의 결함(mutations)
        ; factor H (*CFH*), complement regulatory protein (*CD46*), *C3*, factor I (*CFI*) 등
        → complement activation 과다 → 내피세포 손상
      - non-complement gene mutations (e.g., *DGKE, PLG, MMACHC*)
    - (2) secondary
      - 기타 감염(e.g., *S. pneumoniae, Bartonella*, virus), 악성종양
      - 내피세포 손상 유발 약물 ; calcineurin inhibitors (e.g., tacrolimus, cyclosporine), cytotoxic drugs (e.g., mitomycin C, cisplatin, bleomycin), gemcitabine, anti-VEGF
      - 임신, HELLP syndrome, 악성 고혈압, 사구체질환, SLE, APS 등

(2) 임상양상

- 장출혈성 위장관염 선행 ; 발열, 구토, 복통, 혈성설사 등
- acute renal failure (BUN & Cr↑, oliguria), HTN, fever
- MAHA (schistocytes), thrombocytopenia (mild~moderate) : TTP보다는 덜 심함
- coagulation test (PT, PTT) 정상, Coombs test (-)!
- reticulocyte↑, direct bilirubin↑, haptoglobin↓, hyperkalemia (용혈 및 ARF 때문)
- LD↑ (진단 및 치료반응을 보는데 중요) : TTP보다는 낮음

(3) 진단

- 임상양상(e.g., 혈성설사의 병력, ARF, schistocyte)
- 원인균 검출 : 대변 배양, Shiga toxin gene [*stx1(vt1), stx2(vt2)*] PCR 등
- hereditary (complement-mediated) HUS ; complement proteins or antibodies, genes
  (*CFH, CD46, CFI, C3, CFB, THBD, CFHR1, CFHR5, CFH-H3, DGKE, MCP* 등)
- 병리소견 : 신장 생검
  - vasoocclusive process : afferent arteriole과 glomerular capillary에 hyaline thrombi가 보임
  - renal cortex의 ischemic necrosis, arteriolar microaneurysm, glomerular infarction ...

(4) 치료

① STEC-HUS : 소아는 대부분 self-limited

- 주로 supportive care (신기능 보전을 위한 수액, 전해질 균형 유지, 투석 등)
- 항생제의 사용은 논란 (∵ Shiga toxin 분비를 촉진할 수) → sepsis 이외에는 금기
- plasmapheresis, steroid, Ig, Stx-binding agent (Synsorb) 등은 효과가 없거나 불확실함!

② aHUS : 치료 안하면 ESRD로 진행 위험 매우 높음

- complement-mediated aHUS ⇨ eculizumab (C5 mAb)이 효과적임
  - eculizumab을 사용할 수 없으면 plasmapheresis (권장 /but, TTP보다는 효과 적음), plasma 주입
  - 심한 경우에는 combined liver-renal transplantation 고려
- *DGKE* mutations ⇨ eculizumab과 plasma Tx 효과 없음 (C3 감소시 plasma Tx 고려)
- *S. pneumoniae*에 의한 aHUS ⇨ 항생제로 원인 치료
- steroid, dextran, heparin, splenectomy 등의 효과는 불확실

(5) 예후

- mortality : 소아의 STEC-HUS는 5% 미만, 성인의 aHUS은 약 26%
- 생존자의 약 20~30%에서 ESRD 발생, 재발은 약 20~25%

전형적인 HUS와 TTP의 특징

	TTP	HUS
소아에서 발생	드묾	흔함
Case clustering	−	+
가족력	드묾	때때로
E. coli O157;H7과 관련	−/+	+
ADAMTS13 activity	⇩	대개 정상
빈혈, 혈소판감소증	심함	덜 심함
신부전	드묾, 경미함	흔함, 심함
신경 증상	현저함	드묾
설사 선행	−	흔함
사망률	10~30%	<5% (aHUS는 26%)
재발	약 30%	20~25%

3
골수부전(Bone Marrow Failure, BMF)

조혈 (HEMATOPOIESIS)

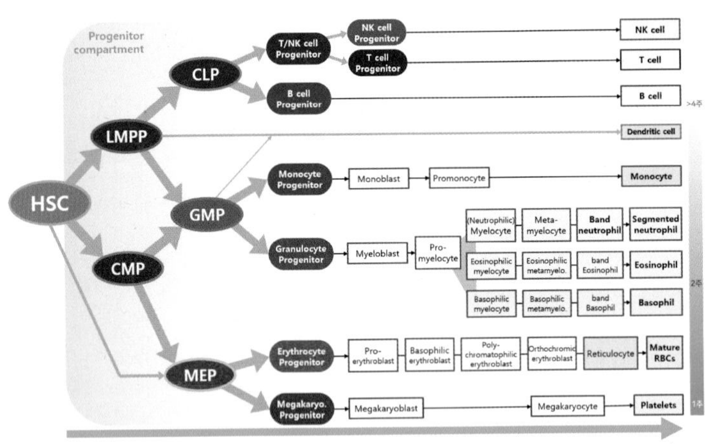

HSC (hematopoietic stem cell), LMPP (lymphoid–primed multi–potential progenitor), CLP (common lymphoid progenitor), CMP (common myeloid progenitor), GMP (granulocyte–monocyte progenitor), MEP (megakaryocyte–erythroid progenitor)

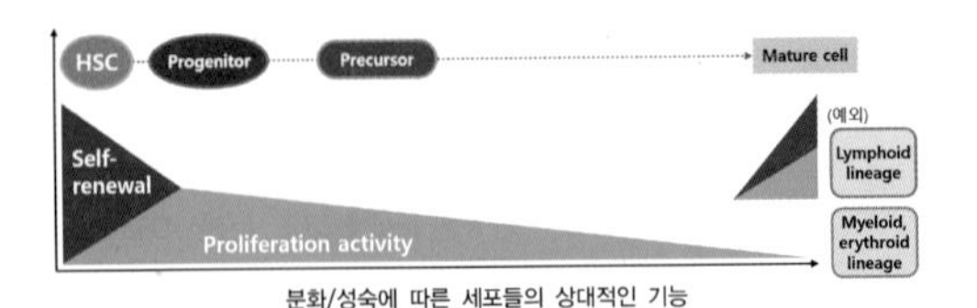

분화/성숙에 따른 세포들의 상대적인 기능

- 골수내 미성숙세포들의 상대적인 양 ; HSCs <1%, Progenitors 약 2%, Precursors 97.5%
  (HSCs로부터 증식/분화를 거치면서 성숙세포의 양은 기하급수적으로 늘어남) ↳ ~blasts부터 2~4단계의 세포들
- Blood cells의 반감기(half life) : neutrophils 6~8시간, platelets 5~7일, RBCs 120일 [∝ 수명(survival, life span)]

1. Hematopoietic stem cells (HSC) & Progenitors

- stem cells의 기본 특징 : self-renewal(자가복제) & differentiation(분화)
  → 장기간 동안, 다양한 성숙세포들을 만듦
- 분화단계: hematopoietic stem cells (HSC) ➜ Progenitors ➜ Precursors ➜ Mature effector cells
  - 초기에는 약간의 reversibility도 있지만, 분화가 더 될수록 불가능해짐
  - 분화가 될수록 증식능력(proliferation capacity)은 감소됨 ; mature granulocytes는 증식 불가능 (예외 ; 일부 조직의 macrophages 및 lymphoid cells)
  - 모든 HSCs이 모든 종류의 세포로 분화 가능한 것은 아님 (일부는 이미 특정 lineage로 치우쳐 있음)
- hematopoietic Progenitors (수명 짧음) ➜ Mature cells : 10~14일
- HSCs 수 = 3,000~10,000개 (3달~3년에 한번 세포분열함) ➜➜ mature cells 1.4×10^{14}개/yr 생산

2. Cytokines & hormones

- SCF (stem cell factor) : 모든 lineages의 조혈모세포 증식↑, basophils & mast cells 성장↑
- G-CSF : neutrophilic progenitors 증식↑ (neutrophilic lineage의 주 성장인자)
- M-CSF (macrophage colony-stimulating factor, CSF-1) : monocytic progenitors 증식↑
- GM-CSF : granulocyte & macrophage progenitors 증식↑, macrophages 활성화
- erythropoietin (EPO) : erythroid progenitors의 증식 자극
- thrombopoietin (TPO) : HSCs & megakaryocytic progenitors 증식↑
- IL-1 : 면역계 조절(fever, acute phase protein, tissue repair, cytotoxicity), 다른 cytokines 생산↑
- IL-2 : T cell growth factor, IFN-γ↑, B cell & NK cell 자극/활성화,
  GM colony 형성 및 erythropoiesis 억제
- IL-3 (multi-CSF) : 다양한 myeloid cells의 성장↑, delayed type hypersensitivity에 관여
- IL-4 : B cell 성장, Ig 합성 자극, dendritic cell 증식/분화 자극, monocyte cytokine 생산 억제
- IL-5 : eosinophil의 증식/성장/활성화 자극
- IL-6 : megakaryopoiesis 자극, IL-1,2,3,4, GM-CSF, CSF-1과 함께 myeloid 증식 자극,
  plasma cell 증식↑, 간세포의 단백 합성↑, fever와 acute phase response의 중요 mediator
- IL-7 : lymphocytes 초기 성숙의 주요 조절자
- IL-8 : granulocyte의 chemotactic factor, stem cell을 말초로 유리
- IL-9 : Th2 (CD4+) lymphocytes에서 생산되어 다양한 myeloid cells의 성장↑, apoptosis↓
- IL-10 : T cell의 IFN-γ 생산 억제, cytotoxic T cell 전구체/기능↑
- IL-11 : IL-6와 기능 비슷, platelet maturation↑ 등
- IL-12 : NK cell 자극 인자, IL-2와 함께 cytotoxic T cell 생산, NK/T cell에서 IFN-γ 생산↑
- IL-13 : B cell과 monocyte에 대한 작용은 IL-4와 비슷,
  large granular lymphocyte에서 IFN-γ 생산↑, T cell 자극
- IL-14 : B cell 증식↑, Ig 합성 억제
- IL-15 : T & NK cells의 활성화와 증식↑
- IL-21 : B, T, NK cells의 성숙/분화↑
- CXCL12 (stromal cell-derived factor 1, SDF1) : CXCR4 receptor와 결합하여 HSCs을 모음

c.f.) BM failure시 감소되는 순서 ; granulocyte → platelet → RBC → lymphocyte

골수검사 (BM examination)

골수검사의 적응
원인을 모르는 anemia, leukopenia, thrombocytopenia, pancytopenia
말초에서 leukoerythroblastosis, tear-drop cells → myelofibrosis 의심
말초에서 혈액학적 악성질환이 의심되는 immature cells
MPN or MDS 의심시 (e.g., dysplastic cells)
Paraproteinemia나 paraproteinuria의 evaluation (e.g., myeloma)
Storage diseases 의심 (e.g., Gaucher disease, Niemann-Pick)
Granulomatous diseases의 evaluation
Lymphomas의 staging (적응이 될 때)
SCLC의 staging (적응이 될 때)
Leukemia 치료 후 F/U
FUO, BM culture

- 정상 골수(bone marrow, BM)
  - 세포충실도(cellularity) : 40~60% (연령 증가에 따라 감소)
  - M:E (**m**yeloid:**e**rythroid) ratio = 2:1~4:1 (total granulocytes / total erythroblasts)
    - ↑ ; infection, CML, erythroid hypoplasia
    - ↓ ; leukopoiesis depression, erythroid hyperplasia

    (M이 실제로는 Granulocytes기 때문에 G:E ratio가 정확한 표현이긴 하지만 통상 M:E ratio를 사용함)
  - 철적모구(sideroblasts) : 세포질 내에서 염색된 iron granules (siderotic granules)이 관찰되는 적혈모구(normoblasts), 골수에서 erythroblasts의 40~60% 정도 차지
- BM aspiration & biopsy 부위 - 대부분 iliac crest (PSIS)에서 시행
  → 불가능하거나 부적절하면 sternum에서도 시행 가능

재생불량빈혈 (Aplastic anemia, AA)

1. 개요

- 정의 : 다양한 원인에 의한 골수 기능상실(BM failure)로, 골수의 세포충실도 감소(hypocellularity) 및 지방으로의 대치와 함께 말초혈액에서 범혈구감소증(pancytopenia)을 나타냄
- 발생률 : 서양은 연간 100만 명당 약 2명 (우리나라는 2~3배 더 높음)
- 15~30세 및 60세 이상에서 호발, 남=여
- BM failure는 조혈모세포(HSC)의 심한 손상으로 인해 발생 (CD34+ stem cells의 심한 감소)
- pathogenesis (서로 복합적으로 작용)
  ① 자가면역기전 (대부분) : cytotoxic T cells activation 등에 의한 조혈모세포 파괴
    → myelosuppressive cytokines (IFN-γ, TNF-α)↑ → 조혈모세포의 apoptosis 촉진
  ② 조혈모세포의 직접 손상 : drug, chemical, virus, irradiation 등
  ③ 조혈모세포의 기질적인 이상 (clonal & genetic disorders)
  ④ 골수 미세환경의 이상으로 인한 조혈기능 방해

2. 원인

Pancytopenia의 원인

1 Aplastic anemia (BM hypocellularity)
(1) 후천성(acquired)
1. Idiopathic (m/c, 60~80%)
2. Secondary
(a) Radiation (초기 부작용은 AA / 후기 부작용은 MDS, leukemia)
(b) Drugs & Chemicals
ⓐ *Dose-related* : benzene, alkylating agents, anthracyclines, antimetabolites (folate antagonists, purine & pyrimidine analogues), mitotic inhibitors, inorganic arsenicals
ⓑ *Idiosyncratic reactions* (드묾) : chloramphenicol, NSAIDs, phenylbutazone, cephalosporins, sulfonamides, antithyroid drugs, antidiabetes drugs, antihistamines, carbonic anhydrase inhibitors, penicillamine, antiepileptics & psychotropics, cardiovascular drugs, 중금속(gold, arsenicals, bismuth, mercury), insecticides
(c) Infections ; virus (e.g., hepatitis, EBV, HIV-1 [AIDS], parvovirus B19), miliary TB
(d) Immune diseases ; eosinophilic fasciitis, hypoimmunoglobulinemia, SLE, RA, GVHD in immunodeficiency, thymoma & thymic carcinoma
(e) PNH (20~30%에서 AA 동반)
(f) MDS (일부에서 hypoplastic BM를 보임, AA-PNH와도 약간 비슷)
(g) Pregnancy (매우 드묾, 출산 뒤 회복됨)

(2) 선천성(hereditary)
; Fanconi's anemia, dyskeratosis congenita, Schwachman-Diamond syndrome, reticular dysgenesis, amegakaryocytic thrombocytopenia [thrombopoietin (*THPO*) or thrombopoietin receptor (*MPL*) mutation], familial AA/leukemia predisposition syndromes (e.g., monosomy 7, Down's syndrome, *GATA2*, *RUNX1*, *CTLA4* 등의 mutations)

2 BM cellularity가 정상이거나 증가된 pancytopenia
(1) *Primary BM disorders*
Myelodysplastic syndromes (MDS), PNH, 일부 aleukemic leukemia, myelophthisis, myelofibrosis, BM lymphoma, hairy cell leukemia
(2) *Secondary to systemic disorders*
Megaloblastic anemia (e.g., vitamin B_{12}, folate 결핍)
Hypersplenism, SLE, sarcoidosis
알코올, 매우 심한 감염, 결핵, AIDS, brucellosis, leishmaniasis

3 BM replacement (myelophthisis)
Hematologic malignancies ; leukemia, lymphoma, myeloma ...
Non-hematologic metastatic tumors
Storage cell disorders
Osteopetrosis
Myelofibrosis

- hepatitis에 의한 aplastic anemia
  - 감염 중 m/c 원인 (대부분의 감염에서는 일시적인 경미한 혈구 감소가 흔함), AA의 약 5% 차지
  - 20세 이하에서 많다 (대부분 젊은 남자)
  - 원인 : seronegative (non-A, non-B, non-C, non-G) hepatitis … 아직 발견 못했음
  - hepatitis 감염에 의해 유도된 면역 반응이 주된 발생 기전
  - acute hepatitis에서 회복 후 약 1~2개월 뒤에 발생 (hepatitis의 severity와는 무관)
  - pancytopenia가 매우 심하고, 예후도 나쁨
- SLE : stem cells에 대한 IgG autoantibody에 의해 발생

- drugs, chemicals, radiation : stem cells을 직접 손상시킴
- Fanconi's anemia
  - 선천성/체질성(constitutional) 재생불량빈혈, AR 유전
  - *FANCA* gene mutation (type A Fanconi's anemia)이 m/c
  - intrinsic stem cells defect 및 hematopoietic stell cells 감소
  - 저신장, 머리크기↓, 엄지손가락/요골/비뇨기계 기형, café au lait spots ...
  - MCV↑, HbF↑, MDS or AML 동반 흔함
  - 선별검사 ; chromosome breakage study (diepoxybutane or mitomycin C에 의해 염색체 손상)

3. 임상양상

(1) thrombocytopenia : 출혈 증상이 m/c 초기 증상
  - 쉽게 멍듦, 잇몸 출혈, 코피, 월경 과다, 점출혈(petechiae), 얼룩출혈(ecchymosis) ...
  - 대량의 출혈은 드묾 (but, 소량으로도 심각한 뇌/망막 출혈은 발생 가능)

(2) anemia ; 피로, 권태, 쇠약감, 숨참, 귀를 두드리는 느낌, 창백 ...

(3) neutropenia ; infection (fever) - 초기에는 드묾
  (agranulocytosis의 경우는 초기에 인두염, 항문주위감염, 패혈증도 발생 가능)

* hepatosplenomegaly나 lymphadenopathy는 없다!

4. 검사소견/진단

(1) PB : pancytopenia (relative lymphocytosis)가 특징!
  - normocytic normochromic anemia (RDW는 정상)
  - macrocytosis (MCV↑)도 나타날 수 있음 (∵ erythropoietin↑)
  - corrected reticulocyte count : ↓↓ or 0

  ┌ immature cells (blasts) 존재시엔 leukemia or MDS를 의심
  └ nucleated RBC (erythroblast) 존재시엔 marrow fibrosis or tumor invasion을 의심

(2) BM
  - aspiration : 말초혈액으로 dilution (marrow particles이 없음)
  - biopsy : hypocellular (<25%), fat으로 replacement (abnormal cells은 없음)
    - 매우 심한 경우에는 100% fat만 나올 수도 있음
    - cellularity와 dz. severity의 관련성은 불완전
      (나이가 들면 cellularity 감소, sampling 부위가 전체 marrow 상태와 일치하지 않을 수 있음)
    - megakaryocytes는 매우 감소되거나 없음
  - stem cells (CD34+) 크게 감소

(3) serum iron↑, transferrin 정상 → transferrin saturation↑
  : RBC의 철 이용률 저하, plasma iron clearance 지연

(4) pancytopenia를 일으킬 수 있는 다른 질환들을 R/O하기 위한 검사들도 시행
  ; 염색체검사 (MDS R/O), flowcytometry (PNH R/O), viral markers, FANA, RF ...

c.f.) leukemia와의 차이
- PB smear : 혈구의 수만 감소되고, 모양은 대개 정상임 (blasts와 NRBCs는 관찰 안됨)
- hepatosplenomegaly는 없음
- 흉골압통, 체중감소 등은 leukemia에서 특이한 소견임

c.f.) hypocellular MDS와의 차이
: MDS는 대부분 dysplastic change와 cytogenetic abnormalities가 존재함

5. 예후

■ AA의 severity ★

Severe AA (2개 이상)	BM cellularity <25% + 다음 중 2개 이상 1. Neutrophil <500/μL 2. Platelet <20,000/μL 3. Corrected reticulocyte <1% (or absolute reticulocyte <3~40,000/μL)
Very-severe AA	Severe AA 조건 + Neutrophil <200 /μL

c.f.) absolute reticulocyte >25,000/μL) & lymphocytes >1,000/μL ⇨ IST에 좋은 반응

- neutropenia의 severity가 예후에 가장 중요함!
- 5YSR : 면역억제치료시 75%, BMT시 90% 이상
- 합병증 : AA의 경과중 비정상 clone은 항상 발생 가능 (e.g., 10~20%에서 PNH 발생)

6. 치료

* 소아에서는 HCT의 치료 효과가 매우 우수하므로, 적합한 형제가 있으면 반드시 HCT 시행

* 성인에서 두 치료법 사이의 선택은 연령, 전신상태, neutropenia 정도가 가장 중요
- 고령(>50세) or HCT 불가능 ⇨ IST
- 50세 이하 & HCT 가능 (특히 20세 이하) ⇨ HCT

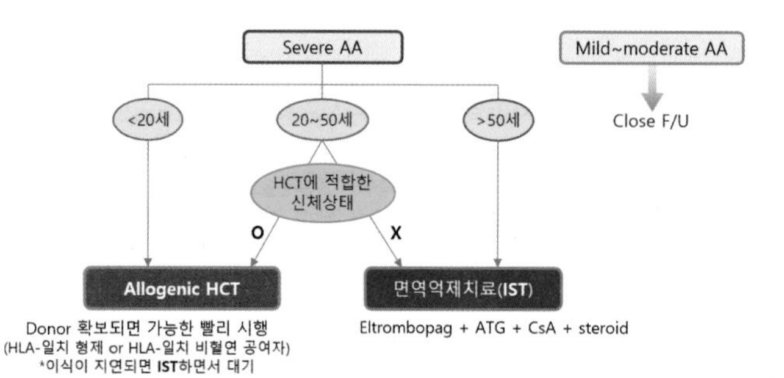

(1) **동종조혈모세포이식(allogenic HCT)**

- HLA-matched 형제가 있는 젊은 환자(<50세)에서 TOC!
  ; 이식의 발전으로 과거 50~65%였던 장기 생존률이 75~90%로 향상됨 (특히 소아)
- but, HLA-matched 형제 공여자는 없는 경우가 대부분임
- 고령의 환자는 합병증(e.g., chronic GVHD, 심한 감염) 발생 위험 증가
- 비혈연(타인)간 (HLA-matched unrelated donor) 이식
  - 과거에는 HLA-matched 형제간 이식에 비해 성적이 매우 안 좋았으나, 고해상도 HLA matching, 저독성 전처치, GVHD 예방 등 이식 요법의 발전으로 성적이 매우 향상됨
  - 생존율은 거의 matched 형제간 이식 수준으로 발전, 부작용(e.g., GVHD, 감염)은 더 많음
  - 50세 이하에서 matched 형제가 없으면 바로 HLA-matched 비혈연 공여자 탐색 권장! (eltrombopag ± IST 치료하면서)
- 반일치(HLA-haploidentical) 형제간 이식 ; 다양한 T cells 제거 기법의 발전 등으로 이식 성적이 크게 향상되어, 점점 현실적인 치료 옵션으로 사용하고 있음

(2) **면역억제치료(immunosuppressive therapy, IST)**

- HCT의 대상이 안 되는 경우 TOC! (대부분)
- ATG (or ALG) + cyclosporine (CsA) 병합요법이 기본
  - ATG (antithymocyte globulin) or ALG (antilymphocyte globulin) ; polyclonal Ab임, 비정상적인 T cell clone 파괴, rabbit보다 horse ATG가 더 효과적임 (IV로 4일간 투여)
  - cyclosporine (CsA) : T cells 활성화 억제 및 IL-2 억제하여 T cells 증식↓, ATG와 병용시 효과↑, oral로 보통 6개월간 투여
- 60~70%에서 혈액학적 반응 (수혈이 필요 없고, 감염을 방어할 수준의 neutrophil count 회복)
  - 이중 20~30%는 완전 반응, 특히 소아에서 더 성적 좋음
  - 대개 치료 후 2달 이내에 반응(granulocyte 증가), ~6개월까지는 반응 평가
- steroid (e.g., prednisone) : ATG와 동시에 시작해 10~14일간 병용
  (∵ serum sickness의 부작용 방지위해 / AA 자체에는 효과 없음)
- 최근에는 ATG + CsA에 eltrombopag도 추가한 병합요법이 initial IST로 권장됨!

  Eltrombopag + ATG + CsA + steroid (∵ 혈액학적 반응↑, 생존율↑)

- ATG (or ALG)의 부작용
  ① 클론성 혈액질환 ; 10~20%에서 치료 몇 년 뒤 MDS, AML 발생
  ② serum sickness ; fever, skin rash, arthralgia
    - 치료 시작 후 약 10일 뒤에 발생 /Tx ; steroid (→ avascular joint necrosis 발생 위험)
    - 예방 ; 투여 전 skin test로 horse serum에 대한 hypersensitivity 확인, 2주간 steroid의 예방적 투여, ATG IV 직전 AAP와 diphenhydramine 투여
- CsA의 부작용 ; 신독성, 고혈압, 경련, 기회감염(특히 *P. jiroveci*) 등
- 재발률 : 처음 IST에 반응했던 환자는 약 10% (15년 뒤에는 ~35%)
  - 연령이나 AA severity와는 관련 없음, 재발이 꼭 사망률 증가를 의미하는 것은 아님
  - 처음 IST에 반응했다가 재발한 경우 대개 같은 요법으로 재치료 → 대개는 다시 반응 (horse ATG를 사용했으면 rabbit ATG로 대치)
- refractory AA ; eltrombopag, alemtuzumab, cyclophosphamide (부작용 심함), HCT 등

(3) 기타 치료

① eltrombopag (Revolade®) : thrombopoietin receptor에 작용하여 platelet 생성을 증가시키는 약제였으나, anemia와 neutropenia에도 효과가 있는 것으로 알려져 severe AA에도 사용됨 (TPO mimetics), oral 제제, IST와 동시에 시작, 6개월간 투여 (매일)

② alemtuzumab : anti-CD52 mAb (mature lymphocytes가 타겟)

③ androgen : 대부분 유의한 효과가 없어 사용×

④ G-CSF, GM-CSF : neutropenia가 심한 경우 감염의 예방을 위해 고려 가능, severe AA의 초치료로는 권장 안됨, IST에 추가해도 반응률이나 생존율 향상 없음

c.f.) EPO는 AA에 효과 없음, IFN-γ는 골수기능을 저하시킴

⑤ splenectomy : 재발하거나 치료에 반응이 없는 경우에서 때때로 혈구 수를 증가시킬 수 있음

⑥ SLE에 의한 aplastic anemia → plasmapheresis + high-dose prednisone

(4) 수혈

① RBC transfusion : Hb <7 g/dL or Hb <8 g/dL & 증상 있을 때
- Hb 7 g/dL (심폐질환 존재시엔 9 g/dL) 이상으로 유지
- nonfunctioning BM 환자에서 정상적인 소실의 보충 : 2주마다 2 units
- 적혈구 1 unit는 철 200~250 mg 함유 → 철 과다축적(2ndary hemochromatosis) 방지 필요
  ⇨ ferritin monitoring : >1000 ng/mL이면 (or 20~50번 수혈 때 마다) iron chelator 투여
  : deferoxamine (Desferal®, SC/IV) or deferasirox (Exjade®, oral)

② platelet transfusion : platelet count <10,000 /μL or 임상적 출혈 있을 때
- platelet count 10,000/μL 이상으로 유지
- active bleeding or infection시에는 20,000/μL 이상으로 유지! (DIC R/O도 필요)
- 단일 공여자로부터의 수혈(apheresis platelets성분채집 혈소판) or HLA-일치 혈소판 수혈 권장

③ HCT 예정 환자는 HLA에 대한 sensitization (→ graft rejection↑)에 주의
- 가족으로부터는 수혈 받지 않는다!
- 혈액제제의 수혈시 leukocyte-depleting filter를 사용
- 가능한 수혈을 많이 받기 전 조기에 HCT를 시행해야 됨!

(5) 보존적 치료

- infection (fever) : 감염균 확인 전에 적극적인 경험적 항생제 치료
  - fever 없으면 prophylactic antibiotics는 권장 안됨 (∵ 효과 無, 내성균↑)
  - 항생제/항진균제에 반응 없는 심각한 neutropenia (<200/μL) 환자 일부는 granulocytes 수혈이 도움될 수도 있음
  - 비흡수성 항생제를 이용한 장관오염제거는 효과 없음
- 근육 주사는 피한다 (∵ 출혈 경향)
- aspirin 및 NSAIDs는 금기 (∵ 혈소판 기능 억제)
- 여성은 월경을 억제 ; oral estrogen, nasal FSH/LH antagonists

c.f.) fibrinolysis inhibitors (e.g., aminocaproic acid) : 점막 출혈 감소효과 없음

순적혈구빈혈 (pure red cell anemia, PRCA)

1. 개요

- BM에서 RBC만 선택적으로 생산 못하는 상태 (WBC와 platelet은 정상)
- severe anemia (slightly macrocytic, normochromic) 및 reticulocytopenia
- BM : normocellular, 형태적으로는 정상, erythroid precursor만 심하게 감소되거나 없음 (M:E ratio → 10:1~200:1)

c.f.) aplastic anemia는 hypocellular marrow, MDS는 비정상 형태 (dysplasia)

2. 원인/분류

(1) hereditary PRCA (Diamond–Blackfan syndrome)

: AR 유전, 대부분 생후 1년 이내 증상 발생, 흔히 steroid에 반응함

(2) acquired PRCA

: AA 처럼 다양한 원인/기전에 의해 발생 (성인은 대부분 면역학적 기전)

Thymoma (~5%에서)
Lymphoid malignancies ; CLL (~6%에서), LGL (~7%에서), lymphoma, myeloma 등
Clonal myeloid diseases ; hypoplastic MDS (특히 5q– syndrome), CML 등
Paraneoplastic syndrome
Connective tissue diseases ; SLE, JRA, RA, multiple endocrine gland insufficiency
Virus ; parvovirus B19, hepatitis, EBV, HIV, adult T-cell leukemia virus
Pregnancy
Drugs ; phenytoin, TMP-SMX, zidovudine, azathioprine, chloramphenicol, procainamide, INH, MMF
Antibodies ; 투석 중인 환자에서 rEPO에 대한 Ab, ABO-부적합 HCT 이후 ABO에 대한 Ab
Idiopathic

- PRCA 환자의 1/2에서 thymoma 동반
- thymoma 환자의 5~10%에서 PRCA 동반

* 소아/태아에서도 parvovirus 감염과 관련되어 발생 가능
- BM : giant pronormoblast (parvovirus 감염의 특징)
- nonimmune hydrops fetalis (자궁내 parvovirus B19 감염)
- transient aplastic crisis of hemolysis (급성 parvovirus B19 감염)
- transient erythroblastopenia of childhood
- parvovirus 감염의 진단 : 혈중 viral DNA 검출 (항체는 대개 없다)

3. 치료

- 원인이 밝혀진 경우에는 원인 치료
  - thymoma 있는 경우 → thymectomy (but, anemia는 호전 안 될 수도 있음 → 면역억제제)
  - parvovirus B19와 관련 → high-dose IV immunoglobulin (IVIG)에 거의 대부분 반응
  - 원인 약물의 중단 등
- supportive care (RBC transfusion & iron chelation)만으로도 장기간 생존 가능

- idiopathic (or immune-mediated) PRCA : 대부분 면역억제제에 잘 반응
  - 1st-line ; steroid,
  - 2nd-line ; cyclosporine, cyclophosphamide
  - 3rd-line ; IVIG, ATG, azathioprine, rituximab, alemtuzumab, daclizumab (anti-IL2-R)

4 골수증식종양(MPN)

- myeloproliferative neoplasms (MPN) : 조혈세포(hematopoietic cells)의 악성변화(clonal changes)로 인한 질환군으로, 정상적인 성숙(maturation)을 거치는 효율적(effective) 조혈로 인해 말초에서 myeloid 계열(granulocytic, erythroid, or megakaryocytic) 성숙 세포의 양적 증가를 초래하는 질환
- 대부분 splenomegaly를 동반하며, 만성적인 경과를 밟음

Myeloid neoplasms의 WHO classification (2016, Revision 4th)
Myeloproliferative neoplasms (MPN)
Chronic myeloid leukemia (CML), *BCR-ABL1*-positive
Chronic neutrophilic leukemia (CNL)
Polycythemia vera (PV)
Primary myelofibrosis (PMF)
Primary myelofibrosis, prefibrotic/early stage (prePMF)
Primary myelofibrosis, overt fibrotic stage
Essential thrombocythemia (ET)
Chronic eosinophilic leukemia (CEL), not otherwise specified (NOS)
Myeloproliferative neoplasm, unclassifiable
Mastocytosis
Myeloid/lymphoid neoplasms with eosinophilia and abnormalities of *PDGFRA, PDGFRB, FGFR1, or PCM1-JAK2*
Myelodysplastic/myeloproliferative neoplasms (MDS/MPN)
Chronic myelomonocytic leukemia
Atypical chronic myeloid leukemia, *BCR-ABL1*-negative
Juvenile myelomonocytic leukemia
Myelodysplastic/myeloproliferative neoplasm with ring sideroblasts and thrombocytosis (MDS/MPN-RS-T)
Myelodysplastic/myeloproliferative neoplasm, unclassifiable
Myeloid neoplasms with germline predisposition

* Acute leukemia와 MDS는 해당 chapeter에서

만성골수성백혈병 (Chronic myeloid leukemia, CML)

1. 개요

- 정의 : Philadelphia (Ph) chromosome 상의 *BCR-ABL1* fusion gene을 동반한 MPN으로 말초의 granulocytosis (neutrophilic leukocytosis)가 특징임
- myeloid cells은 well differentiated, 기능도 거의 정상 (effective hematopoiesis)
- 성인 백혈병의 15~20% 차지, 남자가 약간 더 많음, 평균 50~60세에 발생

- 병인 : 9번 염색체(*ABL1*)와 22번 염색체(*BCR*)의 장완간의 balanced reciprocal translocation
  : t(9;22)(q34.1;q11.2) ⇨ 짧아진 22번 염색체에서 ***BCR-ABL1*** fusion gene 생성
  (↳ Philadelphia chromosome이라고 부름)
  - oncogenic activation 발생 (∵ *ABL1* : protooncogene)
  - BCR-ABL1 fusion oncoprotein → kinase activity↑ → CML cells proliferation↑, apoptosis↓
  - 대부분 *M-BCR* (major breakpoint)에서 절단이 일어나 translocation됨
    → 분자량 210 kDa인 $p210^{BCR-ABL1}$ fusion protein 생성 [e13a2 or e14a2]
    ; *BCR* 유전자 exon 13 (or 14)와 *ABL* 유전자 exon 2가 결합되어 e13a2 (b2a2) or e14a2 (b3a2)라고 명칭
  - 2~5%는 breakpoint 변화에 따라 분자량이 다른 BCR-ABL1 oncoprotein 생성
    ① minor-BCR region (*mBCR*) → $p190^{BCR-ABL1}$ (e1a2) ; poor Px. (주로 Ph+ ALL의 2/3에서 나옴)
    ② micro-BCR region (*μ-BCR*) → $p230^{BCR-ABL1}$ (e19a2) ; <1%, more indolent CML course
    ⇨ routine real-time PCR에서는 검출 안 될 수도 있음
- 원인 (대부분은 모름) ; 원폭 수준의 대량 radiation만 유일한 위험인자 (cytotoxic drugs나 virus는 관련 없음), 가족력 없음 (쌍둥이에서 발병 증가×), 흡연은 CML의 진행을 촉진시킴
- chronic leukemia의 95% 차지 (전체 성인 leukemia의 약 20% 차지)
- 발생률 10만 명당 약 1~2명 (우리나라 약 0.55명), 40~50대 이후에 호발, 남자가 약간 많음

2. 임상양상

- 처음 진단시 대부분(90~95%) 만성기(chronic phase) 임
- 만성기의 증상은 뚜렷하지 않음 (20~40%는 무증상으로 검사 중 우연히 발견)
- fatigue, night sweats, low-grade fever, 체중감소 ...
- splenomegaly (90%, LUQ 불쾌감/복통, 조기 포만감), hepatomegaly (50%)
- 드물게 granulocyte/platelet dysfunction에 의한 infection, thrombosis, bleeding 등이 발생 가능
- leukostasis로 인한 Sx (드묾) ; vasoocclusive dz., CVA, MI, venous thrombosis, priapism, respiratory distress, blurred vision ...
- CML이 진행하면 증상도 악화됨 ; fever, 심한 체중감소, bone & joint pain (e.g, sternal tenderness), bleeding, thrombosis, infections → accelerated or blastic phase를 시사
- WBC count, tumor mass, spleen 크기 등은 서로 연관
- $p230^{BCR-ABL1}$(+) CML : 진행이 더 느림, 현저한 neutrophil 성숙과 thrombocytosis가 특징임
- lymphadenopathy 및 myeloid sarcoma는 드묾 (→ 존재시 poor Px.)

3. 검사소견

(1) PB

- 심한 leukocytosis (가장 특징적!) : 평균 100,000/μL (12,000~1,000,000)
  - 모든 성장 단계의 myeloid cells이 다 보임 (left-shifted), 형태이상(dysplasia)은 없음
  - 그 중에서도 myelocytes와 neutrophils이 m/c, basophilia와 eosinophilia도 특징
  - blasts는 5% 미만, "blast + promyelocyte"는 10% 미만
- RBC ; normal ~ mild normocytic normochromic anemia, 약간의 normoblast (nucleated RBC)
- platelet count : 대부분 증가 (c.f., acute leukemia에서는 거의 대부분 감소)

(2) BM

- cellularity ↑ ↑, M/E ratio ↑, megakaryocytes ↑
- myeloblast는 증가하지 않음 (<5%)
- 약 50%에서 reticulin fibrosis 보임 (collagen fibrosis는 비교적 드묾)

(3) 기타

- LAP (NAP) score (정상 : 30~130점) : ↓~0 ··· CML의 특징! (but, 최근엔 거의 이용 안함)
  - accelerated or blastic phases에서는 증가 (infection시도 ↑)
  - <u>감소되는 질환</u> ; CML (chronic phase), PNH, AML (약 1/3), PMF (약 1/5) ...
- serum vitamin B_{12} ↑ ↑ (∵ WBC에서 transcobalamin I, III 생산 증가 때문)
- serum vitamin B_{12}-binding protein (capacity)도 증가됨
- serum LD, uric acid, lysozyme ↑
- phagocytic function : 만성기에는 대개 정상
- histamine 생산 ↑ (∵ basophilia) : 말기에 증가 (→ pruritus, diarrhea, flushing)

(4) 염색체/유전자검사 ··· 확진

- Ph chromosome [t(9;22)(q34.1;q11.2)] ; G-band karyotyping (<u>CBA</u>), 90~95%에서 (+) [chromosome banding analysis]
- Ph(-) CML : 5~10%에서
  - karyotyping에서 검출 안되는 cryptic or variant translocations (e.g, t(9;14;22))
  - <u>FISH</u> (*BCR-ABL1* fusion gene 검출) or <u>RT-PCR</u> (*BCR-ABL1* fusion mRNA 검출)에서는 대부분 (+)
  - qualitative RT-PCR ; transcript의 종류 확인 (추후 RQ-PCR 검사에서 검출 가능한 지 여부 포함)
- real-time quantitative PCR (<u>RQ-PCR</u>) : 가장 예민 (→ MRD monitoring에 유용!), 일부 kit는 variant transcripts를 검출 못할 수도 있음 (→ 위음성 → FISH로 monitoring)

* 모든 검사에서 *BCR-ABL1* (-)면 다른 MPN 고려 (e.g., CNL, atypical CML, PV, ET)

Accelerated phase (AP)의 진단기준 (WHO 2016) : 다음 중 한 개 이상

1. 치료에 반응 없이 leukocytosis (>10,000/μL) 지속되거나 악화
2. 치료에 반응 없이 splenomegaly 지속되거나 악화
3. 치료에 반응 없이 thrombocytosis (>100만/μL) 지속
4. 치료와 관계없이 thrombocytopenia (<10만/μL) 지속
5. PB에서 basophils 증가 (≥20%)
6. PB/BM에서 blasts 증가 (10~19%)
7. 진단시 Ph+ cells에 추가적인 클론성 염색체 이상 존재 ; "major route" abnormalities (2nd Ph, trisomy 8, isochromosome 17q, trisomy 19), complex karyotype, or 3q26.2 abnormalities
8. 치료 중 발생하는 Ph+ cells의 모든 새로운 클론성 염색체 이상 (clonal evolution)
9. 심한 reticulin or collagen fibrosis를 동반한 small abnormal megakaryocytes의 군집

Provisional: **Response to TKI Criteria**

- 1st TKI 치료에 hematologic resistance *or*
- 2 sequential TKIs 치료에 hematologic, cytogenetic or molecular resistance *or*
- TKI 치료 중 *BCR-ABL1*에서 2개 이상의 mutations 발생

* 5,6은 blast phase로의 진행도 시사함

4. CML의 자연경과

(1) chronic phase (CP, >90%)

- splenomegaly 이외의 특별한 증상이 없음, BM 기능 정상
- 치료 안하면 평균 2~5년 지속되다가 accelerated or blastic phase로 전환(transformation)

(2) accelerated phase (AP)

- Sx, anemia, splenomegaly 등 심해지고 WBC count control이 점점 어려워짐
- 5~10%는 de nove AP or BP로 처음 진단됨
- TKI 치료로 드물어졌고(AP+BP ≤1%/yr), AP는 TKI 치료에도 장기 반응도 좋음
  (e.g., de nove AP는 8YSR 75%, CP에서 전환된 AP는 4YSR 70%)

(3) blast phase (BP, blastic crisis)

- 갑자기 발생 : (1)→(2)→(3) or (1)→(3) or (3)
- 진단기준 ; PB/BM에서 blasts ≥20% (acute leukemia와 비슷)
  or BM biopsy에서 large blast clusters *or* 골수 외 blast 침윤(chloroma or myeloid sarcoma)
- 약 70%는 myeloid, 20~30%는 lymphoid blast phase (50~80%는 myeloid markers도 발현)
- lymphoid BP는 매우 갑자기 발생하므로, PB/BM에서 lymphoblast가 약간 증가하면 바로 의심
  → anti-ALL CTx + TKI에 반응은 좋음 (CR 60~70%, median survival 2~3년)
- myeloid BP는 CTx.에 반응 나쁘고, 예후 더 안 좋음!

5. 치료

* 치료 목표 : complete cytogenetic response (CCyR)의 달성 및 유지
- TKI 치료로 CCyR이 계속 유지되면, 대부분 정상인과 거의 비슷한 수명을 갖게 됨
- TKI 치료 중 지속적인 반응 평가를 통해, 실패하면 약제 변경 등으로 오랜 반응 유지 가능
  (처음부터 강력한 TKI 제제를 사용할 필요는 없음 → 순차적 TKI 치료 권장)
- TKI는 평생 복용하는 것으로 여겨졌었으나, complete MR (molecular cure)이 2~3년 이상 유지되면 중단도 고려 가능 (∵ 비용, 부작용)

★ CML의 response criteria			
	Hematologic R. (HR)	Complete (CHR)	WBC <10,000/μL (immature cells 없음) Platelet count <450,000/μL Splenomegaly 정상화
	Cytogenetic R. (CyR) : BM metaphases with t(9;22)의 % CBA [Ph(-)시 FISH]	Complete (CCyR) Partial (PCyR) Minor (mCyR) Minimal (minCyR) No CyR	0% Ph+ metaphases 1~35% Ph+ metaphases 36~65% Ph+ metaphases 66~95% Ph+ metaphases 96~100% Ph+ metaphases
	Molecular R. (MR)* : PB RQ-PCR**에서 *BCR-ABL1/ABL1* (%)	$MR^{4.5}$: complete MR MR^4 MR^3: Major (MMR) MR^2	4.5 log 이상 (≤0.0032%) 감소 4 log 이상 (≤0.01%) 감소 3 log 이상 (≤0.1%) 감소 2 log 이상 (<1%) 감소

처음 진단된 CML 환자의 치료 반응 평가(monitoring) ★

진단시 검사
Chromosome banding analysis (CBA)
└ Ph(-)면 FISH
qualitative RT-PCR (PB)

⇩

		Optimal Response	Warning	Failure
3개월	*BCR-BAL1*^IS	≤10%	>10%	Non CHR
	Ph+	≤35% (PCyR)	36~95%	>95%
6개월	*BCR-BAL1*^IS	<1%	1~10%	>10%
	Ph+	0% (CCyR)	1~35%	>35%
12개월	*BCR-BAL1*^IS	≤0.1% (MMR)	>0.1~1%	>1%
	Ph+	-	-	>0%
		⬇ 치료 지속	⬇ 더 자주 F/U, Failure 시에만 치료 변경	⬇ **치료 변경!** (부작용을 견딜 수 없을 때도)

⇩

3~6개월 마다 RQ-PCR** F/U 계속
(transcript는 더 감소하는 것이 이상적)
아무 때나 아래의 경우에는 실패를 의미
; CHR 소실, CCyR 소실, MMR 소실, 새로운 mutations 발생

(1) TKI (tyrosine kinase inhibitor)

- 처음 진단된 CML 환자의 TOC (cure는 아니지만, 매우 장기간 안전하게 dz. control 가능)
- 과거 치료제들(e.g., IFN-α, cytarabine, hydroxyurea)보다 훨씬 효과 좋고, 부작용 적음
- 기전 ; BCR-ABL 단백의 inactive ABL kinase domain의 ATP site에 결합하여 ABL TK를 특이적으로 억제함 ⇨ BCR-ABL(+) 종양세포의 성장 억제 (apoptosis 유발)
  - imatinib ; BCR-ABL, PDGFR, c-kit 등의 TK (tyrosine kinase) 억제
  - nilotinib ; imatinib과 구조 비슷함 (30배 강력한 효과)
  - dasatinib, bosutinib ; ABL 이외에 SRC family TK도 억제 (300배 / 30~50배 강력)
  - ponatinib ; ABL1 이외에 다양한 신호전달체계 억제 (c.f., VEGFR 억제 → HTN)

TKI	약제	적응(초치료) CP	AP	BP	표준용량 (CP/AP,BP)	신장/간기능에 따른 용량 조절	부작용
1세대	Imatinib (Gleevec®)	◎	○	○	400 mg/day 600 mg/day	○(신장,간)	N/V (m/c), 설사, 체액저류(부종-특히 눈주위) 체중증가, 피부발진, 뼈/근육통증, 피곤 등 BM억제 (흔하지만 대부분은 mild)
2세대	Nilotinib (Tasigna®)	◎	○	○	300 mg/day 400 mg/day	○(간) 공복시 복용	고혈당(10~20%), 가려움, 피부발진, 두통, bilirubin ↑, QT ↑(2~33%, SCD 위험!)
	Dasatinib (Sprycel®)	◎	◎	◎	100 mg/day 140 mg/day	×	다른 부작용은 적은 편이나... BM억제[1](20~30%), 심장막삼출(≤5%), 흉수[2](~30%), 폐고혈압(<5%), QT ↑(2%)
	Bosutinib (Bosulif®)	○	◎	◎	500 mg/day	○(신장,간)	설사(70~85%, 대개 자연 회복됨), 간독성
3세대	Ponatinib (Iclusig®)		○	○	30~45 mg/day	○(간) CYP3A inhibitors 병용시에도 조절	고혈압(50~60%, 20%는 심함), 췌장염(10%), 피부발진(10~15%), 동맥폐쇄성질환/혈전증(심장, 뇌, 말초혈관)[3]

c.f.) 국내 개발 신약으로 2세대 TKI인 **radotinib** (Supect®)도 있음 (다른 2세대 대비 부작용 적은 듯)

• CP-CML 초치료(1st-line) ⇨ **imatinib** or **nilotinib** or **dasatinib** (high-risk는 2세대 권장)
  - 어느 약을 더 권장하는 기준은 없음 → dz. risk 약제부작용, 동반질환, 가격 등을 고려해 선택 (2세대 TKIs가 초기 반응과 transformation↓에 더 효과적이지만, 장기 survival은 비슷함)
  - 표준용량보다 더 고용량을 사용해도 대부분 효과가 증가되지는 않음
  - 1st-line TKI에 불내성(intolerance)시 → 다른 1st-line TKI로 교체
  - imatinib에 실패시 → 2/3세대 TKI로 교체
  - 2세대 TKIs에 실패시 → 다른 2/3세대 TKI로 교체, alloSCT도 고려
  - 2가지 이상의 TKIs에 실패 or 불내성시 → 남은 TKIs, omacetaxine, alloSCT (권장)
• imatinib (Gleevec®) ; 2001년 CML 치료제로 승인(FDA), 인류 최초의 성공적인 표적 항암제
• 2세대 TKI ; nilotinib, dasatinib, bosutinib, radotinib
• 3세대 TKI ; ponatinib → T315I mutation이 존재하거나, 2가지 이상의 TKIs에 실패시 권장
• imatinib 내성(resistance) … 불규칙한 복용 or 낮은 용량이 m/c 원인
  - primary resistance : 처음부터 적절한 반응에 도달× (cytogenetic resistance는 15~25% 발생)
  - secondary resistance : 적절한 반응을 보인 뒤 소실되는 경우 (2년 뒤 약 8%에서)

  - BCR-ABL 비의존성(independent) ; P-glycoprotein에 의한 drug efflux, OCT(Organic Cation Transporter)1↓, 다른 signal pathway (특히 SRC family TK) 활성화, clonal evolution 등
  - BCR-ABL 의존성(dependent)
    ① *BCR-ABL1* gene amplification↑(overexpression) ⇨ imatinib 투여기간↑ or 용량↑
    ② *BCR-ABL1* kinase mutations (→ imatinib과 결합↓) ⇨ 작용 부위가 다른 TKI 사용
    예) T315I mutation (→ **ponatinib** 제외 모든 TKI에 내성), P-loop mutation (m/c, 예후는 논란)
    (c.f., ABL은 ATP-binding P-loop과 activation loop, 두 개의 flexible loops를 가짐)
• TKI 실패 or AP/BP 환자는 TKI 약제 선택을 위한 *BCR-ABL1* kinase mutations 검사 시행

■ **omacetaxine** mepesuccinate (Synribo®, formerly homoharringtonine) : SC
  - 개비자나무에서 추출한 물질로 강력한 TKI (단백질 합성 초기의 elongation 단계를 억제함)
  - BCR-ABL을 더 특이적으로 억제, T315I mutation에도 효과적임
  - Ix ; 2가지 이상의 TKIs에 실패 or 불내성인 CP/AP CML 환자 (2012년 FDA 허가)
  - BM toxicity 심함 (77%에서 thrombocytopenia, 44%에서 neutropenia, 39%에서 anemia)

(2) 동종 조혈모세포이식 (allogenic SCT, alloSCT)

• 유일한 완치법 : 장기 생존률(≒완치) CP 때 시행시 50~85% (2nd CP 때는 40~50%), AP 때는 30~40% (clonal evolution 만으로 시행시 40~50%), BP 때는 5~15% (but, 10~15%는 재발보다는 이식의 합병증으로 사망)
• TKI 치료 이후에 시행해도 SCT 치료 성적에는 영향 없음 (but, high-risk 환자에서 늦게 시행하면 dz. progression↑ → close F/U해야)
• 적응 : 65~70세 이하, TKI 치료에 실패하거나 불내성(intolerance)으로 사용할 수 없을 때
  - 3rd-line으로 ; 1st 및 2nd TKIs 치료에 모두 실패시
  - 2nd-line으로 ; clonal evolution, unfavorable mutations, 2nd TKI 치료 1년 이후에도 cytogenetic response 부족 등
  - BP에서는 CML burden 최소화 후 가능한 빨리

- 공여자 : HLA-identical 가족 or HLA-matched 비혈연
  - PBSCT : 생착(engraftment)이 빠르고 공여자에게 덜 위험, graft-versus-tumor effect ↑
    - 비혈연간 이식에서는 BMT와 효과 동일
    - 가족간 이식은 BMT보다 재발률은 낮고, chronic GVHD 발생률은 높음

    * CP에서는 기관에 따라 BMT or PBSCT, AP/BP에서는 PBSCT 선호
  - 제대혈(umbilical-cord blood transplantation, UCBT) : HLA가 완전히 일치하지 않아도 되고, GVHD도 적음 (but, 성인에서 이식하기에는 양이 부족)
- 자가조혈모세포이식(autologous SCT)는 대부분 재발하므로 권장 안됨

(3) 기타

- chemotherapy : 주로 palliative 목적 (WBC count 또는 증상의 빠른 호전), 완치(cure)는 불가능
  ; hydroxyurea (oral, DOC), busulfan, cytosine arabinoside (Ara-C) ...
- leukapheresis : leukostasis (WBC >200,000/μL)로 심각한 합병증(e.g., 호흡 부전, CVA) 발생 위험시(e.g., 호흡곤란, 두통) or 임신 초기 다른 치료가 불가능할 때 고려
- splenectomy : 수술의 위험성이 크므로 일반적으로는 시행 안함
  - Ix. ; TKIs or CTx에 반응없는 painful splenomegaly, hypersplenism에 의한 심한 anemia/thrombocytopenia

(4) blastic phase (crisis)의 치료

- TKI 단독 치료는 CP 때에 비해 반응 나쁨
  ; CHR은 AP 때 30~50%, BP 때 20~30% / CCyR은 드물고(10~30%) BP에서는 일시적임
- remission induction (TKI는 2/3세대 권장)
  - lymphoid BP ⇨ TKI + anti-ALL CTx (반응 좋음 ; CR 60~70%, median survival 2~3년)
  - myeloid BP (CTx에 반응 안 좋음) ⇨ de novo myeloid BP는 TKI 단독 권장,
    TKI 치료 중 진행된 BP는 TKI + anti-AML CTx (CR 30~50%, median survival 9~12월)
- remission 이후 minimal CML burden (or 2nd CP) 때에 <u>alloSCT</u> 시행
- alloSCT 불가능한 환자 (예후 나쁨) ⇨ TKI 유지요법 (드물게 장기 생존 가능) or clinical trials

* **AP**는 TKI 단독 치료로 장기 생존 가능 (de nove AP는 8YSR 75%, CP→AP는 4YSR 70%)
  ↳ 예외; AP/BP의 T315I mutation은 alloSCT 고려 (∵ ponatinib의 장기 효과 정보 부족)

6. 예후

- TKIs의 도입 이후 생존율 크게 향상됨
  - 사망률 약 2%/yr (CML에 의한 사망은 1%/yr 미만)
  - 10YSR 85% (CML 관련 사망만 계산하면 93%)
- <u>prognostic indicators</u> (risk scoring system)
  - Sokal score ; circulating blasts%, spleen size, platelet count, age
  - Hasford (or Euro) score ; Sokal score에 eosinophils% & basophils% 추가
    (→ 위 2개는 imatinib 도입 전에 만들어진 system이지만, imatinib 치료 환자에도 적용 가능)
  - EUTOS score ; imatinib 이후 만듦, basophils%와 spleen size만으로 계산
  - EUTOS long-term survival score (ELTS) ; circulating blasts%, spleen size, platelet count, age

• 가장 중요한 예후 인자는 TKI (e.g., imatinib) 치료에 대한 반응임
  - complete cytogenetic response (CCyR) 달성 (m/i) → 유일하게 survival↑와 관련
  - major molecular response (MMR) → relapse & transformation↓ (survival↑과는 관련×)
  - *BCR-ABL1* transcript 검출× (특히 2~3년 이상 유지시) → Tx-free remission 확률↑
    → 필요한 경우(e.g., 임신을 원하는 여성) 치료를 일시적으로 중단도 가능
   * major or complete MR 달성 실패가 치료 실패를 의미하는 것은 아님 (→ 치료 변경×)
  - CCyR 이후에는 위의 scoring system들의 예후인자는 재발 위험과 관련 없음

■ CML의 감별진단

(1) Leukemoid reaction (reactive neutrophilia)

: 감염, 염증, 암 등에 의한 이차적인 leukocytosis (≥5만/μL) with left-shifted neurophils

	Leukemoid reaction	CML
Ph or *BCR-ABL1*	−	+
LAP score	N or ↑	↓
Vitamin B_{12}	N	↑
Basophil, eosinophil %	N or ↓	↑
PB의 myelocyte	few	many
Splenomegaly	−	+
Sternal tenderness	−	+

(2) 다른 대표적 MPN들과의 비교

	BCR-ABL1(+)	*BCR-ABL1*-negative MPN		
	CML	PV	ET	PMF
Hematocrit	N~↓	↑	N	↓
WBC count	↑↑↑	N~↑	N~↑	↑~↑↑
Platelet count	↑~↓	↑	↑↑↑	↑~↓
Splenomegaly	+++	++	+	+++
Marrow fibrosis	±	±~+	±	+++
Megakaryocytes 형태	Small, hypolobulated, monolobulated	약간 hyperlobulated, 크기 다양, atypical 형태	Uniform, large~giant, hyperlobulated (사슴 뿔 모양)	크기 다양, atypical 형태 심함, 핵이 구름 모양 or 둥글납작
Genetics	*BCR-ABL1* (거의 100%)	*JAK2* V617F (~95%), *JAK2* exon 12 mutation (~5%)	*JAK2* ~60% *CALR* ~23% *MPL* ~7%	*JAK2* ~55% *CALR* ~27% *MPL* ~7%

(3) Chronic neutrophilic leukemia (CNL)

CNL의 진단기준 (WHO 2016)
1. PB leukocytosis (≥25,000/μL) - Segmented & band neutrophils ≥80% - Neutrophil presursors (promyelocytes, myelocytes, metamyelocytes) <10% - Myeloblasts 거의 없음 - Monocytes <1,000/μL - Dysgranulopoiesis 없음 2. Hypercellular BM - Neutrophil granulocytes 증가(% & number) - Neutrophil maturation 정상 - Myeloblasts <5% of nucleated cells 3. *BCR-ABL1*(+) CML, PV, ET or PMF의 WHO criteria에 해당 안 됨 4. *PDGFRA, PDGFRB, FGFR1, or PCM1-JAK2* rearrangement 없음 5. ***CSF3R*** T618I or other activating CSF3R mutation 존재 ———— OR ———— *CSFR3R* mutation 음성이면 persistent neutrophilia (3개월 이상), splenomegaly & Reactive neutrophilia의 원인 없음(plasma cell neoplasm 포함) or 원인 있으면 세포/분자유전검사에서 myeloid cells의 clonality 입증

진성적혈구증가증 (Polycythemia vera, PV)

1. 개요

- 정의 : 정상적인 적혈구 생산 조절기전(physiologic stimuli)과는 무관하게, 주로 적혈구 생산이 증가되는 MPN으로, 거의 모두에서 *JAK2* mutations을 동반함
- chronic MPN중 m/c (발생률 : 10만 명당 약 2~3명)
- 평균 60세에 진단, 남자가 약간 더 많음, 가족력은 매우 드묾
- 대부분 원인 및 위험인자 모름
- 유전적 이상 : Janus kinase 2 (*JAK2*) gene(9번 염색체 단완에 위치)의 mutations
  → JAK2 tyrosine kinase의 구조적 활성화(constitutive activation)
  (ㄴ 거의 모든 조혈세포에 존재하며 여러 조혈촉진인자에 반응하여 증식신호를 전달)
  → EPO-independent erythroid colony ↑, EPO를 포함한 조혈성장인자에 대한 hypersensitivity, apoptosis ↓ → erythropoiesis ⇧ (granulopoiesis와 megakaryopoiesis도 약간 증가됨)
- *JAK2* mutations은 거의 모든 PV에서 발견되지만, PV에만 특이적인 것은 아님! / 다른 MPN에서도 흔하고(ET의 ~60%, PMF의 ~55%에서), 드물게 AML, MDS, CMML 등에서도 나타날 수 있음
  → *JAK2* mutations이 PV 발병의 only/initiating lesion은 아님 (아직 모르는 다른 것이 더 관여)

c.f.) relative (spurious, stress) erythrocytosis [Gaisböck's syndrome]
- plasma volume의 감소로 인해 상대적으로 RBC 농도가 증가된 것
  (RBC mass는 정상, Hct 보통 60% 미만)
- 원인 ; dehydration - diuretics (m/c), smoking, hypertension, stress ...

■ 2ndary erythrocytosis : 다른 원인에 의한 RBC mass 증가 (모두 EPO↑와 관련)

1. **Chronic tissue hypoxia에 대한 생리적 반응**
   High altitude, Chronic lung disease, Alveolar hypoventilation, sleep-apnea
   Cardiovascular right-to-left shunt, Carbon monoxide intoxication
   High-oxygen-affinity hemoglobinopathy, Carboxyhemoglobinemia ("smoker's erythrocytosis")
   Congenitally decreased erythrocyte 2,3-DPG
2. **EPO의 병적 과다분비 (tissue oxygenation은 정상)**
   Erythropoietin이나 다른 erythropoietic growth factors를 생성하는 종양
   ; RCC, HCC, Cerebellar hemangioblastoma, Meningioma,
   Uterine fibromyoma, Ovarian ca., Adrenal adenoma, Pheochromocytoma
   Renal diseases
   ; Cysts (e.g., ADPKD), Hydronephrosis, Bartter's syndrome, NS,
   Renal artery stenosis, 신장이식, 장기간의 혈액투석
   Exogenous androgens, erythropoietin, cobalt
   Familial ; von Hippel-Lindau mutations, EPO receptor mutations,
   BPG (biphosphoglycerate) mutase deficiency

2. 임상양상

- PV는 특별한 증상이 없이 서서히 진행
- 무증상일 때 검사 중 우연히 발견되는 경우가 m/c (Hb or Hct ↑)
  (수인성 가려움증 외에는 2ndary erythrocytosis와 구별되는 증상이 없음)
- 혈액순환장애에 의한 증상이 m/c ; 두통, 어지러움, 귀울림, 시력장애, 감각이상, 홍조
  (얼굴이나 점막이 검붉음), TIA, systolic HTN ...
- generalized pruritus : 특히 더운물로 목욕한 뒤에 악화! (∵ basophil↑ → histamine 분비 때문)
- splenomegaly : 3/4에서 존재 (secondary erythrocytosis에는 없다!)
  → splenic infarction, progressive cachexia
- 일부에서는 venous or arterial thrombosis가 첫 증상일 수도 있음
- 때때로 출혈증상(e.g., easy bruisability, epistaxis, GI bleeding)도 발생 가능
- 기타 ; 체중감소, 발한, 발의 통증 ...

3. 검사소견/진단

PV의 진단기준 (WHO 2016)

Major Criteria
1. Hb >16.5 (女 16.0) g/dL *or* Hct >49% (女 48%) *or* red cell mass (RCM) 증가*
2. BM biopsy** ; hypercellularity, trilineage growth (panmyelosis) with
   pleomorphic mature megakaryocytes (크기 다양)
3. ***JAK2*** V617F or *JAK2* exon 12 mutation 존재

Minor Criteria
Serum erythropoitin (EPO) ↓

진단 : Major 1~3 모두 만족 ***or*** Major 1~2 + Minor criteria 만족

* >25% above mean normal predicted value
** BM biopsy : Major 3. (*JAK2* mutation) + Minor criteria (EPO↓)를 만족하면서, 지속적인 Hb >18.5 (女 16.5) g/dL *or* Hct >55.5% (女 49.5%)를 보이는 경우 필요 없을 수 있음
But, initial myelofibrosis (~20%, post-PV MF로의 빠른 진행 시사)를 파악할 때는 필요함

(1) absolute erythrocytosis의 증명

- red cell mass 증가 : 남성 ≥36 mL/kg, 여성 ≥32 mL/kg
  (정상치 ; [남성] 26~34 mL/kg, [여성] 21~29 mL/kg)
- 검사법 : isotope dilution (환자의 ^{51}Cr-labeled RBC 이용)
- Hct >60% (여성은 >55%) 이면 red cell mass 측정 없이도 erythrocytosis로 진단 가능
- but, PV 진단에 *JAK2* 유전자검사가 주로 쓰임에 따라, 다른 특수 검사들은 잘 이용 안됨
  ⇨ 보통 Hb 증가된 환자에서 EPO가 감소되어 있으면 *JAK2* 유전자검사로 진단
  (전형적이면 BM study도 거의 필요 없음, *JAK2* mutations 음성이면 시행)

(2) secondary erythrocytosis R/O

- <u>serum EPO (erythropoietin)</u> level
  - ↓ : PV
  - ↑ : secondary erythrocytosis
- ABGA : 동맥혈 산소포화도 (PV는 정상)
  - 92% 미만 → hypoxia에 의한 secondary erythrocytosis를 시사
  - 92% 이상 → 흡연력(COHb), Hb O_2 affinity 측정, <u>EPO 생산 종양</u> 등에 대해 검사
    (→ IVP, renal US, abdominal/pelvic CT, brain CT 등)
- Hct↑(>55), Hb↑(>18), thrombocytosis & leukocytosis, splenomegaly 등이 PV 진단에 도움

(3) *JAK2* 유전자검사

- *JAK2* mutations은 정상인과 2ndary erythrocytosis에서는 음성이므로 PV 진단에 매우 유용함
  (but, ET 및 PMF에서도 흔하므로, 보통 *CALR* 및 *MPL*과 함께 triple markers로 검사)
- *JAK2* exon 14의 <u>V617F</u> mutation (*JAK2*^{V617F}) : PV의 95~97%에서 (+)
  - 검사법 ; allele-specific quantitative PCR (qPCR), droplet digital PCR (ddPCR), NGS 등
  - 9p mitotic recombination (uniparental disomy, UPD)에 의한 loss of heterozygosity (LOH)
    → homozygosity for *JAK2*^{V617F} (PV와 PMF의 약 1/3에서 보임, ET는 드묾)
- *JAK2* exon 12의 mutation : PV의 3~5%에서 (+)
  - *JAK2*^{V617F}과 비교하여 PV 진단시 연령↓, Hb↑, WBC & platelet count↓
  - thrombosis 발생, myelofibrosis로 진행, leukemia 발생, 사망률 등은 비슷함

(4) 기타

- PB ; RBC↑ (대개 normocytic normochromic, RDW↑), WBC와 platelet도 증가된 경우가 흔하고 모양은 대개 정상, mild basophilia도 동반 가능
- BM : PV에 특이적인 소견은 없음 (ET/PMF와 약간 비슷 or 정상일 수도 있음)
  - hypercellular, 모든 hematopoietic elements의 증식 (panmyelosis)
  - 형태는 대개 정상, 다양한 크기의 mature megakaryocytes, myeloblasts는 증가되지 않음
  - 약 15%에서는 mild (grade 1) reticulin fibrosis도 보임
  - <u>iron store 고갈</u> (∵ 증가된 RBC mass로 iron이 이동)
- 염색체 이상 ; 약 20%에서 존재, PV에 특이적인 염색체 이상은 없음
- 혈소판 기능은 비정상일 수 있으나, BT 및 응고검사는 정상
- LAP↑, uric acid↑, vitamin B_{12} or vitamin B_{12}-binding capacity↑ ...

4. 합병증

- thrombosis (m/c, 약 1/3에서 발생) ; 주요 사인, 1/2~3/4는 arterial thrombosis
  - 원인 ; 혈액 점도↑, erythrocytosis와 비례 (thrombocytosis와는 관련 없음!)
  - MI, CVA, splenic infarction, pulmonary embolism, DVT, superficial thrombophlebitis ...
  - 복강내 venous thrombosis가 흔함 (e.g., hepatic vein → Budd-Chiari syndrome [~10%에서])
  - 특히 심한 splenomegaly에서 thrombotic Cx 발생 증가
    (∵ plasma volume의 증가로 RBC mass 증가를 늦게 발견)
  - 새로운 thrombosis 발생의 위험인자 ; 고령(>60세), thrombosis의 과거력
- extreme thrombocytosis (platelet count >150만/μL)는 출혈의 위험인자임 (thrombosis와는 관련 없음)
  ↳ acquired von Willebrand dz. 발생 위험 (∵ vWF가 증가된 혈소판에 결합↑)
- hyperuricemia (∵ blood cells의 turnover↑) → secondary gout, uric acid stone, PUD
- erythromelalgia (지단홍통증) : 하지의 홍반, 온감, 통증, 손/발가락의 경색
- acute leukemia (5%에서 AML 발생) : PV 자체보다는 치료와 관련되어 발생
- 나중에는 post-PV myelofibrosis (MF)로 진행 [spent phase]
  - 보통 15년 뒤 (빠르면 몇 년 뒤) RBC 생산↓ → 사혈술(phlebotomy) 감소 → anemia 발생
  - BM fibrosis와 splenomegaly 심해짐 → PMF와 비슷한 임상양상(e.g., leukoerythroblastosis)
- 말기에는 fibrosis와 extramedullary hematopoiesis로 인해 pul. HTN도 발생 가능

5. 예후/치료

- 치료 안하면 평균 18개월 생존, 치료하면 13년 이상 생존 (그래도 정상인보다는 수명 짧음)
- 주요 사인 ; thrombosis, myelofibrosis, acute leukemia 등
- poor Px factor ; 고령(≥67세), WBC↑(≥15,000/μL), venous thrombosis, atypical karyotype
- 완치는 불가능하지만, erythrocytosis를 조절하고 합병증(thrombosis 등)을 예방하는 것이 치료 목표
  ⇨ 남성은 Hb 14 g/dL (Hct 45%), 여성은 Hb 12 g/dL (Hct 42%) 이하로 유지

Low-risk PV (<60세 & thrombosis의 과거력 無)
⇨ 합병증 monitoring, 심혈관계 위험인자 조절 (HTN, hypercholesterolemia, DM, 흡연 등), low-dose Aspirin, Phlebotomy
⇨ 3~6개월마다 F/U
적응이 되면 cytoreductive therapy도 고려 (Hydroxyurea or IFN)
↳ 새로운 thrombosis, phlebotomy 횟수↑, splenomegaly↑, WBC↑, platelet↑, PV에 의한 심한 출혈 or 증상(e.g., pruritus, night sweats, fatigue)

High-risk PV (≥60세 *or* thrombosis의 과거력 有) ★
⇨ low-dose Aspirin, Phlebotomy, **cytoreductive therapy** (Hydroxyurea or IFN)
⇨ 3~6개월마다 F/U
적응이 되면 치료 변경 고려 (Ruxolitinib *or* 전에 사용 안했으면 Hydroxyurea or IFN or Anagrelide)
↳ Hydroxyurea/IFN의 반응이 부족하거나 효과 없음, 나머지는 위의 low-risk 경우와 동일

(1) 사혈술(phlebotomy) – TOC

- Hct 낮추는데 가장 효과적, thrombotic Cx.의 예방 위해 모든 신환에서 시행함
- 1주일에 1 unit (500 cc)씩 빼다가, IDA 상태에 이르면 3개월마다 시행
- 이차적으로 thrombocytosis가 발생하지만 thrombosis와는 관련 없다

(2) aspirin (low-dose)

- thrombosis의 예방 및 자연혈소판응집으로 인해 발생되는 microvascular painful syndrome (erythromelalgia)의 치료에 효과적
- 금기(e.g., 출혈경향)가 없으면 모든 PV, ET 환자에서 저용량(80~100 mg/day)으로 사용!
- 혈소판수가 100만/μL 이상이면 vWD에 대한 검사 시행, vWD면 aspirin 금기

(3) cytoreductive therapy

- Ix (high-risk PV) : phlebotomy에 반응이 없거나 불가능할 때, severe leukocytosis or thrombocytosis, intractable pruritus, symptomatic splenomegaly, thrombosis Hx 등
- 약제 ; hydroxyurea (선호), busulfan (AML 발생 위험으로 권장 안됨)
- radioactive phosphorus (^{32}P)와 alkylating agents (e.g., chlorambucil)는 acute leukemia를 일으킬 위험이 높으므로 금기
- hydroxyurea도 드물지만 leukemia를 일으킬 수는 있으므로 가능한 단기간만 사용

(4) IFN (IFN alfa-2b, pegIFN alfa-2a, or pegIFN alfa-2b)

- 40세 미만이나 임산부에서는 hydroxyurea 대신 초치료로 권장
- high-risk PV/ET 환자에서 hydroxyurea를 사용할 수 없거나 반응이 없을 때도 사용
- 약 80%에서 hematologic remission, JAK2 burden↓ (5~10%는 complete molecular remission)
- 단점 ; 고가, 주사제, 약 20%는 부작용으로 중단하게 됨 (AML 등 2차 암을 유발하지는 않음)

(5) ruxolitinib (nonspecific JAK2 inhibitor)

- Ix : 증상이 심한 high-risk PV 환자에서 1st line Tx (hydroxyurea or IFN)에 반응이 없거나 불내성(intolerant)일 때 고려
- splenomegaly와 증상 감소, 삶의 질 향상에 효과적 (blood count와 JAK2 burden은 약간만 감소)
- Cx ; 기회감염↑ (특히 TB, HBV, HSV 등)

(6) 기타

- anagrelide (Agrylin®) : phosphodiesterase Ⅲ inhibitor
  - platelet의 생산과 aggregation 억제 (WBC와 Hb에는 영향 없음)
  - thrombocytosis 심하면 고려, 부작용이 많고 PV에서의 효과는 논란 (ET에서 주로 사용)
  - 약 30%의 환자는 fluid retention, palpitation, 신경/소화기 부작용으로 복용 못함 (hydroxyurea 대비 BM toxicity가 적고 venous thrombosis도 예방 가능한 것은 장점)
- anticoagulants : 일반적으로는 사용하지 않음 (thrombosis 발생시에만 사용), Hb 높은 경우 검사상 문제로 PT/PTT monitoring이 어려움
- hyperuricemia → 증상 없으면 치료 안함 / CTx. 예정인 경우에는 반드시 allopurinol 투여
- severe pruritus → antihistamines, antidepressants (e.g., doxepin) → 반응 없으면 ruxolitinib, IFN-α, psoralens with UV-A (PUVA), hydroxyurea 등
- symptomatic splenomegaly → ruxolitinib, IFN-α → 반응 없으면 splenectomy 고려
- elective surgery는 PV control 2개월 후로 연기 (∵ 수술시 출혈 및 혈전 합병증 위험 크게 증가)
- allogenic HCT : 젊은 환자에서는 완치도 가능하지만, PV에서는 거의 이용 안됨

진성고혈소판증 (Essential thrombocythemia, ET)

1. 개요

- 주로 megakaryocytes가 증식되는 MPN으로, 지속적인 thrombocytosis 및 large, mature megakaryocytes의 증가가 특징인 질환 (원인은 모름)
- 발생률 10만 명당 약 1~2.5명, 50~60대에 호발, 남<여 (약 1:1.5)
- megakaryocytes : 다른 조혈세포와 달리 endomitosis를 통해 amplification됨 (ploidy↑, 매우 커짐)
- thrombopoietin (TPO) : 조혈모세포의 megakaryocytes로의 분화, megakaryocytes의 증식/성숙, 혈소판 생산 등을 촉진함
  - 간에서 주로 (신장에서도 일부) 생산됨 (c.f., 간부전시 TPO↓ → thrombocytopenia)
  - megakaryocyte progenitor cells 양 및 혈중 platelet count와 반비례 관계 (negative feedback)
  - megakaryocytes와 혈소판의 TPO receptor (MPL)를 통해 작용함
- ET의 병인 : 잘 모름
  - TPO와 TPO receptor (MPL)의 결합 이상 → serum TPO level은 부적절하게 정상 or 상승
  - 매우 드물게 가족력을 보이기도 함 (AD 유전, TPO or MPL genes의 mutations)

혈소판증가증(thrombocytosis)의 원인
1 Primary thrombocytosis
MPN (myeloproliferative neoplasm) ; ET, PV, CML, PMF
2 Secondary (reactive) thrombocytosis (>80%)
Iron deficiency
Infection (m/c)
Inflammation ; IBD, LC, RA, sarcoidosis 등의 CTD
Metastatic ca., MPN, lymphoproliferative d/o.
Splenectomy 수술 뒤
Hemolytic anemia
Drugs ; Epinephrine, Vincristine
출혈, 운동, 스트레스, 알코올 남용
Myelosuppressive drugs 치료 후 회복기
Vitamin B_{12} or folate deficiency 치료시
Familial ; TPO overproduction, constitutive Mpl activation

2. 임상양상/합병증

- 무증상일 때 검사 중 thrombocytosis로 우연히 발견되는 경우가 m/c (>50%)
- 증상이 나타나는 경우는 혈전 또는 출혈 경향에 의한 것임 (but, ET에 특이적인 증상/징후는 없음)
- vasomotor Sx (m/c, 13~40%)
  - arterial microvascular thrombosis 때문
  - 두통(m/c), 어지러움, 실신, atypical 흉통, 말단 감각이상, livedo reticularis, erythromelalgia (홍색사지통증), 일시적 시력 장애 등

- 큰 혈관의 thrombosis (9~29%) ; 정맥 < 동맥
  - TIA, stroke, MI, angina, leg ischemia, splenic/hepatic/portal vein thrombosis, DVT, PE superficial thrombophlebitis, digital ischemia, renal vein thrombosis (→ NS) 등
  - arterial thrombosis 발생의 위험인자 ; thrombosis 병력, >60세, *JAK2* mutations (+), 심혈관계 위험인자 존재(e.g., 흡연, HTN, DM), WBC >11,000/μL 등
- hemorrhage (3~11%)
  - GI bleeding (m/c), 코피, 쉽게 멍듦, 피부/점막 출혈, 작은 수술이나 시술 이후에 출혈 지속 ...
  - 혈소판 수 100만/μL 이상 환자 대부분은 acquired vWD (AvWS)로 인해 출혈 발생 (∵ vWF multimers가 증가된 혈소판에 흡착되어 소실됨)
  - 혈소판 수 150만/μL 이상이면 출혈 위험 크게 증가
- plaetelet count와 출혈/혈전 증상과의 관련성 (c.f., platelet count보다는 다른 기전들이 더 관여하는 듯)
  - >100만/μL → 주로 출혈 증상과 관련 (∵ acquired vWD)
  - <100만/μL → 혈전 증상과 더 흔히 관련
- PV 대비 혈전증은 적고, 출혈은 많음
- mild splenomegaly (→ 심하면 PV, PMF, CML 등의 다른 MPN을 의심)

c.f.) *CALR*-mutated ET ; *JAK2*-mutated ET 대비 thrombosis 위험은 낮지만, 생존율 차이는 없음 (→ IPSET-thrombosis score나 치료방침에 영향 없음)

3. 검사소견/진단

ET의 진단기준 (WHO 2016)

Major Criteria
1. Platelet count ≥450,000/μL
2. BM biopsy ; 주로 megakaryocytes의 증식 (large mature, hyperlobulated nuclei), neutrophil granulopoiesis or erythropoiesis의 심한 증가나 left-shift 없음, minor (grade 1) reticulin fibrosis 매우 드묾
3. *BCR-ABL1*(+) CML, PV, PMF, MDS 및 기타 myeloid 종양의 WHO criteria에 해당 안 됨
4. ***JAK2, CALR** or **MPL*** mutation 존재

Minor Criteria
다른 clonal markers의 존재 **or** Reactive thrombocytosis의 원인 없음 (*ASXL1, EZH2, TET2, IDH1/IDH2, SRSF2, or SR3B1* mutations)

진단 : Major 1~4 모두 만족 **or** Major 1~3 + Minor criteria 만족

- anemia는 드물지만, mild neutrophilic leukocytosis는 흔함
- LAP 정상 or ↑, pseudohyperkalemia (∵ 응고 중 platelet에서 K^+ 유리)
- platelet count (보통 >60만/μL)
  - PB에서 다양한 크기와 모양의 platelets 보임 (일부는 매우 큼 = giant platelet)
  - APR (e.g., CRP, ESR, ferritin, fibrinogen) 상승시 2ndary thrombocytosis (감염/염증) 의심
- 혈소판 기능 장애 ; BT 연장, PFA-100(200)에서 C/Epi와 C/ADP 모두 연장, aggregation 장애 (epinephrine, ADP, collagen 등에는 반응↓ / arachidonic acid와 ristocetin에 대한 반응은 정상)
  - but, ET에만 특이적인 소견은 아니며, 출혈/혈전 증상과의 관련성도 부족함
  - epinephrine에 대한 1차 wave 감소, 2차 wave 소실은 특징적임
- 응고검사(PT, PTT)는 정상

- gene mutations ; *JAK2* mutation 약 60%, *CALR* mutation 약 25%, *MPL* mutation 약 5%에서
  - 약 10%는 3가지 모두 음성인 (triple-negative) mutation-negative ET
  - 2가지 이상의 mutations이 중복되어 존재하는 경우는 거의 없음
- BM ; hypercellular, megakaryocytic hyperplasia/hypertrophy, mild reticulin fibrosis, iron은 존재

4. 예후/치료

- mutations 여부에 관계없이 대부분 정상 수명을 갖고, acute leukemia로의 진행도 거의 없으므로 증상 조절 및 합병증(혈전, 출혈) 예방이 주목표임
- 무증상이고 심혈관계 위험인자가 없으면 특별한 치료 필요 없음!
- 3~6개월 마다 F/U, 심혈관계 위험인자(e.g., HTN, DM, 흡연) 있으면 적극적으로 조절

International Prognostic Score of ET (IPSET)–thrombosis (WHO)

Risk	>60세	*JAK2*	Thrombosis 병력	치료
Very low	×	×	×	Low-dose aspirin (심혈관계 위험인자 존재시에만)
Low	×	O	×	Low-dose aspirin*
Intermediate	O	×	×	Low-dose aspirin*
High	O	*or*	O	Cytoreductive therapy + (arterial thrombosis 병력시) low-dose aspirin *and/or* (venous thrombosis 병력시) anticoagulation

*심혈관계 위험인자 or vasomotor Sx 존재시 하루 2회 투여

- cytoreductive therapy
  - 적응 ; 고위험군(혈전증 병력, 60세 이상 *JAK2*+) … 목표 혈소판 수 : 약 40만/μL 이하로
  - 약제 ; hydroxyurea, anagrelide, IFN-α (특별히 더 효과적인 것은 없지만 hydroxyurea 선호)
    ① hydroxyurea : TIA 예방 및 거의 모든 면에서 좀 더 효과적 (드물게 AML 유발 위험)
    ② anagrelide : venous thrombosis 예방에만 더 효과적, 출혈 위험↑ (AML 유발 위험은 없음)
      ↳ hydroxyurea에 반응이 없거나 부작용으로 사용할 수 없을 때 or 혈전증 위험이 높은 젊은 연령에서 고려
    ③ INF-α : 임신시 사용 가능 (∵ hydroxyurea와 anagrelide는 절대 금기)
  - but, 혈소판수를 정상화해도 arterial/venous thrombosis를 완전히 예방은 못함
  - leukemia로 진행은 ET 자체보다는 cytoreductive therapy 때문일 가능성이 더 많음
- low-dose aspirin
  - vasomotor Sx 완화, thrombotic Cx 예방, 심혈관계 위험↓ 등을 위해 투여
    (very low-risk ET 환자는 증상이나 심혈관계 위험인자가 있을 때에만 투여)
  - 혈소판 수 100만/μL 이상이면 반드시 acquired vWD R/O (e.g., ristocetin cofactor activity↓)
    → acquired vWD 발생시 aspirin은 금기! (∵ 출혈 위험↑) → cytoreductive therapy 고려
  - anagrelide와 병용시엔 GI bleeding 위험↑
- 혈소판수 증가와 관련된 출혈 (acquired vWD) → ε-amino caproic acid
  (elective surgery 전후 예방적으로 투여)
- platelet pheresis ; acute life-threatening thrombosis or severe bleeding처럼 응급으로 혈소판 수를 낮춰야 할 때만 고려 (but, 효과가 일시적이라 잘 이용 안함)
- splenectomy는 도움 안 됨!

일차골수섬유증 (Primary myelofibrosis, PMF)

1. 개요

- 골수의 섬유화(fibrosis)와 cytopenias, 골수외조혈(extramedullary hematopoiesis)이 특징인 clonal hematopoietic stem cell disorder
- 과거 chronic idiopathic myelofibrosis (CIMF), myelofibrosis with myeloid metaplasia (MMM), agnogenic myeloid metaplasia (AMM) 등으로도 불리었음
- fibrosis 정도와 extramedullary hematopoiesis 정도는 관련 없음
- 원인은 모름, growth factors 등의 분비 증가와 관련, megakaryocytes가 병태생리에 중요
- 드묾(10만 명당 약 1명), 남≒여, 60~70대에 호발

2. 임상양상

- 임상양상이 매우 다양하고, 특이적인 증상/징후가 없다
- 무증상인 경우가 많아 (약 30%), 대개 비장비대로 또는 혈액검사 중 우연히 발견됨
- anemia (mild) ; 피곤, 운동시 숨참 ...
- extramedullary hematopoiesis에 의한 증상
  - splenomegaly (약 90%) ; 복부압박감, 조기 포만감, 복통 ··· PMF에서 가장 골치인 증상 (→ splenic infarction, portal HTN도 발생 가능)
  - mild hepatomegaly (약 50%)
  - 기타 ; ascites, pul. HTN, intestinal or ureteral obstruction, intracranial HTN, pericardial tamponade, spinal cord compression, skin nodules ...

3. 검사소견/진단

Primary myelofibrosis (PMF)의 진단기준 (WHO 2016)

Major criteria
1. Megakaryocytic proliferation and atypia & reticulin and/or collagen fibrosis grade 2~3 동반
2. ET, PV, *BCR-ABL1*(+) CML, MDS 및 기타 myeloid 종양의 WHO criteria에 해당 안 됨
3. ***JAK2, CALR** or **MPL*** mutation 존재 **or** 다른 clonal marker 존재*
   or reactive myelofibrosis의 원인 없음**

Minor criteria : 아래 중 한 개 이상에 해당, 2회 연속으로
1. 다른 기저 질환과 관련 없는 anemia
2. Leukocytosis ≥11,000/μL
3. Palpable splenomegaly
4. LDH 증가(>UNL)
5. Leukoerythroblastosis

진단 : Major 1~3 모두 만족 + Minor criteria 1개 이상

* 다른 clonal mutations으로는 *ASXL1, EZH2, TET2, IDH1/IDH2, SRSF2, SF3B1* 등이 흔한 편
** 감염, 자가면역질환 or 기타 만성염증성질환, hairy cell leukemia 등의 lymphoid neoplasm, metastatic malignancy, toxic (chronic) myelopathies 등에 이차적인 myelofibrosis

Myelofibrosis의 Grading	
MF-0	정상 BM ; linear reticulin 산재, 교차(cross-over) 없음
MF-1	Reticulin이 느슨한 그물망 형성 (교차 많음), 특히 혈관 주위로
MF-2	Reticulin이 전반적으로 밀도 높게 증가 (교차 현저함), 때때로 두꺼운 섬유의 거친 다발 (대부분 collagen) and/or focal osteosclerosis
MF-3	Reticulin이 전반적으로 밀도 높게 증가 (교차 현저함), 두꺼운 collagen 섬유의 거친 다발, osteosclerosis 동반 흔함

* MF 2~3의 평가를 위해서는 추가로 trichrome (MT) stain도 필요함

- anemia : ineffective erythropoiesis, folate/iron 결핍, GI bleeding, 용혈 ...
- WBC와 platelet counts는 다양 (진행되면 thrombocytopenia가 두드러짐)
- PBS … extramedullary erythropoiesis (myeloid metaplasia)의 소견
  - RBC : tear-drop cells (漏籍細胞)
  - leukoerythroblastosis : 미성숙 myeloid & erythroid cells (e.g., myelocyte, nRBC)이 동시 출현
  - abnormal giant platelets or megakaryocytes
- BM : 다른 MPN과 구별되는 특이적인 소견은 없음
  - aspiration : 대개 건성 천자("dry tap") - aspiration 실패
  - biopsy ; fibrosis (reticulin & collagen), hypercellular (→ fibrosis가 진행되면 cellularity 감소), megakaryocytes의 증식 및 atypia (CD61 IHC)
- LD↑, ALP↑, hyperuricemia (→ 2ndary gout)
- autoimmune 이상이 나타날 수 있음 ; IC, ANA, RF, (+) Coombs' test 등
- 다른 MPN에 비해 말초 CD34+ cells이 크게 증가될 수 있음 (원인은 모름)

4. 예후

- 중앙 생존 기간(median OS) : 약 6년 (PV나 ET보다 훨씬 예후 나쁨)
- 진행되면 marrow failure (e.g., anemia 심해지고, organomegaly↑) 증가
- 약 10%에서는 acute leukemia 발생 (보통 치료 불가능)
- 사인 ; 골수부전(감염, 출혈), 혈전색전증, portal HTN, 심부전, AML 등
- 나쁜 예후 인자 ; age (>70세), anemia (Hb <10 g/dL), thrombocytopenia, PB blasts, BM fibrosis 정도, constitutional Sx. (발열, 야간발한, 체중감소), 염색체/유전자 이상 등

PMF의 driver mutations

	빈도	median OS
JAK2	57~65%	5.9년
CALR	20~25%	15.9년 (good Px)
MPL	5~10%	9.9년
Triple-negative	10~12%	2.3년 (poor Px)

CALR (calreticulin) mutations
- survival↑, *JAK2*(+) 대비 thrombosis↓
- type 1/type 1-like mutations : 다른 유전자 이상들 보다 survival↑
- type 2 mutation 및 다른 이상들도 많음

5. 치료

Low-risk PMF : GIPSS score 0점 / 1~2점이면서 MIPSS70+ 1~4점
(1) 무증상 ⇨ 경과관찰!
(2) 증상 ; 피곤, 조기포만감, 복부불편감, 야간발한, 소양증, 뼈통증, 발열, 체중감소, 활동저하 등
⇨ symptom-directed treatment
(a) 빈혈 only ┌ serum EPO <500 mU/mL ⇨ ESA (rEPO, darbepoietin-α 등)
└ serum EPO ≥500 mU/mL ⇨ Danazol, low-dose thalidomide/lenalidomide (± steroid)
(b) 다른 증상들 ┌ 혈소판수 >5만/μL ⇨ Ruxolitinib (JAK2 inhibitor) or hydroxyurea 등
└ 혈소판수 ≤5만/μL ⇨ 다른 보존적 치료(e.g., splenectomy)

High-risk PMF : GIPSS score 3점 이상 / 1~2점이면서 MIPSS70+ 5점 이상
(1) 이식에 적합 ⇨ allogenic HCT
(2) 이식 부적합 ⇨ symptom-directed treatment (위와 비슷), 가능하면 clinical trial 참여 권장

- 특별한 치료법이 없음, 보존적 치료가 주된 치료 (증상이 없는 low risk는 경과관찰)
- anemia : 대개 수혈로 치료하게 됨, iron 및 folate 부족하면 보충
  - androgen (Danazol), EPO 등 : 40~60%에서 반응하나, 지속적인 효과는 없음
  - EPO : serum EPO >125 mU/L면 효과 적음, 골수외조혈을 촉진하여 splenomegaly 악화 가능
- JAK2 inhibitors (ruxolitinib) : splenomegaly 감소 및 전신증상 호전에 효과적, 생존율↑
  - *JAK2* mutations 여부에 관계없이 효과를 보임
  - anemia와 thrombocytopenia 부작용 흔함 (dose-dependent, 시간 지나면 호전 가능)
  - 심한 감염시에는 금기 / thrombocytopenia, 간기능↓, 신기능↓, CYP3A4 inhibitors 병용시 주의
- hydroxyurea : ruxolitinib보다는 덜 효과적, 약 40%에서 organomegaly와 cytosis 호전, 전신증상 & 뼈통증 감소에 유용, 저용량으로 시작 (고용량에서는 골수억제에 의해 cytopenias 발생 위험)
- steroid (± low-dose thalidomide/lenalidomide) : 전신증상 및 autoimmune Cx.의 치료, anemia 및 splenomegaly도 호전 가능
- IFN-α : 효과가 불확실하고 고령에서는 부작용이 큼
- allopurinol : 심한 hyperuricemia 치료
- splenectomy
  - 적응 ; severe Tx-refractory cytopenias, 심한 압박 증상, painful splenic infarction 등
  - but, 수술 사망률이 높고, 수술 뒤 심각한 합병증 발생이 흔함 ; 출혈, rebound leukocytosis & thrombocytosis, hepatomegaly, blastic transformation (AML) 등 (그래도 적응이면 시행함)
- splenic irradiation ; 수술이 불가능하거나 악화되는 경우 고려 (but, 3~6개월의 일시적 효과 뿐), cytopenias, nausea, 감염, 출혈 등의 부작용, 4~6개월 뒤 spleen이 더 커짐
- allogenic HCT : only curative (50%에서 long-term survival), 젊거나 고위험군에서 권장
- HCT 부적합이고 ruxolitinib/hydroxyurea에 반응 없거나 부작용 등으로 사용 못하면 clinical trials
  - 2nd-line JAK inhibitors ; momelotinib, pacritinib 등
  - telomere RT inhibitor (imetelstat), mTOR inhibitor (everolimus), HDAC inhibitor ...

호산구증가증(eosinophilia)

- normal eosinophils ; PB 50~500/μL, BM 1~6%
- eosinophilopoietic cytokines ; IL-5 (m/i), IL-3, GM-CSF
  - 주로 activated T lymphocytes, mast cells, stromal cells에서 생산됨
  - reactive eosinophilia 때 주로 증가됨
- eosinophilia의 정의 : 말초혈액의 absolute eosinophil count (AEC) ≥500/μL
  - mild eosinophilia : 500~1500/μL
  - moderate (or marked) eosinophilia : 1500~5000/μL
  - severe (or massive) eosinophilia : >5000/μL

  * hypereosinophilia (HE) : >1500/μL
- eosinophilia의 분류/원인

  (1) primary eosinophilia

  ① clonal (neoplastic)
  - AML, MDS, CML, MDS/MPN, mastocytosis 등에 동반된 eosinophilia (e.g., AML-Eo, CML-Eo ...) → 원래 종양의
  - Myeloid/lymphoid neoplasms (MLN) with eosinophilia and abnormalities of *PDGFRA, PDGFRB, FGFR1,* or *PCM1-JAK2* (MLN-Eo)
  - Chronic eosinophilic leukemia, NOS (CEL-NOS)

  ② idiopathic (NOS) : secondary & clonal eosinophilia에 해당 없음 (e.g., HES)

  (2) secondary eosinophilia (eosinophilia 정도)

기생충 감염 (moderate ~ high)
기타 감염 ; RSV, HIV, HTLV-1, TB (드묾)
알레르기 질환 (mild) ; 알레르기 비염, 아토피 피부염, 두드러기, 천식 등
종양 (moderate ~ high)
Myeloid neoplasms
Lymphomas (대개 T-cell or HL)
Solid tumors (폐암, 기타 특히 전이/괴사를 수반한 것)
위장관 질환 (mild) : 보통은 tissue eosinophilia만 동반
Eosinophilic gastroenteritis/esophagitis
Celiac disease
Inflammatory bowel diseases (UC, CD)
폐 질환 (mild ~ high) → 2-10장 참조
Chronic eosinophilic pneumonia
Eosinophilic granulomatosis with polyangiitis (EGPA, Churg-Strauss syndrome)
Bronchiectasis/cystic fibrosis (대개 asthma or APBA와 관련)
육아종성 질환 ; Eosinophilic granulomatosis, Wegener's granulomatosis, Sarcoidosis
내분비 질환 ; Addison's disease (hypoadrenalism), Hyperthyroidism
피부 질환 ; Bullous pemphigoid, Eosinophilic cellulitis, Skin lymphoma
약물 (mild ~ high) ; 항생제, NSAIDs, 항정신병약 등이 흔한 원인 (복용 중단하면 정상화됨)
기타 ; Addison dz., GVHD, 방사선 조사, 비장 적출, 혈액투석, IL-2 치료 ...

* 흔한 원인 ; 기생충, 알레르기, 약물

c.f.) eosinophil이 감소하는 경우 ; stress (e.g., 급성감염, AMI), steroid 투여

• unexplained eosinophilia의 evaluation
- 호산구에 의한 조직/장기 침범(organ dysfunction) 여부 파악이 중요함
- CBC, PBS, 일반화학검사(LFT, Cr 등), UA, serum IgE, troponin, vitamin B_{12} (MPN에서↑), tryptase (mastocytosis 및 myeloid neoplasms에서↑), EKG, CXR, 기생충, 알레르기 등 검사
- clonal d/o. R/O ; BM 검사, flow cytometry, 세포유전검사, 분자유전검사(FISH or RT-PCR)
  → *PDGFRA, PDGFRB, FGFR1, PCM1-JAK2, BCR/ABL1, KIT* 등 확인
  (↳ platelet-derived growth factor receptors α)
- 기타 ; 자가면역질환/면역결핍에 대한 검사, ANCA (EGPA), cortisol (Addison dz.), CT 및 LN biopsy (lymphoma), virus 검사 ...

Idiopathic hypereosinophilic syndrome (HES)

• idiopathic eosinophilia의 subcategory (secondary나 clonal eosinophilia가 아님!)
• 드묾, 남:여 = 9:1, 대부분 20~50대에 진단됨
• 정의

	Definition & criteria
Hypereosinophilia (HE)	Eosinophils >1500/μL (1달 이상 간격으로 2회 검사) and/or tissue HE (아래 기준) 1. BM eosinophils 20% 이상 and/or 2. 조직의 심한 eosinophilis 침윤 and/or 3. 특수염색에서 eosinophil granule proteins의 심한 침착
Hypereosinophilic syndrome (HES) (3기준 모두 만족해야)	1. Persistent (>6개월) hypereosinophilia (HE) 2. Tissue HE에 의한 organ damage and/or dysfunction* 3. Organ damage를 일으킬 수 있는 다른 질병/원인 없음

* Organ damage and/or dysfunction (아래 중 1개 이상)
① fibrosis (e.g., lung, heart, digestive tract, skin, and others)
② thrombosis ± thromboembolism
③ cutaneous (including mucosal) erythema, edema/angioedema, ulceration, or eczema
④ peripheral or central neuropathy
⑤ 기타 드문 장기의 침범 (e.g., 간, 췌장, 신장)

• multisystem organ dysfunction의 임상양상 (모든 장기를 다 침범 가능)
- blood & BM 침범(eosinophilia) 및 조직의 eosinophils 침윤 (형태는 비교적 mature)
- 심장 침범 ; TV anomaly, endocardial fibrosis, RCM, thrombosis ...
- 기타 피부, 폐, 간, 비장, 신경계(말초신경병증이 m/c) 등도 침범 가능
  ↳ pruritus 흔함 (종종 erythematous papules 및 urticaria도 동반)
- weakness, fatigue, cough, dyspnea, myalgia, angioedema, rash, fever, rhinitis, splenomegaly ...
- eosinophils 침윤에 의한 독성물질의 분비에 의해 발생

• 주로 Churg-Strauss syndrome (CSS)과 혼동될 수 있음
(→ CSS보다는 HES가 eosinophil count 높음)
• 증상이 없는 경우는 치료할 필요 없다 (3~6개월 마다 F/U)
• 치료
① steroid (TOC) : 약 70%에서 반응, moderate~high dose로 시작, 매우 천천히 tapering
(+ steroid-sparing agents ; hydroxyurea or IFN-α)

② steroid에 반응 없으면 ; anti-IL-5 (e.g., mepolizumab, reslizumab), anti-CD52 (alemtuzumab), cyclosporine ...

- m/c 사인 - 심장과 뇌의 침범 (뇌색전증도 대개 심장내 혈전이 원인)
  → 특히 심장질환에 대한 monitoring 필요, 심장침범 시엔 steroid + hydroxyurea로 치료
- angioedema 동반시엔 예후 좋음! (기전은 모름)

5
골수형성이상증후군 (Myelodysplastic syndrome, MDS)

개요

- 정의 : malignant clonal hematopoietic stem cell d/o.로 dysplasia (dysmorphology), ineffective hematopoiesis, cytopenia(s) 등이 특징인 질환, AML로의 진행 위험이 높음
  (↳ apoptosis↑ → cytopenias 발생에 기여)
- 원인/위험인자
  (1) primary or de novo MDS (60~70%)
  ; 화학물질(특히 benzene), 방사선, 흡연, 농약, 유기용매, 미만, AA, PNH, 선천성 혈액질환 (e.g., trisomy 21, Fanconi's anemia, Bloom syndrome, ataxia telangiectasia) 등
  (2) secondary or therapy-related MDS (t-MDS)

Therapy-related myeloid neoplasms의 원인
1. **Alkylating agents** ; melphalan, cyclophosphamide, nitrogen mustard, chlorambucil, busulfan, carboplatin, cisplatin, dacarbazine, procarbazine, carmustine, mitomycin C, thiotepa, lomustine ...
2. **Ionizing radiation therapy** ; BM를 포함한 넓은 영역 (대개 5~7년 뒤 발생)
3. **Topoisomerase II inhibitors** ; etoposide, teniposide, doxorubicin, daunorubicin, mitoxantrone, amsacrine, actinomycin (c.f., topoisomerase II inhibitors는 lymphoblastic leukemia도 유발 가능)
4. **Antimetabolites** ; thiopurines, mycophenolate, fludarabine
5. **Antitubulin agents** (대개 다른 약제와 병용시) ; vincristine, vinblastine, vindesine, paclitaxel, docetaxel

* hydroxyurea, radiosiotopes, L-asparaginase, 조혈성장인자 등의 관련성은 확실치 않음

- 유병률 : 10만 명당 약 10명, 증가 추세 (∵ 수명↑, 진단↑, 항암치료↑)
- idiopathic (primary) MDS는 고령에서 호발 (평균 70세), 남>여
- cytogenetic abnormalities
  - 약 50~70%에서 관찰됨 (t-MDS는 90~100%에서 존재)
  - translocation보다 aneuploidy (e.g., deletion, trisomy)가 훨씬 더 흔함
- familial MDS (드묾) ; *RUNX1, ANKRD26, CEBPA, DDX41, ETV6, TERC, TERT, SRP72, GATA2* 등의 germ line mutations과 관련
  c.f., *GATA2* 결핍 증후군 ; AD 유전, MDS (m/c), AML, 면역저하(→ 기회감염↑ 특히 virus, NTM, 사마귀wart 등), pul. HTN, pul. alveolar proteinosis, 감각신경성 난청, 림프부종 등

c.f.) childhood MDS
  - MDS의 1% 미만, 주로 소아에서 pancytopenia를 보임
  - hypocellular BM를 보이며, AA와의 차이는 dysplasia가 존재하는 것

임상양상

- 약 1/2은 asymptomatic (검사 중 우연히 발견됨)
- anemia에 의한 증상이 대부분 ; 쇠약, 어지러움, 두통, 창백, 빈맥 ...
- thrombocytopenia ; 쉽게 멍듦, 과다 월경 ...
- neutropenia에 의한 감염은 흔하지 않음
- organomegaly (hepatomegaly, LN enlargement)는 드묾 (splenomegaly는 약 20%에서)
- fever, weight loss → MDS보다는 MPN을 더 시사함
- 병력 ; 이전의 항암 CTx, RTx 등이 중요, sideroblatic anemia or Fanconi's anemia의 가족력, Down syndrome 소아도 MDS 발생 위험 증가

검사소견

1. PB

- severe anemia (MCV는 정상~↑) : 대개 수혈에 의존하게 됨
- poikilocytosis 심함 ; target cells, teardrop cells, acanthocytes, elliptocytes ...
- WBC ; N~↓, left-shifted (소수의 promyelocyte나 blast도 보일 수 있음)
- neutropenia, thrombocytopenia (c.f., monocytosis → CMML)
- platelet ; 크고 granules이 없음, 기능 이상도 심할 수 있음

2. BM

- cellularity : 대부분 증가 or 정상 (↔ AA는 심하게 감소)
- 한 계열(lineage) 이상의 조혈세포에서 다양한 dysplasia (dysmorphic change)를 보임 - m/i
- iron store↑ (∵ 수혈, mitochondrial dysfunction으로 mitochondria 내에 iron 축적)

c.f.) hypocellular MDS
  - MDS의 5~10% 차지, BM cellularity <30% (노인은 <20%)
  - 심한 cytopenias를 보임, 대부분 MDS-SLD (refractory anemia)
  - therapy-related MDS, childhood MDS, 여성 등에서 흔함

3. 유전검사

- MDS의 진단 (AML과의 감별) 및 예후 예측에 필수 (세포유전검사는 필수, 분자유전검사는 권장)
- 세포유전검사(karyotyping, FISH) : 약 1/2에서 이상을 보임
- 분자유전검사(RT-PCR, targeted NGS) : 80~90%에서 somatic (i.e., acquired) mutations 존재
  - *SF3B1, TET2, ASXL1, DNMT3A, SRSF2, RUNX1, U2AF1, TP53* 등이 흔함(>10%)
  - *SF3B1* → ringed sideroblasts와 밀접하게 관련 ; MDS-RS (~80%), good Px.
  - *TET2* → hypomethylating agents (e.g., AzaC)에 반응 좋음 (82% ↔ 45%), survival은 비슷

- *TP53, RUNX1, NRAS* → poor Px ; blasts count↑, severe cytopenias
  ↳ complex karyotypes (~50%) 및 del(5q) (15%~20%)와 관련
- 많은 경우 다른 myeloid 종양(e.g.,, AML, CMML, JMML)에서도 같은 mutations이 나타날 수 있지만, 각 종양의 진단기준을 우선 따름
- 일부 mutations은 혈액종양의 진단기준에 해당 안 되는 CHIP or CCUS에서도 흔히 나타남
  c.f.) idiopathic cytopenia of undetermined significance (ICUS) ; dysplasia와 세포유전이상 없이 지속적인 cytopenia를 보이는 경우, MDS 등으로 진행할 위험이 조금은 있음

분류/진단 (WHO 2016)

- 크게 2가지 groups으로 분류
  ① De novo MDS
  ② Therapy-related MDS : ①과 같이 분류하되 "therapy-related"를 붙임
- 기본적으로 (1) PB/BM의 blasts %, (2) dysplasias의 정도/계열, (3) ringed sideroblasts %로 MDS를 진단/분류하고 (4) 세포유전이상은 예후 예측 및 일부 아형의 진단에 이용

분류 ★	빈도(%)	PB 소견		BM 소견			Leukemia 발생(%)	(중앙) 생존기간
		Blast(%)	Cytopenia*	Blast(%)	RS(%)**	Dysplasia		
MDS-SLD	10~20	<1 (No AR)	1~2계열	<5 (No AR)	<15	1계열만	2~6	66개월
MDS-MLD	30	<1 (No AR)	1~3계열	<5 (No AR)	<15	2~3계열	10	30개월
MDS-RS-SLD	3~11	<1 (No AR)	1~2계열	<5 (No AR)	≥15	1계열만	1~2	69~108개월
MDS-RS-MLD		<1 (No AR)	1~3계열	<5 (No AR)	≥15	2~3계열		
MDS-EB-1	20	2~4 (No AR)	1~3계열	5~9 (No AR)		0~3계열	25	16개월
MDS-EB-2	20	5~19 or AR	1~3계열	10~19 or AR		0~3계열	33	9개월
MDS-del(5q)	드묾 남<여	<1 (No AR)	1~2계열	<5 (No AR)		1~3계열	<10	145개월
MDS-U (un-classifiable)	with 1% blood blasts	1***(No AR)	1~3계열	<5 (No AR)		1~3계열		
	with SLD & pancytopenia	<1 (No AR)	3계열	<5 (No AR)		1계열	?	?
	MDS 관련 세포/유전이상(+)	<1 (No AR)	1~3계열	<5 (No AR)	<15	0		
Refractory cytopenia of childhood (RCC)		<2	1~3계열	<5	0	1~3계열		

(SLD: single lineage dysplasia, MLD: multilineage dysplasia, RS: ringed sideroblast, EB: excess blasts, AR: Auer rods)

* Cytopenias의 기준: Hb <10 g/dL, absolute neutrophil <1,800/μL, platelet <10만/μL (드물게 이 기준보다 높은 mild anemia or thrombocytopenia를 보일 수도 있음), PB monocyte는 반드시 <1,000/μL

** *SF3B1* mutation이 존재하면 ringed sideroblast (RS) 기준은 15%에서 5%로 낮아짐

*** 1% PB blasts는 반드시 2회 이상 확인되어야 됨

- PB/BM의 blasts가 20% 이상이면 acute leukemia!
- cytopenia 환자에서 'MDS-defining 세포유전이상'이 존재하면 dysplasia가 없어도 presumptive MDS로 진단 (→ F/U) : 단 FISH or sequencing이 아닌 karyotyping에서 발견된 경우에만 (예외 ; +8, −Y, del(20q)는 dysplasia가 있을 때만 MDS-defining 세포유전이상으로 취급)
- 의미 있는 dysplasia : 그 계열 세포의 10% 이상에서 dysplastic features를 보일 때

Dyserythropoiesis	Dysgranulopoiesis	Dysmegakaryocytopoiesis
Nuclear budding Internuclear bridging Karyorrhexis Multinuclearity Nuclear hyperlobation Megaloblastic changes Ringed sideroblasts Cytoplasmic vacuolization PAS(+) cytoplasm	크기가 작거나 비정상적으로 큼 Nuclear hypolobation (pseudo Pelger-Huët anomaly) Irregular hypersegmentation Hypogranulation, agranularity Pseudo Chediak-Higashi granules Auer rods	Micromegakaryocytes* Nuclear hypolobation Multinucleation (separated nucleus) * 비교적 MDS에 특이적이고 재현성(reproducibility)이 높음

c.f.) 다른 원인에 의해서도 dysplasia는 나타날 수 있음!! (대개는 MDS보다 경미하고 한 계열에만 국한됨)
; 거대적혈모구빈혈(vitamin B_{12} or folate 결핍), 기타 영양소 결핍(e.g., 구리, vitamin B_6), 중금속(특히 비소), 선천성혈액질환(e.g., congenital dyserythropoietic anemia), HIV or parvovirus B_{19} 등의 바이러스 감염, 심한 알코올 중독자, 약물(e.g., cotrimoxazole), 항암화학요법제, G-CSF, PNH ...

- MDS-defining 세포유전이상(chromosomal abnormalities)

Abnormality	primary MDS	t-MDS
Unbalanced		
+8*	10~20%	
−7 or del(7q)	10~15%	50%
−5 or del(5q)	10~25%	40%
del(20q)*	5~8%	
−Y*	1~5%	
+21	1~5%	
i(17q) or t(17p)	3~5%	
−13 or del(13q)	3%	
del(11q)	3~7%	
del(12p) or t(12p)	3%	
del(9q)	1~2%	
idic(X)(q13)	1~2%	
Complex karyotype (≥3)	15%	
Balanced		
t(11;16)(q23;p13.3)		3%
t(3;21)(q26.2;q22.1)		2%
t(1;3)(p36.3;q21.2)	1%	
t(2;11)(p21;q23)	1%	
inv(3)(q21q26.2)	1%	
t(6;9)(p23;q34)	1%	

*Dysplasia가 있을 때만 MDS-defining 세포유전이상으로 취급함!
▶나머지 이상들은 cytopenia가 있으면 dysplasia가 확실하지 않아도 MDS로 가정함

[참고]
t(8;21)(q22;q22); *RUNX1-RUNX1T1*
inv(16)(p13.1q22) or t(16;16)(p13.1;q22) ; *CBFB-MYH11*
t(15;17)(q22;q21.1); *PML-RARA*
등의 세포유전이상이 발견되면 blast count에 관계없이 AML로 진단함!

치료

1. 보존적 치료

- 다른 원인에 의한 빈혈을 철저히 R/O 해야됨 (e.g., IDA, MA, ACD)
- 모든 환자에서 기본적으로 시행, aplastic anemia 때와 같은 원칙 (수혈, 항생제 등)
- hematopoietic growth factors (HGF)
  ; 다른 BMF와 마찬가지로 pancytopenia가 덜 심할수록 효과적 (low~intermediate MDS에서 사용)
  ① rEPO : low EPO (≤500 mU/mL) 환자에서 (특히 저위험군에서) 적극적으로 사용
  (e.g., epoetin alfa, epoetin alfa-epbx, darbepoetin alfa)
    - 초치료부터 정기적인 수혈보다는 rEPO 투여가 좋음 (∵ 증상 호전↑, 부작용↓)
    - 40~60%에서 반응 (대부분 6~8주 이내 반응) → 수혈↓ & 삶의 질↑, survival↑
      (AML로의 전환율을 높이지는 않음)
    - 치료 목표는 Hb 12 g/dL 이하로 (∵ 12 g/dL 초과하면 혈전색전증↑)
    - ringed sideroblasts가 15% 이상인 환자는 rEPO에 반응 약함 ⇨ rEPO + G-CSF로
  ② G-CSF : 심각한/불응성 세균감염을 동반한 neutropenia 환자에서나 고려
  (e.g., filgrastim, filgrastim-sndz, tbo-filgrastim)
  ③ thrombopoietin mimetics (e.g., romiplostim, eltrombopag)
    - 혈소판 상승효과는 미미하고, 부작용 위험(특히 high-risk MDS에서 AML로 전환↑)
    - low-risk MDS 환자에서 thrombocytopenia가 심각한데 수혈이나 antifibrinolytic agents에 모두 실패한 경우에나 고려 가능
- EPO 높거나(>500 mU/mL) 실패한 환자는 chronic transfusion therapy
- 정기적으로 수혈을 받는 환자는 iron overload 위험 (ferritin↑ → poor Px)
  → ferritin 1000 ng/mL 이상이면 oral iron chelating agent (e.g., deferasirox)로 치료
- 출혈 ⇨ 혈소판 수혈, antifibrinolytic agents (e.g., aminocaproic acid) 등

2. Hypomethylating agents (epigenetic modulators)

[azacitidine (AzaC, Vidaza®) : 75 mg/m^2/day SC로 7일간, 4주 간격으로 반복
[decitabine (Dacogen®) : 좀 더 강력, 20 mg/m^2/day IV로 5일간, 4주 간격으로 반복

- DNA methytransferase을 억제하여(methylation inhibitor) 종양세포주의 사멸을 유도
- 고용량에서는 cytotoxic activity도 있지만, 저용량의 cell differentiating potential 때문에 투여
  ⇨ high-risk MDS에서 주로 사용하지만, low-risk MDS에서도 효과적이므로 고려 가능
- 두 약제의 효과는 비슷한 편 : 약 50%에서 혈액학적 반응, 약 20%에서 완전 반응, leukemic transformation 지연, 삶의 질 향상 (but, survival 향상은 아직 azacitidine에서만 약간 보고됨)
- 치료를 지속해야 반응이 유지되며, 결국에는 대부분 불응성이 됨(refractory)
- 주요 부작용 ; myelosuppression (cytopenia 악화)

3. 면역조절제(immunomodulatory drug, IMiD)

- 다양한 기전이 있지만, 정확히 어떤 기전으로 효과가 있는지는 불확실함
- thalidomide : MDS 환자의 빈혈 호전에 효과적
- <u>lenalidomide</u> (Revlimid®) : thalidomide 유도체로 더 강력하면서 독성은 적음, 경구 투여
  - low-risk MDS (특히 <u>5q- syndrome</u>)에서 효과적, 약 2/3에서 blood count 호전
  - blood count 뿐 아니라 cytogenetic abnormalities도 정상화 가능
  - 대부분 치료 시작 3개월 이내에 호전됨
  - 부작용 ; myelosuppression (neutropenia or thrombocytopenia), DVT & PE

4. 면역억제치료(IST)

- ATG (± cyclosporine), anti-CD52 mAb (alemtuzumab, Campath®) 등
- 일부 MDS에서 효과적 ; young (<60세), 수혈의존기간 짧음, IPSS 저위험군, BM blasts <5%, HLA-DR15 (+), PNH clone (+), *STAT3* mutant T cell clone (+), hypocellular MDS 등 (c.f., *STAT3* mutation : LGL-관련 MDS에서 발생, immune BMF와 관련)
- steroid는 사용 안함

c.f.) 급성 백혈병에 대한 conventional CTx는 효과 적고 부작용만 큼 (다른 치료들에 실패시 고려)

5. allogenic HCT

- <u>유일한 완치법</u>, 대개 70세 이하에서 고려, 30~50% cure (5YSR 약 40%)
- matched unrelated donor와 sibling donor와의 치료 성적은 비슷함
- PBSCT가 BMT보다 회복속도 빠르고, 부작용도 적다
- but, 고위험군에서는 재발 및 이식관련 합병증(사망률)이 매우 높음, 고령일수록 동방질환↑ (↔ 저위험군은 부작용은 적지만, 다른 치료들로도 잘 생존 가능) → 결국 일부에서만 HCT 시행

MDS의 치료 정리

IPSS/WPSS <u>very low ~ intermediate risk</u>

⇨ 5q- 존재
- O : lenalidomide
- × →
  - serum EPO ≤500 mU/mL → rEPO (+ G-CSF*) → 반응 없으면 lenalidomide 추가 등
  - serum EPO >500 mU/mL (or 심각한 thrombocytopenia, neutropenia, BM blasts↑)
    - IST의 적응 (본문 참조) → ATG ± cyclosporine A
    - IST의 적응× → azacitidine or decitabine (or lenalidomide) or clinical trials

IPSS/WPSS <u>(very) high risk</u> or therapy-related

⇨ intensive therapy 가능
- O → donor 있으면 allogenic HCT / 없으면 azacitidine or decitabine or clinical trials
- × → azacitidine or decitabine or 보존적치료 등

* ringed sideroblastic type인 경우

예후

- 경과는 다양함, 완치되기 어려워 예후는 나쁨 (수개월~수년 생존)
- 대부분 BMF (pancytopenia)의 합병증으로 사망 (e.g., 감염, 출혈)
- 예후가 나쁜 경우
  ① pancytopenia의 악화
  ② 새로운 염색체 이상의 발생
  ③ blasts의 증가
  ④ therapy-related MDS
- 형태학적 분류만으로는 예후 예측 및 치료방침 결정에 부족하므로, 임상양상 및 세포유전소견 등을 종합한 예후 점수체계를 이용함
- IPSS (International Prognostic Scoring System, 1997) ★

Risk Group	Score	Leukemia 발생률	AML/25%(년)*	5YSR	평균생존기간(년)
Low	0	19%	9.4	55%	5.7
Intermediate-1	0.5~1.0	30%	3.3	35%	3.5
Intermediate-2	1.5~2.0	33%	1.1	8%	1.1
High	≥2.5	45%	0.2	0	0.4

*치료 안했을 때 해당 환자군의 25%에서 AML이 발생하는 평균 기간

Score point	BM blasts (%)	Cytopenia*	Karyotype ★
0	<5%	0~1계열	Good; 정상, -Y, del(5q), del(20q)
0.5	5~10%	2~3계열	Intermediate; 모든 다른 이상
1.0			Poor; complex (≥3개) or 염색체 7번의 이상
1.5	11~20%		
2.0	21~30%		

* cytopenia의 기준 ; Hb <10 g/dL, ANC <1,800/μL, platelet <100,000/μL

- IPSS-R (Revised International Prognostic Scoring System, 2012) ★

Risk Group	Score	평균생존기간(년)	AML/25%(년)*
Very low	score ≤1.5	8.8	>14.5
Low	1.5< score ≤3.0	5.3	10.8
Intermediate	3.0< score ≤4.5	3	3.2
High	4.5< score ≤6.0	1.6	1.4
Very high	6< score	0.8	0.73

*해당 환자군의 25%에서 AML이 발생하는 평균 기간

Score point	세포유전이상	BM blast %	Hb (g/dL)	Platelet (/μL)	ANC (/μL)
0	Very good	≤2%	≥10	≥10만	≥800
0.5				5~10만	<800
1	Good	2~5%	8~10	<5만	
1.5			<8		
2	Intermediate	5~10%			
3	Poor	>10%			
4	Very poor				

세포유전이상 scoring system	
Very good	−Y, del(11q)
Good	Normal, del(5q) with/without other anomaly, del(12p), del(20q)
Intermediate	del(7q), +8, +19, +21, i(17q), 기타 1~2개의 이상, 2개 이상의 독립적인 clones
Poor	inv(3)/t(3q)/del(3q), −7, double with del(7q), complex (3 abnormalities)
Very poor	Complex (>3 abnormalities)

■ 일반적인 MPN, MDS, AML의 특징 비교

	BM cellularity	BM blast%	Maturation	Morphology	Hematopoiesis	Blood count	Organomegaly
MPN	↑↑	N~↑(<10%)	O	비교적 정상	효율적	대개 상승	흔함
MDS	N~↑↑	N~↑(<20%)	O	Dysplasia	비효율적	감소	드묾
AML	↑↑	↑↑(≥20%)	대개×	정상 or dysplasia	효율/비효율	WBC는 다양 RBC,plt는 감소	드묾

*MDS-MPN은 MDS (dysplasia)와 MPN의 특징을 같이 가지고 있는 질환군임

6
백혈병

개요

1. 정의

: immature myeloid or lymphoid precursors (blasts)의 클론성 증식에 의해 골수 조혈기능의 장애 및 여러 장기의 leukemic cells 침윤을 특징으로 하는 혈액 악성종양

2. 역학

- acute leukemia (87%) ; AML (70%), ALL (30%)
- chronic leukemia (13%) ; CML (95%), CLL (5%)
  (c.f., 서양은 CLL이 m/c leukemia)

- 소아 (1/4) ; ALL (80%), AML (20%)
- 성인 (3/4) ; AML (80%), ALL (20%)

• 남:여 ; acute leukemia = 3:2, chronic leukemia = 2:1
• 성인의 AML 및 ALL은 나이가 들수록 발생 증가, 최근 10년 동안 AML은 크게 증가되었음
(미국: AML 모든 암의 ~1.2%, 평균 진단 연령 67세, 5YSR 27%)
• ALL의 75%는 6세 이하 소아에서 발생 (사회경제적 수준이 높은 군에서 더 흔함)

3. 원인

(1) genetic factor

• acute leukemia 발생이 증가하는 congenital disorders ; Down, Klinefelter, Patau, Bloom, Kostmann (congenital neutropenia), Wiskott-Aldrich syndromes, Fanconi's anemia, ataxia telangiectasia ...
• 일부에서 가족력 보임 (e.g., 일란성 쌍생아에서 높은 질병 일치율)
• MDS도 AML로 진행할 수 있음

c.f.) Down syndrome-associated AML ; 4세 미만, acute megakaryocytic subtype (FAB M7), *GATA1* gene과 관련, 예후는 좋음 (but, CTx.에 대한 독성이 크므로 용량조절 필요)

(2) environmental factor

- high-dose radiation (e.g., 원폭) → CML, AML, T-ALL 등의 발생 위험 증가
  - CLL이나 hairy cell leukemia는 관계없다
  - RTx는 거의 leukemia를 안 일으킴 (but, alkylating agent에 노출된 경우는 위험↑)
- chemicals & other exposure
  - 벤젠(benzene) → marrow aplasia (→ AML↑)
  - 흡연, 유제품, 페인트, 방부제, ethylene oxide, 제초제, 살충제, 전자기장 등 → AML↑
- drugs (항암제가 therapy-related myeloid neoplasms의 주요 원인!) → 앞 장 참조
  - alkylating agents (e.g., nitrogen mustard, procarbazine, chlorambucil, cyclophosphamide, melphalan, busulfan, nitrosourea, thiotepa)
    → 4~6년 후 AML (dysplasia도 동반) or MDS 발생↑
  - topoisomerase II inhibitor (e.g., etoposide, teniposide) → 1~3년 후 AML 발생↑, monocytic subtype (FAB M4, 5)이 흔함, 11q23 이상과 관련
  - chloramphenicol, phenylbutazone, chloroquine, methoxypsoralen → BM failure (→ AML)

(3) virus

- AML은 virus와 관련 없음
- HTLV-I (human T cell lymphotropic virus-I) → ATL (adult T cell leukemia/lymphoma)
- EBV (Epstein-Barr virus) → ALL L3 (Burkitt lymphoma), aggressive lymphoma

급성 백혈병 (Acute leukemia)

1. 개요

- 정의 : BM and/or PB에서 <u>blasts 20% 이상</u> (정상 BM <3%, PB 無)
  - blast equivalent도 포함됨 ; monocytic leukemia에서는 promonocyte, APL에서는 promyelocyte
  - c.f., 과거의 FAB 분류에서는 blasts 30% 이상이었음

★Blasts의 일반적인 형태
① 세포 크기가 큼
② N/C ratio 높음 (세포질에 비해 상대적으로 핵이 큼)
③ 핵인(nucleoli)이 뚜렷하게 보임 (보통 1~3개)
④ 세포질이 파란색(basophilic)
⑤ 염색질이 fine/open pattern
[번외로] 다른 세포들에 비해 바위처럼 매우 단단해 보임, activated lymphocytes는 적혈구 등의 세포와 인접하면 세포질이 오목하게 들어가지만 blasts는 자신의 형태 유지

- 원인 : 대부분 idiopathic
  (유전[germline mutation], 방사능, 화학물질, 직업적노출, 약물 등 원인이 밝혀진 경우는 드묾)
- genetic predisposition : 대부분 sporadic somatic mutations (inherited predisposition은 드묾)

2. 진단 및 분류

(1) 형태학적 진단/분류

		AML	ALL
Cytochemical stains	MPO, SBB, SE	(+)	(−)
	NSE	(+): M5, M4	(−)
	PAS, TdT	(−)	(+)
Blasts의 형태	Auer rods, granules	(±)	(−)
	Nuclear/cytoplasmic ratio	relatively low	very high (L1)
	Nucleoli	2~5, prominent	0~2, indistinct
	Myelodysplasia	(±)	(−)

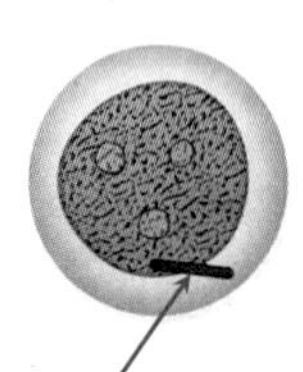

- Auer rods : blast와 promyelocyte 세포질 내의 eosinophilic needle-like inclusion
  - myeloblasts에 특이적인 소견임! (→ 다른 검사들 없이도 AML로 진단 가능)
  - AML에서 흔함(특히 FAB M3, M2) / MDS에서 보이면 무조건 MDS-EB subtype!
- MPO (myeloperoxidase), SBB (Sudan black B), SE (specific esterase)
  → myeloid (granulocytic) 계열의 AML (FAB M1, M2, M3, M4)에 염색됨 (+)
- NSE (nonspecific esterase) → monocytic 계열의 AML (FAB M4, M5)에 염색됨 (+)
- PAS (periodic acid schiff) → ALL의 약 1/2에서 (+), 덩어리 형태(dot block pattern)로 염색됨
- TdT (terminal deoxynucleotidal transferase) → ALL의 95%에서 (+)
- L3 (= Burkitt lymphoma) : 세포질 내에 많은 공포(vacuoles) 존재 → oil red O에 의해 염색됨

- 염색체/유전자이상 + morphology + 면역표현형 + 임상양상 등의 정보를 종합하여 분류
  (└ 치료약제 선택, 예후/경과 예측에 중요)
- acute leukemia의 진단기준이 blast 30% (FAB 분류)에서 20%로 낮춰짐!
  c.f.) t(8;21), inv(16), t(15;17) 등은 blasts가 20% 미만이라도 AML로 진단 가능

- AML은 크게 4가지 groups으로 분류됨
  ① **특정 염색체/유전자 이상과 관련된** AML
    - AML에 특이적인 유전자/염색체 이상 존재시
    - 대개 특이한 상호전좌(balanced reciprocal translocations/inversions)를 가짐
      ; t(8;21), inv(16) or t(16;16), t(15;17), t(9;11) 등
      ⇨ FISH, RT-PCR 방법 등으로 검출 가능
    - 주로 소아와 젊은 성인에서 발생, 예후 좋은 편

  ② MDS (myelodysplasia) **관련 변화를 동반한** AML (AML-MRC)
    - 연령이 높을수록 발생 증가, 예후 나쁨
    - 진단기준 : (1) PB/BM blast ≥20% + (2) + (3)
      (2) 치료와 관련 없음, AML의 진단기준(위 group ①)에 포함된 세포유전 이상 없음
      (3) MDS (or MDS/MPN)의 과거력 *or* MDS-관련 세포유전 이상 존재
        or multilineage dysplasia (2계열 이상, 세포의 50% 이상에서 dysplasia 존재)
  ③ **치료 후 발생한 골수종양**(t-MNs) ; t-AML, t-MDS, t-MDS/MPN … 예후 나쁨

④ **상세불명** AML (AML-NOS [not otherwise specified])
- 상기 3군에 속하지 않으면 (염색체/유전자 이상 無 or 시행×) 형태(morphology)와 면역표현형을 기반으로 과거 FAB처럼 분류함 (단, blasts %는 20% 이상)

■ 참고: FAB classification (1976~) : 급성백혈병의 기준이 blast ≥30% 였었음

FAB 분류	빈도(%)	진단기준 (형태학적 특징)	MPO/SBB	NSE	PAS	Immunophenotype
M0 : Minimally differentiated	2~3	Type I blasts가 ANC의 30% 이상	−	−	−	CD13, 33(±), 34, 117 HLA-DR(+)
M1 : AML without maturation	20	Type I & II blasts가 ANC의 30% 이상, NEC의 90% 이상	++	−	−	CD13, 33, 34, 117 HLA-DR(+)
M2 : AML with maturation	25~30 (m/c)	Type I & II blasts가 ANC의 30% 이상, NEC의 90% 미만	+++	−	−	CD13, **15**, 33, 34, 117, HLA-DR(+)
M3 : Acute promyelocytic leukemia (APL)	8~15	Blasts와 abnormal hypergranular promyelocytes가 30% 이상 Multiple Auer rods (Faggot cell) Hypogranular variant (M3V)	+++	−	±	CD13, 15, 33, **HLA-DR(−)**
M4 : acute myelomonocytic leukemia	15~25	Type I & II blasts가 ANC의 30% 이상, Monoblast, promonocyte, monocyte는 NEC의 80% 미만 M4Eo (M4 + eosinophil 증가)	++	++	−	CD11, 13, **14**, 15, 33, 34, **64** HLA-DR(+)
M5 : acute monocytic leukemia	10~20	Monoblast, promonocyte, monocyte는 NEC의 80% 이상 M5a (undifferentiated) : monoblasts가 monocytic cells의 80% 이상 M5b (differentiated) : ~ 80% 미만	±	+++	±	CD11, 13(±), **14**, 15, 33, **64** HLA-DR(+)
M6 : acute erythroleukemia	3~4	Erythroblasts가 ANC의 50% 이상 Myeloblasts도 NEC의 30% 이상	±	−	+++	CD13, 33, 36, 71 HLA-DR(±) **glycoprotein A**(±)
M7 : acute megakaryoblastic leukemia	1	ANC의 30% 이상이 megakaryoblasts or leukemic cells	−	−	++	CD13 & 33(±), 34, **41**, 42, **61**, 71(±), HLA-DR(±), glyco-protein Ib, IIb/IIIa
ALL L1	75 (m/c)	작고 둥근 blasts, scanty cytoplasm, inconspicuous nucleoli	−	−	+++	CD10, 19, 34, TdT
ALL L2	20	다양하고 큰 blasts (myeloblast 비슷), prominent nucleoli	−	−	+++	CD10, 19, 34, TdT
ALL L3 (Burkitt lymphoma)	5	큰 blasts, abundant & basophilic cytoplasm (with many vacuoles)	−	−	+++	CD19, CD20, sIg

Monocytic markers (CD14, CD64, CD11, CD4, CD36, CD68, CD163, Lysozyme) : M4~5에서 양성 (M5는 2개 이상)

* 현재 FAB (형태학적) 분류를 완전히 안 쓰는 것은 아니고 WHO 분류를 우선으로 하되, 염색체/유전자 이상이 없거나 시행을 못한 경우 FAB 분류를 기반으로 진단에 활용함 → WHO 분류로는 AML-NOS에 해당됨

림프구성 백혈병들은(e.g., ALL, CLL, PLL) 림프구계 악성세포가 BM를 주로 침범 or BM에서 발생한 것이며, 다른 림프조직(e.g., LN, spleen)을 주로 침범하여 고형 종양의 형태를 취하면 "림프종" 이라 부름

WHO 분류로는 림프구계 종양(림프종, 림프구성 백혈병, 형질세포질환)은 한 chapter로 묶는 것이 합당하지만, 임상양상/학습편의에 따라 ALL과 CLL은 백혈병 chapter에, 형질세포질환은 독립 chapter로 구성했습니다. CML은 이름은 만성백혈병이지만 분류상 MPN에 속하므로 MPN chapter에 있습니다.

(2) 급성 백혈병의 WHO 분류

Acute leukemia의 WHO 분류 (2016, Revised 4th edition)

Acute myeloid leukemia and related neoplasms

1. Acute myeloid leukemia with recurrent genetic abnormalities
   - AML with t(8;21)(q22;q22.1); *RUNX1-RUNX1T1* (previous *AML1-ETO*)
   - AML with inv(16)(p13.1q22) or t(16;16)(p13.1;q22); *CBFB-MYH11*
   - APL with *PML-RARA* … t(15;17) 이외도 가능하기 때문에 이름이 바뀌었음 / FAB의 M3
   - AML with t(9;11)(p21.3;q23.3); *MLLT3-KMT2A* (previous *MLLT3-MLL*)
   - AML with t(6;9)(p23;q34.1); *DEK-NUP214*
   - AML with inv(3)(q21.3q26.2) or t(3;3)(q21.3;q26.2); *GATA2-MECOM* (previous ~~*RPN1*~~*-EVI1*)
   - AML (megakaryoblastic) with t(1;22)(p13.3;q13.3); *RBM15-MKL1*
   - AML with mutated *NPM1*
   - AML with biallelic mutations of *CEBPA*
   - AML with mutated *RUNX1**
   - AML with *BCR-ABL1**
2. Acute myeloid leukemia with myelodysplasia-related changes
3. Therapy-related myeloid neoplasms
4. Acute myeloid leukemia, NOS (AML-NOS)
   - AML with minimal differentiation (FAB의 M0)
   - AML without maturation (FAB의 M1)
   - AML with maturation (FAB의 M2)
   - Acute myelomonocytic leukemia (FAB의 M4)
   - Acute monoblastic/monocytic leukemia (FAB의 M5)
   - Pure erythroid leukemia (FAB의 M6) … "Erythroleukemia, erythroid/myeloid" 는 삭제됨
   - Acute megakaryoblastic leukemia (FAB의 M7)
   - Acute basophilic leukemia
   - Acute panmyelosis with myelofibrosis
5. Myeloid sarcoma
6. Myeloid proliferations related to Down syndrome
   - Transient abnormal myelopoiesis
   - Myeloid leukemia associated with Down syndrome

Acute leukemias of ambiguous lineage
- Acute undifferentiated leukemia
- Mixed phenotype acute leukemia with t(9;22)(q34.1;q11.2); *BCR-ABL1*
- Mixed phenotype acute leukemia with t(v;11q23.3); *MLL* rearranged
- Mixed phenotype acute leukemia, B/myeloid, NOS
- Mixed phenotype acute leukemia, T/myeloid, NOS

Precursor lymphoid neoplasms
- B lymphoblastic leukemia/lymphoma, NOS
- B lymphoblastic leukemia/lymphoma with recurrent genetic abnormalities
  - B lymphoblastic leukemia/lymphoma with t(9;22)(q34.1;q11.2); *BCR-ABL1* (Ph-ALL)
  - B lymphoblastic leukemia/lymphoma with t(v;11q23.3); *KMT2A* rearranged (previous *MLL*)
  - B lymphoblastic leukemia/lymphoma with t(12;21)(p13.2;q22.1); *ETV6-RUNX1* (previous *TEL-AML1*)
  - B lymphoblastic leukemia/lymphoma with hyperdiploidy
  - B lymphoblastic leukemia/lymphoma with hypodiploidy
  - B lymphoblastic leukemia/lymphoma with t(5;14)(q31.1;q32.3); *IL3-IGH*
  - B lymphoblastic leukemia/lymphoma with t(1;19)(q23;p13.3); *TCF3-PBX1* (previous *E2A-PBX1*)
  - B lymphoblastic leukemia/lymphoma, *BCR-ABL1*-like (Ph-like ALL)*
  - B lymphoblastic leukemia/lymphoma with *iAMP21**
- T lymphoblastic leukemia/lymphoma
  - Early T-cell precursor lymphoblastic leukemia*
- Natural killer (NK) cell lymphoblastic leukemia/lymphoma*

(WHO2016에서 추가된 것) (WHO2008/과거 대비 유전자 이름이 바뀌거나 동의어 or ~~유전자 종류가 바뀐 것~~)

* Provisional entities

(3) 면역표현형 (immunophenotyping, cell markers)

- acute leukemias 및 lymphoma의 진단/분류에 중요, 악성세포의 계열을 빨리 확인할 수 있음!
- PB/BM aspiration (액체 검체)은 **flow cytometry (FCM)**로, LN/BM biopsy (고체 검체)는 **immunohistochemistry (IHC)**로 검사함
  - 급성 백혈병은 대부분 BM aspiration의 flow cytometry (marker study)로 진단
  - 일부 BM fibrosis 등으로 인해 aspiration이 실패하면 biopsy의 immunohistochemistry로 진단
  (c.f., FCM와 IHC에 사용되는 Ab는 거의 동일하지만, 일부 Ab는 제조사에 따라 한쪽에서만 사용 가능함)
- FCM의 장점 ; 한 tube에서 여러 개의 Ag을 동시에 분석할 수 있음(multi-color), 객관적이고 정량적인 해석 가능, 검사 시간이 짧음 (but, 신선한 검체가 필요함)
- IHC의 장점 ; Ag expression과 분포 형태를 동시에 볼 수 있음, 보관된 검체(paraffin section)로 언제나 검사 가능 (but, 검사에 FCM보다 긴 시간이 필요함, 한 slide에 한 marker만 가능)

급성 백혈병의 계열 확인에 사용되는 표지자 ★

	AML	B cell-ALL	T cell-ALL
Definitive (specific)	cMPO (cytoplasmic MPO)	–	cCD3, surface CD3, T cell receptor
Strongly associated	CD117	cCD79a, cCD22, CD19, CD20 (strong)	CD7 (strong)
Moderately associated	CD13, CD33	TdT (~strong)	CD5, CD2

c.f.) MPAL에서 계열 정의에 사용되는 것은 조금 다름 (→ 다음 표 참조)

★ 편의상 CD13, 33, 117을 먼저 기억 ⇨ AML!! (추가로 CD11, 14, 64는 monocytic lineage)
⇨ AML이 아니면 **ALL** (TdT+) ; CD19, 22, 79a는 B-cell / CD3, 7은 T-cell

■ ALL의 immunologic subtype ★

Lineage	Subtype	공통	추가 소견	소아(%)	성인(%)	특징
B	Pro-B (early B-precursor)	TdT CD19 CD22 CD79a	Myeloid co-expression 흔함	5	12	WBC count↑↑, CNS 침범 多, poor Px
	Intermediate (common)		CD10(+)	63	50	Favorable Px
	Pre-B		C(cytoplasmic)Ig(+)	16	10	WBC count↑↑, 흑인에 많음
	Mature B (Burkitt)*		S(surface)Ig(+):κ/λ	3	4	CNS(10~15%)및 장기 침범 多
T	Early Pro/Pre-T (ETP-ALL)**	TdT cCD3 (cytoplasmic) CD7 CD2(±)	CD1a(−), 대개 CD2(−) Myeloid or stem cell coexpression 흔함	2	6	10~20대, 남:여=2:1 WBC count↑↑ 80% 이상이 advanced stage 종격동 종괴(50~75%) CNS 침범 多(~10%) Poor Px (ETP-ALL이 가장 나쁨)
	Cortical (thymic)		CD1a(+) CD4 & 8 모두(+)	1	12	
	Medullary (mature)		S(surface)CD3(+) CD4 *or* 8 (+)	10	6	

* 다음 장의 Burkitt's lymphoma 부분 참조

** Early T-Precursor ALL (**ETP-ALL**) ; CD1a(−), CD8(−), CD5(week)이면서 myeloid or stem cell markers (CD117, CD34, HLA-DR, CD13, CD33, CD11b, CD65) 1개 이상 양성인 경우, 매우 다양한 유전자 이상 有, 현재의 치료에 반응 매우 안 좋고, 새로운 치료도 없음 (→ 1st CR 이후 HCT 권장)

	표현되는 세포 계열 (or 의미)	혈액종양에서의 관련성
ALK	Anaplastic lymphoma kinase	Anaplastic large cell lymphoma (ALCL)
BCL-2	B/T cell	B/T lymphoma (e.g., follicular lymphoma [FL])
BCL-6	B cell	B lymphoma (e.g., FL, DLBCL)
CD1a	Langerhan's cell	Langerhan's cell histiocytosis (LCH), 일부 T-ALL
CD2	T cell, NK cell	T lymphoma/leukemia, NK cell lymphoma
CD3	T cell receptor complex	T lymphoma/leukemia
CD5	pan-T-cell Ag, 일부 B cell	T lymphoma/leukemia, B-CLL, MCL, sMZL
CD7	T cell receptor for IgM-Fc	T lymphoma/leukemia
CD10 (CALLA)	Immature B (or T) cell	B lymphoma/leukemia (일부 T lymphoma/leukemia)
CD13	Granulocyte, monocyte	AML
CD14	Monocyte, dendritic cells	Monocytic leukemia
CD15	RS cell, granulocyte, monocyte	Hodgkin lymphoma, monocytic leukemia
CD19	B cell	B lymphoma/leukemia
CD20	B cell, neoplastic mature B cell	B lymphoma/leukemia
CD22	Mature B cell	B lymphoma/leukemia
CD23	Mature B cell	B-CLL, 일부 B lymphoma
CD30	RS cell, activated T/B cell	Hodgkin lymphoma, ALCL
CD33	Granulocyte, monocyte	AML
CD34	Hematopoietic progenitor cell	Acute leukemia (AML, B-ALL, T-ALL)
CD38	Plasma cell, activated T/B cell	Plasma cell myeloma (PCM)
CD41a (GPⅡb/Ⅲa)	Megakaryocyte/platelet	Acute megakaryoblastic leukemia
CD43	T cell	T/B Lymphoma, myeloid sarcoma
CD45 (LCA)	All leukocytes	Lymphoma, leukemia (blast의 gating에 주로 사용됨)
CD56	NK cell, 일부 activated T cell	NK/T-cell lymphoma/leukemia, CMML, PCM
CD61 (GPⅢa)	Megakaryocyte/platelet	Acute megakaryoblastic leukemia
CD64	Monocyte, Dendritic cells	Monocytic leukemia
CD68, CD163	Histiocyte, monocyte	Histiocytic neoplasm, monocytic leukemia
CD79a	B cell	B lymphoma/leukemia
CD117 (C-kit)	Hematopoietic stem cell, mast cell	AML (monoblastic은 제외), mast cell dz., GIST
CD138	Plasma cell, B cell	Plasma cell myeloma, B lymphoma
CD207 (langerin)	Langerhan's cell	Langerhan's cell histiocytosis (LCH)
Cyclin D1	Neoplastic mantle cells	Mantle cell lymphoma (MCL), 일부 PCM, HCL
FLAER	Fluorochrome-linked proaerolysin	PNH에서 negative
FMC7	Epitope of CD20 (strong CD20 때만)	B lymphoma/leukemia (CLL은 음성)
HLA-DR	Hematopoietic progenitor cell	AML, B-ALL, 일부 T-ALL, 일부 PCM
Kappa/Lamda	Plasma cell, B cell	Plasma cell myeloma, B lymphoma
Ki-67	Proliferative fraction	임상적인 악성도, 예후 예측
MPO (myeloperoxidase)	Granulocyte	AML
MUM1 (IRF4)	Plasma cell, 일부 T/B cell	PCM, 일부 lymphoma /MUM-1 (multiple myeloma oncogene 1)
PAX5/BSAP	B cell	Lymphoma
TdT	Precurosr T/B cell	ALL
TRAP	Lymphoid cell	Hairy cell leukemia (HCL), 일부 splenic MZL

(4) 유전자/염색체 이상

- 원발성 AML의 약 2/3, 이차성 AML의 거의 모든 예에서 관찰됨
- 검사법 ; karyotyping, FISH, DNA fragment analysis, multiplex PCR, sequencing, NGS 등
- AML의 진단, 치료 전 예후 판정, 치료방침 결정 등에 가장 중요 ★★

Risk Category*	Genetic Abnormalities	
Favorable 저위험군	t(15;17); *PML-RARA* ···m/g t(8;21)(q22;q22.1); *RUNX1-RUNX1T1* inv(16)(p13.1q22) or t(16;16)(p13.1;q22); *CBFB-MYH11* Mutated ***NPM1*** without *FLT3*-ITD** or with *FLT3*-ITD^{low} (normal karyotype) Biallelic mutated ***CEBPA*** (normal karyotype)	4YSR 60~80% ↑
Intermediate 중간위험군	Mutated *NPM1* and *FLT3*-ITD^{high} (normal karyotype) Wild-type *NPM1* without *FLT3*-ITD or with *FLT3*-ITD^{low} (normal karyotype) (without adverse-risk genetic lesions) t(9;11)(p21.3;q23.3); *MLLT3-KMT2A(MLL)* 기타 Favorable or Adverse로 분류되지 않는 세포유전(염색체) 이상! [Normal karyotype : 전체 AML의 약 40~50%, 전통적으로 Intermediate로 분류되었었지만, gene mutation 및 microRNA expression 연구의 발전으로.. 현재는 다양한 spectrum으로 봄]	4YSR 20~50%
Poor/ Adverse 고위험군	t(6;9)(p23;q34.1); *DEK-NUP214* t(v;11q23.3); *KMT2A(MLL)* rearranged t(9;22)(q34.1;q11.2); *BCR-ABL1* inv(3)(q21.3q26.2) or t(3;3)(q21.3;q26.2); *GATA2-MECOM(EVI1)* -5 or del(5q); -7; -17/abn(17p) Complex karyotype (≥3 clonal abnormalities***), monosomal karyotype Wild-type *NPM1* and ***FLT3*-ITD**^{high} (normal karyotype) Mutated ***RUNX1***, Mutated ***ASXL1*** → 예후 나쁜 환자군에서만(e.g., 고령, 과거력, +다른 이상) Mutated ***TP53*** → very poor Px, complex & monosomal karyotype과 관련	4YSR <10~15%

* Favorable은 대개 CTx.로 치료 종결 / 그 이상은 이식(HSCT)도 고려
** *FLT3*-ITD allelic ratio 검사(DNA fragment analysis) 불가능한 경우 *FLT3* mutation(+) & *NPM1*(-)는 adverse로 분류
↳ *FLT3*-ITD mutant의 AUC를 *FLT3*-wild type의 AUC로 나눔 ; low allelic ratio (<0.5), high allelic ratio (≥0.5)
*** WHO criteria에 있는 염색체 이상은 제외하고 3개 이상의 다른 염색체 이상 존재시

▶ Good Px. : inv(16), t(8;21), t(15;17), mutated *NPM1*, mutated *CEBPA*

외우는 법 → "016-821-1517" (전화번호처럼) (but, 이제는 유전자 이름들도 추가로 외워야 됨ㅠ)

- t(8;21) : M2의 특징, 21번 염색체의 core-binding factor α2 (*CBFA2*) gene (= *AML1, RUNX1*)과 8번 염색체의 *ETO* (*RUNX1T1*) gene이 융합하여 *RUNX1-RUNX1T1* fusion gene (AML1-ETO fusion protein) 생성 → CBFA-CBFB-controlled gene transcription 차단
  - 젊은 연령에서 호발, neutrophil 세포질이 분홍색, Auer rods 및 eosinophilia 흔함, CD19+
- inv(16) or t(16;16) : M4Eo의 특징, 16q22의 core-binding factor β (*CBFB*) gene과 16p13의 myosin heavy chain (*MYH11*) gene이 융합하여 *CBFB-MYH11* fusion gene 생성
  - 젊은 연령에서 호발, monocytes 증식 및 eosinophilia (large basophilic granules)
- 위 두 가지를 함께 CBF (core-binding factor) AML이라고도 부름
- t(15;17) : 15q22의 $PML_{\text{promyelocytic leukemia}}$ gene과 17q21의 $RARA_{\text{retinoic acid receptor }\alpha}$ gene이 융합하여 *PML-RARA* fusion gene 생성(→ myeloid cells 분화가 promyelocytes에서 억제됨)
  - APL (FAB M3), 중년층에서 호발, HLA-DR 및 CD34 (-), ATRA 치료에 반응, good Px.

- *MLL* translocations : 11q23의 *MLL* (mixed-lineage leukemia or myeloid/lymphoid leukemia) gene이 관련된 다양한 translocations (*MLL*-rearranged leukemia)
  (→ 최근엔 각각 독립된 entity로 분류, *MLL*은 *KMT2A*로 이름 바뀜)
  - 80가지 이상의 translocations 존재, AML과 ALL 모두에서 발생
  - monoblastic AML (M4, M5)에서 흔함 ; t(9;11)(p22;q23): *MLLT3-KMT2A(MLL)* [m/c], t(11;19)(q23;p13.1): *KMT2A(MLL)-ENL* 등 (topoisomerase II 치료 후에도 자주 관찰됨)
  - ALL의 약 5%에서도 관찰됨 ; t(4;11)(q21;q23), t(11;19)(q23;p13.3) 등
  - 특히 1세 이하 영아의 acute leukemia에서 매우 흔함 (60~80%)
  - t(9;11)만 중간의 예후를 보이고, 나머지는 모두 예후 나쁨 → t(9;11)만 독립되어 분류됨
- inv(3)(q21.3q26.2) or t(3;3)(q21.3;q26.2): *GATA2-MECOM(EVI1)*
  - 관련 유전자가 *RPN1*이 아닌 *GATA2*인 것으로 밝혀졌음
  - FAB로는 M3 (APL) 빼고 거의 다 가능 ; M7, M4, M1 등이 흔함
  - platelet N~↑, dysplastic megakaryocytes, 다른 AML보다 hepatosplenomegaly 흔함
  - inv(3) or t(3;3) → karyotyping에서 발견하기 어려움 ⇨ multiplex PCR (Hemavision)
- t(9;22) ; *BCR-ABL*, Philadelphia (Ph) chromosome
  - $p210^{BCR-ABL}$: 대부분의 CML에서 관찰됨
  - $p190^{BCR-ABL}$: ALL 10~25%, AML 1~5%에서 관찰됨 ⇨ 예후 나쁨

■ Gene mutations (molecular aberrations)

- 염색체 정상인 환자[CN (cytogenetically normal)-AML]에서도 많이 발견됨(~45%)
- *FLT3* (FMS-like tyrosine kinase 3) gene mutations ; AML의 30~33%에서 발견 (m/c)
  - juxtamembrane domain의 internal tandem duplication (ITD) [*FLT3*-ITD+] : 대부분(77%)
  - D835의 point mutations (tyrosine kinase domain [TKD] mutations) : 예후 관련성 불확실
  - *FLT3*-ITD : 특히 CN-AML 환자의 예후에서 매우 중요함, ***FLT3*-ITD**^{high}는 poor Px!
  - tyrosine kinase inhibitor (FLT3 inhibitor) 치료에 대한 반응 좋음 (e.g., midostaurin)
- *NPM1* gene mutation ; AML의 25~27% (CN-AML의 50% 이상)에서 발견 (2nd m/c), good Px., (but, *NPM1* (+)라도 *FLT3*-ITD^{high} (+)면 예후 나쁨)
- *DNMT3A* gene mutation ; 20~26% (3rd m/c), R882 missense mutation이 m/c, 고령에서 다른 gene mutations과 함께 잘 발견됨, 예후 관련성은 불확실함
- *CEBPA* gene mutation ; 6~10%, 주로 젊은 CN-AML에서 흔함, good Px.
- *TP53* tumor suppressor gene mutations ; therapy-related AML or AML-MRC의 ~15%에서 발견, complex cytogenetics, 고령, chemoresistance 등과 관련, very poor Px.
- *MLL* gene의 partial tandem duplication (PTD) [*MLL*-PTD+] ; AML의 6~8%에서 발견, 고령 및 FAB M1/2에서 흔함, poor Px.지만 intensive Tx.시 예후 차이 없어짐

■ Deregulation of expression

- overexpression of genes ; brain and acute leukemia, cytoplasmic (*BAALC*), ETS-related gene (*ERG*), meningioma 1 (*MN1*), *MDS1* & *EVI1* complex locus (*MECOM*) 등 → poor Px.
- deregulated expression of microRNAs
  - overexpression of *miR-155* and *miR-3151* → poor Px.
  - overexpression of *miR-181a* → good Px.

▣ 처음 진단된 AML 환자에서 권장되는 검사

① cytogenetics (karyotyping) : 염색체 이상을 screening하는 표준검사

② FISH (cytogenetics보다 해상도 높음) : cytogenetics normal, complex karyotype, 특이한 염색체 이상 의심 등 때 고려 ; t(15;17), t(8;21), inv(16), *MLL(KMT2A)* 등

③ qualitative multiplex RT-PCR (e.g., Hemavision®) : WHO 진단기준에 포함되는 AML과 ALL 유전자(염색체) translocations의 대부분을 빠른 시간에 선별(screening) 검사 가능

④ 예후/치료방침에 영향을 주는 mutations 검사 ; *NPM1, CEBPA, FLT3*-ITD, *RUNX1, ASXL1, TP53, IDH1/2, cKIT* 정도는 필수적으로 권장됨

⇨ NGS의 보급으로 ③, ④를 묶어 AML panel로 검사하기도 함 (but, 보고에 1주 이상 소요)

⑤ quantitative real-time PCR : MDR (minimal residual dz.) monitoring을 위해서는 확인된 유전자 이상에 대해 처음 진단 시에도 시행 권장 (e.g., *PML-RARA, CBFB-MYH11, RUNX1-RUNX1T1,* NPM_{1c}/*FLT3*-ITD-, NPM_{1c}/*FLT3*-ITD+)

▣ ALL의 염색체/유전자 이상

- ALL도 유전자이상에 따라 예후/치료방침이 다르고, 효과적인 표적치료제(e.g., TKI)도 있으므로 FISH, sequencing (NGS) 등 자세한 염색체/유전자검사가 권장됨
- t(9;22)(q34.1;q11.2); *BCR-ABL1* ··· Ph(+) ALL
  - Ph chromosome, *BCR-ABL1*(+), 성인에서 m/c (25%), 나이 들수록 증가, 소아는 2~4% 뿐
  - 소아는 주로 $p190^{BCR-ABL1}$을 생성 (성인은 약 1/2에서), 나머지는 $p210^{BCR-ABL1}$ (CML과 같은)
  - intermediate (common)와 pre B-ALL에서 주로 동반, poor Px였으나 TKI 도입으로 좋아졌음
- *BCR-ABL1*-like (Ph-like ALL) ; 예후 나쁨, 표적치료제 연구 중 → 뒤 치료 부분 참조
  - 소아 ALL의 10%, 젊은 성인(AYA)의 25~30%에서 존재 (더 나이 들어도 증가하지는 않음)
- (v;11q23.3); *KMT2A* rearranged (previous *MLL*) ··· 11q23.3 translocations
  - ALL의 8~10% (주로 B-ALL) /T-ALL의 4~8%, $AML_{M4/5}$, MPAL 등에서도 동반됨
  - 1세 이하 영아에서 m/c (특히 6개월 미만 유전자 이상의 50% 차지), 예후 나쁨
  - 100개 이상의 유전자와 재배열됨, t(4;11)(q21;q23); *KMT2A-AFF1* (m/c), t(11;19)(q23;p13.3); *KMT2A-MLLT1* 등 ↳ Pro-B ALL, WBC↑↑, myeloid co-expression
- t(12;21)(p13.2;q22.1); *ETV6-RUNX1* (previous *TEL-AML1*)
  - 미세 유전자 이상으로 karyotyping으로는 발견× → FISH or PCR
  - 소아 B-ALL에서 2nd m/c (15~25%), 성인 B-ALL의 3~4%, T-ALL에는 없음
  - 예후 좋음! (but, 임상적인 risk factors로는 상당수가 poor Px에 속함 → aggressive Tx하면 안됨)
- t(1;19)(q23;p13.3); *TCF3-PBX1* (previous *E2A-PBX1*)
  - 소아 pre B-ALL의 약 30%에서 존재 (성인에서는 드묾), WBC count 높음, 예후는 좋은 편
    ↳ cytoplasmic Ig mu-chain (Cmu) expression이 특징
  - CD19+, CD10+ (CALLA+), CD22+, CD34-, CD20(±) 등이 특징
- intrachromosomal amplification of *RUNX1* (chromosome 21) (iAMP21)
  - 드묾(B-ALL의 1~3%), 예후 나쁨
- hyperdiploidy : 염색체 수가 증가하는 이상, 염색체 4, 10, 16 등이 추가되면 예후 좋음
  - 소아에서 m/c (약 25%), 성인은 7%
- hypodiploidy : 한 개 이상의 염색체가 소실되는 이상, 예후 나쁨, 드묾(1~2%)

* T-ALL ; 남>여, 예후 나쁨(e.g., mediastinal mass, high WBC count, CSF 침범), 14q11.2 등의 *TCR* genes 부근에서 자주 발생, 예후/치료방침과는 거의 관련 없음

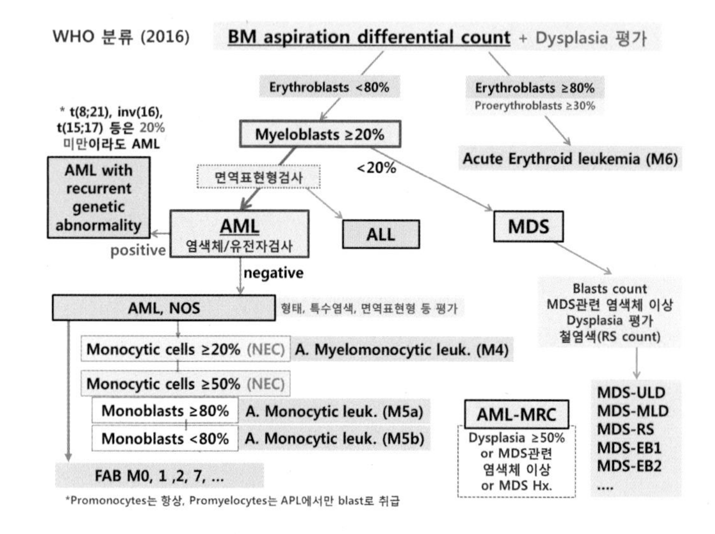

3. 임상양상

(1) hematologic features

- PB : anemia, thrombocytopenia, circulating blasts 증가
  - RBC ; 대개 normocytic normochromic anemia, reticulocyte↓, 수명↓
  - WBC count ; 평균 약 15,000/μL (25~40%는 <5000, 20%는 >100,000)
  - platelet count ; 75%는 <100,000/μL, 25%는 <25,000/μL
  - 10%에서는 PB에서 blasts가 안 보일 수도 있음 ("aleukemic leukemia")
- BM : 대부분 hypercellular, blasts ≥20%

(2) BM failure에 의한 증상

- anemia ; 피곤, 쇠약감, 숨참, 식욕부진, 체중감소 ...
- granulocytopenia ; fever (infection) - 진단시 10%에서 존재
  - ANC <500/μL (특히 <200)→ 감염 위험 크게 증가
- thrombocytopenia ; 출혈 증상, 쉽게 멍듦 - 진단시 5%에서 존재
  - APL ; 심한 위장관, 폐, 뇌 출혈 발생 가능 / 망막출혈(retinal hemorrhage) : 15%에서
  - platelet <20,000/μL시 spontaneous bleeding 위험 증가

(3) 골수외 침범(extramedullary involvement)

- lymphadenopathy, splenomegaly & hepatomegaly - ALL에서는 흔하지만, AML에서는 드묾 (특히 T-cell ALL의 50%는 ant. mediastinal mass를 보임)
- bone & joint pain & tenderness - ALL의 80%에서 예) 흉골압통(sternal tenderness)
- CNS 침범 (leptomeningitis) - ALL, AML-M4, M5 등에서 흔함 (→ lumbar puncture)
  - N/V, headache, lethargy, convulsion, papilledema, cranial nerve palsy
  - CSF : glucose↓, protein↑, blasts 출현
- gingiva, skin, soft tissue 등의 침범 - monocytic leukemia (M4, M5) 및 11q23 이상에서
- granulocytic (myeloid) sarcoma or chloromas (녹색종) : localized tumor mass
  - 드물지만 연조직, 유방, 자궁, 난소, 뇌/척수막, 위장관, 폐, 종격동, 뼈 등에 종괴 발생 가능
  - AML (M2) : t(8;21)(q22;q22)에서 호발

(4) leukostasis (symptomatic hyperleukocytosis)

- hyperleukocytosis : circulating leukemic cells count >5만~10만/μL
  ↳ AML의 10~20%, ALL의 10~30%, CLL, CML 등에서 발생 가능
    ↳ FAB M5, M4, M3v 등에서 흔함 ↳ 40만/μL이 넘지 않으면 증상은 드묾
- leukostasis (medical emergency)는 AML과 CML blast crisis에서 호발
- blood viscosity↑ → circulation 장애 → 주로 lung, brain에 hypoperfusion 초래 ; respiratory distress, headache, confusion, CVA, blurred vision ...
- Tx
  - induction CTx가 우선 권장됨,
  - CTx 지연시 ; 증상 없으면 hydroxyurea + 증상 있으면 leukapheresis도 추가
  - tumor lysis syndrome 예방 조치 (hydration, allopurinol, rasburicase 등)
- packed RBC 수혈은 leukostasis 증상을 악화시킬 수 있으므로 가능한 연기

(5) 신기능 장애 - 원인

① leukemic infiltration
② urate nephropathy (← hyperuricemia)
③ lysozyme↑ (monocytic AML) → reanl tubular dysfunction
④ uric acid stone이나 enlarged LN에 의한 ureteral obstruction
⑤ infectious or hemorrhagic Cx.

(6) 기타 검사소견

① uric acid↑, LD↑ (∵ cell turnover 증가로 인해 발생)
② muramidase↑ - monocytic AML (M4, M5b)에서
③ lactic acidosis - 심한 hyperleukocytosis나 ALL L3에서
④ hyponatremia, hypokalemia (∵ lysozyme에 의한 renal tubular damage로)
⑤ DIC - M3 (APL)에서 ; PT, aPTT, BT 연장, fibrinogen↓, FDP↑, D-dimer↑

■ Acute Promyelocytic Leukemia (APL)급성전골수백혈병 : FAB M3 ★

- AML의 5~15% 차지, 다른 AML과 많이 다름, medical emergency! (∵ 출혈)
- t(15;17) translocation → *PML-RARA* (retinoic acid receptor-α) fusion gene
- promyelocytes 내에 multiple Auer rods (faggot cell) 관찰 (없어도 진단을 배제는 못 함)

- WBC count : 증가보다는 감소가 더 흔함
- immunophenotyping에서 HLA-DR과 CD34는 음성인 경우가 많음!
- 출혈경향이 주 증상(e.g., 잇몸 출혈), 진단 당시 또는 CTx. 초기에 DIC가 잘 생김
  (hypercoagulability < hyperfibrinolysis 때문) → 초기에 뇌출혈 등으로 사망 가능(10~20%에서)
  ↳ APL cells 파괴시 procoagulant 유리 ↳ APL cells에서 annexin Ⅱ 발현↑ → plasmin 활성화↑
- 재발 시에는 10% 이상에서 CNS 침범 (m/c extramedullary relapse site)
  (↳ 대부분 진단 당시 high-risk : WBC ≥10,000/μL)
- **hypogranular APL variant (M3v)** : 일반 염색에서는 promyelocytic granules이 안 보이는 아형
  (SBB나 MPO 등 특수염색에서는 염색됨), 전형적인 APL보다 PB WBC count가 매우 높음
  → APL 진단을 놓칠 수 있으므로 주의

4. 치료

(1) 개요

1 치료 반응의 정의(response criteria)

- morphologic leukemia-free state : BM blasts <5% (Auer rods 無)
- **완전관해(complete remission, CR)의 기준**

Morphologic CR ★	수혈이 필요 없으면서.. Absolute neutrophil (ANC) ≥1,000/mm³, Platelet ≥100,000/mm³, BM blast <5% (Auer rods 無), 골수외 침범(extramedullary leukemia) 소견 無
Cytogenetic CR	이전에 염색체 이상이 있었던 환자에서 염색체 정상화
Molecular CR	이전에 유전자 이상이 있었던 환자에서 분자유전검사 음성
CRi*	CR with incomplete hematologic recovery : 수혈은 필요 없지만 cytopenia 지속 ANC <1,000/mm³ or Platelet <100,000/mm³, BM blast <5% (Auer rods 無)

*일부 임상시험(특히 고령 or 이전의 MDS)에서 사용

- 부분관해(partial remission) : 위 CR 기준의 말초혈액(PB) count 기준을 만족하면서
  BM blasts는 50% 이상 감소하여 5~25%에 해당 (주로 phase Ⅰ 임상시험에서만 사용됨)
- CR 이후의 재발(relapse) : PB blast 재출현 or BM blasts ≥5% or 골수외침범 재발
- induction failure : 2회 이상의 intensive induction therapy 이후에도 CR에 도달 못함
- MRD (minimal/measurable residual disease) : AML에선 아직 통일된 기준 無
  - CR 이후 혹시 남은 작은 leukemic cells도 검출, 조기 재발 예측 및 치료방침 결정에 유용
  - real-time quantitative PCR, NGS, multi-parameter flow cytometry 등으로 검사

2 acute leukemia 치료의 분류

① *관해유도요법(induction therapy)* : 완전관해(CR)를 빨리 얻기 위해 실시하는 intensive CTx.

② *관해후 치료(post-remission therapy)* : CR 이후에 완치(cure) 및 생존율 향상을 위해 시행하는 치료 (residual leukemic cells 제거 → 재발 방지)

(a) *공고요법(consolidation therapy)* 또는 강화요법(*intensification therapy*) : CR 직후에 실시하는 intensive CTx. or HCT (→ AML의 예후에 중요)

(b) *유지요법(maintenance therapy)* : low-dose CTx.로 보통 수년간 계속 실시 (→ ALL의 예후에 중요, AML에선 추가적인 이득 없음)

* cure : 5년을 CR 상태시

	AML (APL은 제외)	Ph- ALL	Ph+ ALL
Induction CTx. (3~4주)	Cytarabine (Ara-C) + Anthracycline (daunorubicin, idarubicin)	Vincristine + Steroid + Anthracycline + L-asparaginase (+ Cyclophosphamide)	+ TKI 추가
Consolidation (post-remission therapy)	저위험군 ⇨ IDAC/HiDAC (intermediate~high-dose cytarabine) 중간~고위험군 (or induction CTx. 실패) ⇨ allogenic HCT, IDAC, clinical trials 등	High-dose MTX (methotrexate) High-dose cytarabine (Ara-C) Cyclophosphamide	
CNS prophylaxis	안 한다 (∵ survival에 관계없음)	Intrathecal CTx (MTX, Ara-C, steroid)	
Maintenance CTx. (2~3년)	No benefit (APL만 예외)	매일 6-MP + 매주 MTX + 매월 Vincristine/Steroid	+ TKI 추가 (1년 이상)

- ALL의 CTx.가 AML의 CTx.보다 덜 myelosuppressive 함
- AML은 maintenance CTx.가 효과 없는 이유
  - AML : M phase 多 → 단기전에 파괴 → consolidation Tx. 중요
  - ALL : G0/G1 phase 多 (숨어있다) → 장기전 → 유지요법이 중요

* tumor lysis syndrome (→ 16장 참조)

* 임신시의 치료

- 1st trimester : teratogenic effect가 크므로 인공 유산 이후에 치료
- 2nd, 3rd trimester : intensive CTx. 시행 (태아에 거의 영향 없지만 조산, 주산기 사망↑, 저체중아와 관련), ATRA도 사용 가능, vaginal delivery 권장

(2) AML의 치료 (APL:M3 이외의)

① induction CTx. (intensive CTx.)

- cytarabine (Ara-C) 7일 & anthracycline 3일 : **"7+3" 요법**
  - ↳ S-phase-specific antimetabolite ↳ DNA intercalator ⇨ 함께 topoisomerase II 억제하여 DNA 파괴
  - 40년 이상 쓰인 용법, anthracycline은 daunorubicin or idarubicin을 선호함
  - 1차 induction 실패시 같은 용법(or 약간 변형)으로 2차 induction 시행
  - but, 많은 AML 환자는 고령이라서 intensive CTx.가 불가능한 경우가 흔함
- CD33(+) AML은 gemtuzumab ozogamicin (Mylotarg®)을 추가해볼 수 있음 → 생존율 향상
- *FLT3* mutation(+) AML은 midostaurin (Rydapt®)을 추가해볼 수 있음 → 생존율 향상
- primary AML의 CR rate는 65세 이하에서 60~80%, 65세 이상에서는 33~60% (2/3는 1회 치료 후 CR, 1/3은 2회 치료 후 CR)
- CR에 실패하는 경우 1/2은 drug-resistant leukemia, 1/2은 CTx. 부작용(e.g., aplasia) 때문
  - CR 실패율이 높은 경우 ; 고령, 이전의 혈액질환(e.g., MDS, MPN), 다른 암의 CTx.
  - 2회 치료 후에도 CR에 실패하거나 재발하면 allogenic HCT 고려 (HLA-compatible donor가 있고, 환자의 연령이 75세 이하면) or clinical trials 시도
- 고위험군은 보다 강력한 induction CTx. or new drugs
  - CPX-351 : dual-drug (cytarabine + daunorubicin) liposomal encapsulation [Vyxeos®]
    - ↳ 2ndary AML, t-AML, AML-MRC 등에 적응, 기존보다 CR 및 OS 향상 (2017년 FDA 허가)
  - high-dose Ara-C [cytarabine] (HiDAC) ± anthracycline (60세 미만) 등

• 고령에서 intensive CTx. 불가능/거부 *or* adverse-risk cytogenetics 존재시 고려
 - low-dose cytarabine (LDAC)
 - low-intensity therapy … hypomethylating agents (HMA) ; azacitidine, decitabine, guadecitabine (2세대, 반감기 긺) 등
 - venetoclax [Venclexta®, Venclyxto®] ± LDAC (or HMA)
 - glasdegib [Daurismo®] + LDAC : 안전하고 효과적임
 - CD33(+) → gemtuzumab ozogamicin, *FLT3*-ITD(+) → HMA + sorafenib,
 - *IDH1*(+) → ivosidenib [Tibsovo®], *IDH2*(+) → enasidenib [Idhifa®]
 - 기타 ; clofarabine ± anthracycline, FLAG (fludarabine, cytarabine, G-CSF) 등

② post-remission Tx. (first CR 이후) : consolidation (공고,鞏固) of remission
 • 목표 : 남아있는 백혈병세포 제거, 재발 방지, 생존율 향상 (안 하면 거의 다 재발함)
 • 저위험군(favorable-risk)
  ⇨ CTx. : IDAC (intermediate-dose cytarabine) 3~4 cycles (>65세는 2~3 cycles)
   (↳ 젊으면 HiDAC) ± gemtuzumab ozogamicin *or* midostaurin 등
 • 중간~고위험군(intermediate~adverse risk) or 고령(>65세)
  - allogenic HCT (75세 미만일 때) : 40~60% cure, 현재 AML 재발 방지에 m/g
  - HLA-matched donor가 없으면 alternative donor HCT or HiDAC[60세 미만] 고려
  - 75세 이상 or allogenic HCT 불가능 ⇨ reduced-intensity HCT, CTx., clinical trials 등
  - 중간위험군 젊은 환자에서는 논란 : allogenic HCT와 high-dose CTx.의 생존율이 비슷함
   (∵ allogenic HCT가 관해 기간은 더 길지만, 대신 합병증에 의한 사망률이 높음)

 * HCT의 합병증 ; GVHD, 재발, 간질성 폐렴, 기회감염, graft failure ...
 * HCT의 종류
  (a) allogenic HCT : 75세 이하만 가능, 재발은 적지만 합병증에 의한 사망 위험(~30%)
  (b) autologous HCT
   ┌ 장점 : donor 구할 필요 없음, 합병증(e.g., GVHD) 적음
   └ 단점 : 재발률 20~60%로 높음 (∵ graft-versus-leukemia effect 無, 종양세포의 오염)

(3) APL (FAB M3)의 치료

① remission induction therapy : ATRA (all-trans-retinoic acid, tretinoin)
 • 기전 : t(15;17)에 의해 생성된 PML-RARA 단백에 결합 → APL cells의 분화와 성숙 유도
 • APL의 90% 이상에서 관해(CR) 가능, DIC도 대개 치료 며칠 이내에 교정 가능
  (APL이 의심되면 유전자검사로 확진되기 전이라도 우선 ATRA 경구 투여 시작)
 • ATRA만 사용하면 거의 다 재발하므로 (유지가 안됨), CTx와 병합요법 시행 (90~95% CR)
 ┌ **low-risk** (WBC ≤10,000/μL) ⇨ ATRA (tretinoin) + ATO (arsenic trioxide) 우선 권장 *or*
 │ [ATO를 사용할 수 없으면] ATRA + CTx:anthracycline (idarubicin)
 └ **high-risk** (WBC >10,000/μL) ⇨ ATRA + ATO *or* ATRA + gemtuzumab ozogamicin (GO)
   or ATRA + daunorubicin + cytarabine *or* ATRA + idarubicin 등
 • arsenic trioxide (As_2O_3, ATO) : 단일 제제로는 APL에 가장 효과적, 80~90%에서 반응
  - low-dose는 APL cells의 maturation 유도, high-dose는 APL cells의 apoptosis 유도
  - Cx ; 출혈, APL differentiation syndrome, QT prolongation, 부정맥

- 젊은 환자에서는 anthracycline으로 daunorubicin보다 idarubicin이 효과적
- CTx.는 ATRA 투여 후 3일 이내에 시작 (고위험군은 동시에 or 가능한 빨리)

■ Retinoic acid syndrome (differentiation syndrome, DS) ★
- APL에서 ATRA 치료 시작 3주 이내에 발생 가능 (15~25%에서)
- 기전 : maturing myeloid cells의 증가 & 조직 침윤, inflammatory cytokines 분비
- 임상양상 ; 발열, 체중증가, 저혈압, 호흡곤란, 흉막/심장막 삼출, ARF, CXR 이상
  ⇨ 이중 3개 이상이면 진단 (4개 이상이면 severe DS)
- Lab ; WBC↑(median 31,000/μL), CXR에서 미만성 폐침윤(38~80%), 흉막삼출(27~58%) 등
- 치료 : steroid (dexamethasone), 심하면 ATRA는 일시적으로 중단하고 CTx.는 지속
- 사망률 약 10% (치료하면 1% 미만)

c.f.) 다른 AML에서 *IDH1/2*(+)시 사용하는 ivosidenib와 enasidenib에 의해서도 DS 발생 가능 (~20%에서)

② consolidation CTx. → 이후에 MRD 평가 (90~99%에서 molecular remission)
- ATRA + ATO로 CR 되었으면, ATO-based consolidation (약 4회)
- ATRA + CTx로 CR 되었으면, ATO-based consolidation + [ATRA + daunorubicin] 2회

③ maintenance therapy
- ATRA + ATO 치료 이후의 유지요법은 논란 → low-risk에서 MRD(-)[molecular CR]시엔 F/U
- 다른 모든 경우에는 유지요법 권장! (재발률↓, survival↑) : intermittent single agent ATRA
  → 1차 관해(CR) 이후에는 이식치료(HCT) 필요 없음!!

④ DIC에 대한 대책
- 보충요법(replacement therapy) ; platelet, FFP, cryoprecipitate (→ fibrinogen↑)
- low-dose heparin (thrombosis가 주증상일 때 / 예방적 투여는 routine으로 권장 안 됨)

(4) ALL의 치료

- 소아 ALL의 치료 성적은 매우 좋음 : CR rate 95%, cure rate 85~90%
- 성인은 소아보다 나쁨 : CR rate 85%, cure rate 40~50% (∵ high-risk karyotype 多)

	Ph(+) ALL		Ph(-) ALL	
	AYA[a]	Adult	AYA	Adult
Induction therapy	TKI + CTx or TKI + steroid	TKI + CTx[b] or TKI + steroid	CTx (pediatric inspired)	CTx or (고령/PS나쁘면) Palliative steroid
Consolidation therapy	Allogenic HCT or TKI + CTx 지속	TKI + CTx 지속 or Allogenic HCT[c]	MRD(-) ; CTx 지속 or allogenic HCT 고려[d] MRD(+) ; allogenic HCT (B-ALL은 blinatumonab 이후)	좌동 (65세 미만) (고령/PS 나쁘면) CTx 지속
Maintenance therapy	post-HCT TKI 고려 TKI + CTx 지속	TKI + CTx 지속 post-HCT TKI 고려	maintenance CTx (CTx로 consolidation한 군)	좌동
R/R ALL	*ABL1 domain mutation 검사! TKI ± CTx (or steroid) Blinatumomab, Inotuzumab ozogamicin CAR-T (25세 이하 난치 or 2회 이상 재발 & TKIs 실패), HCT 등		Blinatumomab Inotuzumab ozogamicin CAR-T (25세 이하 난치 or 2회 이상 재발) CTx HCT 등	

(a) AYA = older Adolescent & Young Adult (대략 15~39세, 확립된 연령 기준은 없고 환자 상태에 따라 고려)
(b) 65세 이상, 나쁜 PS, 심한 동반질환 등시에는 용량조절 필요 / CTx를 시행할 수 없는 경우는 steroid 고려
(c) 공여자가 있는 경우, 젊은 연령 & PS 좋을 때 고려
(d) 특히 고위험군에서 ; poor-risk cytogenetics, MRD (+), WBC count↑ 등 → 뒷부분 표 참조

① induction therapy : combination CTx.가 backbone (정해진 단일 요법은 없음)

Vincristine	Steroid	Anthracycline	Asparaginase	Cyclophosphamide	Rituximab
관해유도에 중요 신경독성이 문제	Prednisone, dexamethasone 등	Daunorubicin, doxorubicin 등 관해유도에 중요	관해유지기간↑	종양 부하를 빠르게 감소시키는 효과 T-ALL의 관해율↑	CD20(+) ALL에서 치료 성적 향상

- vincristine + corticosteroid + anthracycline + L-asparaginase 4제 기본의 복합요법
- hyper-CVAD = cyclophosphamide + vincristine + anthracycline (doxorubicin) + dexamethasone)
  외에도 다양한 요법들이 있음
- CD20 양성인 경우 rituximab 추가 고려
- Ph(+) ALL은 CTx에 TKI (e.g., imatinib, dasatinib, nilotinib, ponatinib) 추가! → survival↑
  - 보통 dasatinib이 초치료로 권장되고, ponatinib (3세대)은 모든 TKIs에 내성인 경우 고려
  - CTx 요법은 BFM, hyper-CVAD 등 구성은 비슷하나 저강도로 시행 (∵ 추가 독성)
  - 일반적인 CTx가 어려운 경우에는 TKI + steroid (+ vincristine)도 가능

B-ALL의 세포유전학적 위험도 ★

Good risk	Poor risk
Hyperdiploidy (51~65 chromosomes, trisomy 4, 10, 16 등이 좀 더 좋음) t(12;21)(p13;q22); *ETV6-RUNX1*	Hypodiploidy (<44 chromosomes) *KMT2A* (previous *MLL*) rearranged ; t(4;11) *KMT2A/AFF1* 등 t(v;14q23)/IgH Complex karyotype (≥5 chromosomal abnormalities) Ph-like ALL Intrachromosomal amplification of chromosome 21 (iAMP21) [t(9;22)(q34;q11.2): *BCR-ABL1* … TKI 도입 이전에는]

High-risk (아래중 하나 이상) / 모두 없으면 Standard-risk
1. Poor-risk cytogenetics (위 표 참조) 2. MRD (+) 3. WBC >30,000/μL (B-ALL), >100,000/μL (T-ALL)

⇨ Ph(-) ALL (65세 이하)에서 consolidation therapy로 allogenic HCT 고려시 분류 필요

② post-remission therapy

- 미세잔류 암세포 제거 & 재발 방지가 목적 (시행 안하면 거의 다 금방 재발함)
- 공고요법(consolidation or intensification therapy) ; 보통 induction 때와 다른 제제로 시행
  - cytarabine (Ara-C), MTX, anthracyclines, alkylating agents, etoposide 등 (요법은 다양)
    ↳ BBB 통과 → CNS 예방 효과
  - 저위험군 : high-dose MTX + Ara-C, modified hyper-CAVD 등
  - 중간/고위험군 : high-dose MTX + mitoxantrone, high-dose Ara-C + idarubicin 등
- Ph(+) ALL은 CTx에 TKI 추가 (post-HCT CTx시에도 TKI 추가)
- allogenic HCT : 완치율은 높으나, 심한 부작용이 문제 → 대개 65세 이하 건강한 경우 고려
  - 일반적으로 1st relapse (2nd CR) 이후에 고려 (1st CR 이후 시행해도 CTx와 예후 비슷함)
  - 일부 고위험군 및 Ph(+) ALL은 1st CR 이후에 바로 시행하는 것이 권장됨!
  - 21세 이하의 Ph(+) ALL에서는 CTx + TKI 치료보다 우월하지 않을 수도 있음
- 유지요법(maintenance CTx.)
  - Ph(-) ALL ⇨ 6-MP[매일] + MTX[매주] + [매월]vincristine/prednisone pulse (2~3년)

- Ph(+) ALL ⇨ TKI ± 매월 vincristine/prednisone pulse (최소 1년 이상)
- 6-MP 및 MTX의 용량은 WBC 2,000/μL 이상이 되도록 유지

③ **CNS 및 고환 침범**

- 진단 당시 CNS 침범 빈도 : 5~10% (특히 mature B-cell ALL과 T-ALL에서 높음)
- CNS prophylaxis … induction CTx. 초기부터 IT CTx.도 병행!
  - intrathecal (IT) CTx. ; MTX *or* cytarabine (Ara-C) *or* "MTX + cytarabine + steroid"
    (c.f., dexamethasone이 prednisone보다 CSF에서 반감기가 길고, 세포독성이 더 강함)
  - systemic high-dose CTx. (Ara-C, MTX) → 대개 표준 CTx regimen에 포함되어 있음
  - cranial irradiation : IT CTx.가 효과 비슷하므로 거의 이용 안함 (∵ 신경계 부작용 위험)
    ↳ 신경 침범 증상이 있으면 고려 (가능한 low-dose로)
  - 시행 안하면 추후 ALL 재발시 30~40%에서 CNS 침범 (→ 치료 어려움)
- CNS 침범시 치료 ⇨ intrathecal CTx. ± cranial irradiation (2400 cGy)
- 고환 : BBB와 비슷한 blood-testis barrier 존재 → 재발시에만 치료 목적의 RTx. 시행

④ **재발 및 불응성(R/R) ALL** ; 소아의 약 20%, 성인의 약 60%는 1st CR 이후 재발함

- allogenic HCT만이 완치가 가능 : 모든 ALL에서 2nd CR (1st relapse) 이후에는 고려
- R/R T-ALL ⇨ cytotoxic CTx and/or novel agents
  - nelarabine [Arranon®] : prodrug로 (특히 T cells에서) araGTP (purine analog)로 전환됨
  - vincristine sulfate liposome injection (VSLI, Marqibo®) : liposomal vincristine, 반감기↑
- R/R B-ALL은 CAR-T 등 획기적인 치료법들이 가능함
- inotuzumab ozogamicin [Besponsa®] : **anti-CD22** mAb + calicheamicin$_{\text{(cytotoxic agent)}}$
- blinatumomab [Blincyto®] : bi-specific T-cell engager (BiTE), **anti-CD19** & CD3 이중항체
- chimeric antigen receptor (CAR) T-cells therapy

(5) supportive care

[1] infection … induction & post-remission CTx 중 m/c 사망 원인

① bacterial infection

- 흔한 원인균 ; G(-) enteric bacilli인 *Pseudomonas aeruginosa, E. coli, Klebsiella,*
  G(+)의 *S. aureus, S. epidermidis* 등
- neutropenia에서 fever가 발생하면 배양검사 결과 안 기다리고 바로 경험적 광범위항생제 투여 (fever가 없을 때의 투여는 논란)
  예) antipseudomonal 3세대 cepha (e.g., ceftazidime, cefepime), antipseudomonal penicillin (e.g., piperacillin) + AG, imipenem-cilastin, double β-lactams (e.g., ceftazidime + piperacillin) [β-lactam allergy시 aztreonam으로 대치]
- vancomycin 추가 ; G(+)균 감염 의심시, 경험적 항생제 치료 3일 이후에도 fever 지속, 점막염(mucositis) 발생시 등 때
- 항생제(or 항진균제)는 neutrophil count가 증가될 때까지 투여!
- neutropenia 시에는 폐렴이 발생하더라도 chest X-ray 상 침윤이 보이지 않을 수 있다
- 적절한 항생제 치료에도 불구하고 세균감염이 지속되면
  → indwelling catheter 제거, hematopoietic growth factor 투여 고려
- selective GI decontamination도 감염 감소에 도움 예) ciprofloxacin, bactrim + colistin

Typhlitis (= necrotizing colitis, neutropenic colitis, necrotizing enteropathy, ileocecal syndrome, cecitis)
- 면역저하자에서 fever, RLQ pain/tenderness, diarrhea (혈성도 흔함) 등의 임상양상이 발생한 것
- cytotoxic agent로 CTx 받은 neutropenia 환자에서 특징적으로 발생 (특히 acute leukemia 환자)
- 성인보다는 소아에서 약간 더 호발
- 진단 ; CT/MRI/US에서 두꺼워진 맹장벽 확인
- 대부분 내과적으로 치료 (광범위 항생제, 특히 GNB에 대한), 재발은 드묾
- 천공이 의심/발생시에는 수술

② fungal infection
- fever가 떨어졌다가 다시 발생 시는 fungal infection을 의심
- 경험적 항생제 투여 4~7일 이후에도 fever 지속되면 항진균제 투여
  - itraconazole, voriconazole : 독성이 적어 선호됨
  - caspofungin, liposomal amphotericin : 1차 약제 실패 또는 부작용시
- hepatosplenic candidiasis : neutropenia에서 회복되는 acute leukemia 환자에서 호발

③ 면역저하상태에서 발생할 수 있는 다른 감염들
- *Pneumocystis jiroveci* → bactrim으로 예방
- CMV → CMV(−) 환자는 수혈시 CMV(−) 혈액 사용 (→ 없으면 WBC 제거 혈액 사용)
- Herpes simplex, disseminated varicella zoster → acylovir

[2] bleeding

① spontaneous bleeding risk는 thrombocytopenia의 정도와 비례함!

② platelet transfusion
- platelet count 10,000~20,000/μL 이상 유지 (fever, active bleeding, DIC 등 때는 더 높게)
- unselected donor → 30~50%에서 platelet refractoriness 발생
- HLA-matched donor에서 platelet pheresis로 얻은 platelet을 수혈하여 platelet refractoriness를 방지!

③ 출혈증상이 심할 때는 ε-aminocaproic acid의 사용을 고려할 수 있음

④ IM injection 및 trauma의 방지, 피임약으로 월경 억제 등

[3] anemia → packed RBC transfusion : Hb 8 g/dL 이상 유지
(active bleeding, DIC, CHF 등 때는 더 높게 유지)

[4] **tumor lysis syndrome의 예방/치료** ; hydration, urine alkalization, allopurinol, rasburicase

* WBC 제거 혈액 사용 → alloimmunization, 발열반응, CMV 감염 등 예방 가능

* transfusion-induced GVHD : rash, low-grade fever, LFT 악화, cell counts↓...
(→ 수혈 전에 혈액제제를 3,000 cGy로 irradiation 하여 예방)

* hematopoietic growth factor (G-CSF, GM-CSF)
- neutrophil recovery 시간 단축 (평균 5~7일)
- but, 기회감염을 크게 감소시키지는 못하고, CR rate나 생존율에도 영향 없음
- 임상적 사용은 논란 (intensive CTx 받는 노인, uncontrolled infection 등에서만 사용 고려)

* 예후 ; 전체적인 AML 환자의 5YSR는 약 30%
- 50세 미만은 50~55%, 50~54세는 40~47% → 예후 좋은 편
- 55~64세는 22~30%, 65~69세는 12~20%, 70세 이상은 5~10% → 예후 나쁨

* acute leukemia의 사망원인 : infection (m/c), bleeding

5. 예후인자(clinical risk factors)

(1) AML

	양 호	불 량
염색체/유전자 이상★	→ 앞부분의 Risk Category 표 참조	
연령	Young	Old (기준은 55, 60, 65세 등 다양)
Performance status	높음	낮음
FAB subtype	M2, M3, M4Eo	M5, M6, M7
Auer rods	+	−
CD marker	CD2 or CD9	CD13, CD14, CD33
WBC count	<20,000/μL	>100,000/μL
발열 또는 출혈	−	+
LD level	low	high
CNS 침범	−	+
진단 전 cytopenia 증상 기간	짧음	길(>3개월)
혈액질환 과거력(eg. MDS, MPN)	−	+
치료관련(2ndary) AML	−	+

- **연령**과 염색체/유전자 이상이 치료 전 예후 결정에 가장 중요!
- 장기 예후는 빠른 CR의 획득 및 유지가 가장 중요
- 고령에서 예후가 나쁜 이유 ; unfavorable cytogenetics 多, multidrug resistance 多, treatment-resistant disease 多, 동반질환 多, poorer performance status

(2) ALL

	양 호	불 량
연령	2~10세	1세 이하, 35세 이상 (특히 50세 이상)
인종	백인	비백인
성별	여자	남자
진단시 WBC count (B-ALL)	<3~5만/μL	>3~5만/μL (T-ALL은 큰 관련×)
Lymphadenopathy	−	+
진단시 CNS, 고환 침범	−	+
Hemoglobin	>10 g/dL	<7 g/dL
Platelet count	>10만/μL	<10만/μL
Mediastinal mass	−	+
형태 (FAB, PAS 염색)	L1, +	L3, −
Immunophenotype	B-ALL, CD10(+)	CD10(−), CD20(+), CD13/33(+) Mature B-cell, T-ALL
염색체/유전자 이상	→ 앞부분 표 참조	
치료에 대한 반응	14일째 blast가 5% 이하	14일째 blast가 25% 이상 29일째 MRD(+) CR까지 4주 이상 소요

만성림프구백혈병 (CLL/SLL)

1. 개요

- mature B lymphocytes의 종양, 98%가 <u>B-cell</u> CLL (T-cell CLL은 드묾)
- indolent, slowly progressive, long-lived small lymphocytes가 증가 (면역기능은 떨어져 있음)
- 서양에서는 m/c leukemia (전체 백혈병의 22.6%), 우리나라에서는 드묾 (백혈병의 0.4~0.5%)
  ↳ 고령화에 따라 조금씩 증가 추세
- 대부분 60세 이상, 남:여 = 2:1, 백인>흑인

CLL/SLL, MBL의 진단기준 (WHO 2016)	
CLL (chronic lymphocytic leukemia)	3개월 이상의 PB <u>monoclonal</u> small B-lymphocytosis ≥5000/μL (flow cytometry에서 CLL phenotype 확인)
SLL (small lymphocytic lymphoma)	BM는 침범하지 않고 (monoclonal B-lymphocytes <5000/μL) 림프조직만 침범한 경우
MBL (monoclonal B-cell lymphocytosis)	Monoclonal B-lymphocytes <5000/μL이면서 림프조직 침범도 없는 경우 (매년 1~2%는 CLL로 진행 위험)
Tissue-based MBL (nodal MBL)	정상 CBC를 보이면서, 정상 크기의 LN (CT scan에서 1.5 cm 미만)에 CLL phenotype lymphocytes 침윤이 있고 proliferation center는 없는 것

2. 임상양상/합병증

- 대부분 무증상 → 검사 중 우연히 "lymphocytosis"로 발견되는 경우가 많음!
- 피곤, 식욕저하, 체중감소, 운동능력저하 등의 비특이적 증상
- 80%에서 lymphadenopathy 동반 (특히 경부, 쇄골상부 LN)
- 진행되면 면역저하, BM failure (cytopenias), lymphocytes의 장기침범 등에 의한 Cx 발생
  ; <u>감염</u>(m/c 사망원인, 30~50%, typical & atypical 병원균 모두↑), 간비종대, 위장관 폐쇄 등
- autoimmune cytopenias ; AIHA (m/c, 4~10%), ITP (2~5%), PRCA (0.5~6%) 등
  - ITP의 ~1/3은 AIHA도 동반 (Evan's syndrome)
- 2ndary malignancy
  - more aggressive histology로 진행 (5~10%)
    ; DLBCL (Richter's transformation), prolymphocytic leukemia (PLL) 등
  - therapy-related myeloid neoplasms ; 특히 alkylating agents 사용시
  - solid tumors ; <u>skin cancer</u> (m/c, 8~15배↑), larynx, lung, prostate, breast 등
    (↳ Kaposi sarcoma, malignant melanoma)

3. 검사소견

- PB smear ; <u>absolute lymphocytosis</u>가 특징, 손상된 형태(smudge or basket cells)도 흔함
  ↳ CLL cells : small & "mature" (정상 small lymphocyte와 형태 비슷), monoclonal
- RBC & platelet count : 발견시는 대개 정상
- BM : small lymphoid cells (CD5+ monoclonal B-cells)의 다양한 침윤 → CLL로 확진

• hypogammaglobulinemia (매우 흔함, 50~80%) : advanced dz.일수록 더 흔함, 감염 위험↑↑
(→ 주로 피부점막감염 ; sinusitis, bronchitis, UTI 등)
• LN의 pathology : small lymphocytic lymphoma (diffuse pattern)
• immunophenotyping (PCM or IHC) : B-cell marker인 CD19, CD20, CD23 양성, SIg week
- T-cell marker인 CD5도 양성인 것이 특징 (다른 T-cell markers는 음성임)
c.f.) B-cell 종양이면서 CD5도 양성인 경우 ; B-CLL/SLL, mantle cell lymphoma (MCL)
• 염색체 이상 ; CLL cells은 증식이 느려 일반적인 G-banding karyotyping에서는 잘 발견 안 되어 FISH or CpG-stimulated (metaphase) karyotyping으로 검사함
↳ CpG-oligonucleotide (CpG-ODN) ; B-cell mitogen, CLL cells 증식 촉진, 염색체 이상 검출↑
- del(13)(q14.3) ; 40~50%, 종양억제유전자 *DLEU2/MIR15A/MIR16A* locus → good Px
- del(11)(q22.3) ; 15~20%, ataxia telangiectasia mutated (*ATM*) gene locus → poor Px
- del(17)(p13.1) ; 10~15% → very poor Px
- trisomy 12 (+12) ; 10~20% / normal karyotype → intermediate Px
▷ 치료 안하고 F/U 중에도 염색체 이상의 변화가 흔하므로, 치료가 결정되면 반드시 재검 필요

4. Staging 및 Prognostic marker

• CLL은 주로 Rai staging을 사용하고, SLL은 Lugano staging을 사용함(→ 뒤의 lymphoma 부분 참조)

Modified Rai Clinical Staging System (미국)

Stage	Risk Level	Clinical Features	치료 필요 없는 환자	평균생존기간
0	Low	Lymphocytosis (≥5000/μL) only	59%	12.5년
1	Intermediate	Lymphocytosis + LN enlargement	21%	8.4년
2		Lymphocytosis + spleen/liver (S/L) enlargement ± LN	23%	5.9년
3	High	Lymphocytosis + anemia (<11 g/dL) ± LN or S/L enlargement	5%	1~2년
4		Lymphocytosis + thrombocytopenia (<10만/μL) ± LN or S/L enlargement	0%	1~2년

Binet Clinical Staging System (유럽)

Stage	Rai	Clinical Features	평균생존기간(년)	환자 %
		Lymphocytosis (≥5000/μL) +		
A	0~2	Nodal area* enlargement가 2개 이하	>10	15
B	1~2	Nodal area* enlargement가 3개 이상	7	30
C	3~4	Nodal area* enlargement 수에 관계없이 anemia (<10 g/dL) or thrombocytopenia (<10만/μL)	2	55

* Nodal area : LN (axillary, cervical, inguinal ; 각각 uni- or bilateral), spleen, liver

CLL의 예후인자

Good Px	Poor Px ★
Rai or Binet stage 낮음 Tumor burden 낮음 (침범 LN 수 or 크기↓) BM의 interstitial or nodular pattern infiltration Lymphocyte doubling time ≥12개월 CD38(−) ZAP-70 negativity (low levels) Wild-type *TP53* Mutated *IGHV* (Ig heavy chain variable genes) 단독 del(13q)	Rai or Binet stage 높음 Tumor burden 높음 (침범 LN 수 or 크기↑) BM의 <u>diffuse</u> pattern infiltration Lymphocyte doubling time <12개월 <u>CD38(+)</u> <u>ZAP-70 positivity</u> (high levels) <u>Mutated *TP53*</u> <u>Unmutated *IGHV*</u> <u>Del(17p)</u>, del(11q), complex karyotype TNF-alpha, β_2-microglobulin, IL-6, IL-8, IL-10, LDH, VEGFR-2, CD20, CD52 등의 상승

5. 감별진단 : chronic B-cell leukemia/lymphoma

	CD5	SIg	CD20	FMC7	CD23	CD10	CD103	CD79b	CD200
Chronic lymphocytic leukemia (CLL)	+	low	low	−	+	−	−	low/−	+
Mantle cell lymphoma (MCL)	+	high	high	+	−/low	−	−	+	−/low
Prolymphocytic leukemia (PLL)	− (20~30%는 +)	high	+	+	−	−	−	+	−/low
Hairy cell leukemia (HCL)	−	high	high	+	−	−	+	+	+/high
Follicular lymphoma (FL)	−	+	high	+	−/+	+/−**	−	+	−
Marginal zone lymphoma (MZL)	− (10~20%는 +)	+	high	+	−	−	−/+ (splenic)	+	−/+

* low = dim, weak / high = bright, strong
** BM에서는 대개 (−)

6. 치료

- CLL/SLL 환자의 대부분은 진단시 early stage임 ⇨ 치료의 적응이 아니면 <u>경과관찰!</u>
- 치료의 적응 ; advanced stage, active dz., high tumor burden, repeated infections

Active dz. (치료의 적응)
Progressive BM failure ; anemia and/or thrombocytopenia 악화 Massive (좌측 늑골연 아래로 6 cm 이상) *or* progressive/symptomatic splenomegaly Massive (장축[LDi] 10 cm 이상) *or* progressive/symptomatic lymphadenopathy Lymphocyte count가 2개월 동안 50% 이상 증가 *or* 6개월 이내에 2배 증가 Steroid 등의 표준 치료에 반응 없는 autoimmune anemia and/or thrombocytopenia 심한 림프절외 침범(e.g., 피부, 신장, 폐, 척추) 심한 전신증상 : 아래 중 1개 이상 　체중감소 (6개월 동안 10% 이상) 　심한 피곤 (ECOG PS 2 이상; 일상적인 활동 불가능) 　발열 (2주 이상 동안 38℃ 이상) 　야간 발한 (1개월 이상)

LDi = longest transverse diameter, 장축의 길이 (c.f., SDi = LDi에 직각인 단축의 최대 길이)

(1) CLL의 치료제

① chemotherapy

- alkylating agent ; chlorambucil (부작용 적어 고령에서 선호), cyclophosphamide (더 효과적), bendamustine (nitrogen mustard 비슷, fludarabine 및 chlorambucil 보다 좀 더 효과적)
- fludarabine (purine analog) : 효과적이지만 면역억제의 부작용, AIHA 및 ITP 발생 위험↑

② immunotherapy (monoclonal Ab, mAb) … CTx와 병용시 (chemoimmunotherapy) 효과↑

- rituximab ; type Ⅰ chimeric anti-CD20, 첫 표적 항암제(1997년)
  *FCR (fludarabine, cyclophosphamide, rituximab)로 한동안 CLL의 표준요법이었었음
- ofatumumab ; type Ⅰ humanized anti-CD20 (rituximab과 target epitope 다름), rituximab보다 CDC 효과 강력
- obinutuzumab ; type Ⅱ humanized anti-CD20, rituximab보다 더 효과적
- anti-CD20의 부작용 ; infusion reactions이 가장 문제 (첫 투여 때 m/c), HBV 재활성화 등

③ Bruton's tyrosine kinase (BTK) inhibitor

- ibrutinib ; 현재 CLL에 가장 효과적, 거의 모든 대상에서 1차 및 2차 치료에 DOC!
  - 전체 생존율 83% / 병기, 이전의 치료 횟수, 유전적 위험인자 등과도 무관
  - rituximab을 추가해도 예후는 유의한 차이 없음
  - 부작용 ; 출혈위험↑, rash, diarrhea, dyspepsia, AF 등의 부정맥, pneumonitis ...
    ↳ warfarin과 병용 금기, 수술/시술 전에는 중단
  - ibrutinib 사용 중 질병이 진행되면 빨리 다른 치료제로 바꿔야 됨 (∵ resistance)
    ; *BTK* (C481S) (→ acalabrutinib도 금기) 및 *PLCG2* mutations이 내성 발생과 관련
- acalabrutinib ; 2세대 BTK inhibitor (more specific), 1세대보다 부작용 적을 것으로 기대

④ phosphoinositide-3-kinase (PI3K) inhibitor → R/R CLL에 사용

- idelalisib ; p110 delta isoform-specific PI3K inhibitor, 대개 rituximab과 병용
- duvelisib ; delta & gamma isoforms-specific PI3K inhibitor

⑤ venetoclax ; oral BCL2 (antiapoptotic protein) inhibitor

⑥ immunomodulatory agents (e.g., lenalidomide)

⑦ allogenic HCT (c.f., autologous HCT는 별 효과 없음)
; 불량한 예후인자를 가진 젊은 환자의 경우 조기 시행하면 생존율 향상 및 완치도 기대할 수 있으나 부작용이 심하고, 대부분 고령이어서 시행 어려움

(2) SLL

- localized (stage I ~ 일부 II) → local RTx (ISRT)
- advanced → CLL처럼 systemic therapy

(3) CLL의 systemic therapy (CLL-directed therapy)

- 치료가 결정되면, 치료방침 결정(고위험군 분류)을 위한 검사 재시행
  ; FISH, CpG-stimulated karyotyping, DNA sequencing, flow cytometry 등

- del(17p)/*TP53* mutation이 없는 환자의 치료

	65세 미만	65세 이상 or PS 나쁜 경우
1st line therapy	ibrutinib ▷ 권장 bendamustine + anti-CD20 mAb (e.g., BR) FCR (fludarabine, cyclophosphamide, rituximab) FR (fludarabine + rituximab)*	ibrutinib ▷ 권장 bendamustine + anti-CD20 mAb chlorambucil + anti-CD20 mAb (obinutuzumab 권장)
R/R therapy	권장 ; ibrutinib, VR (venetoclax + rituximab), IR (idelalisib + rituximab), duvelisib 등 기타 ; acalabrutinib, alemtuzumab ± rituximab, CR (chlorambucil + rituximab), BR, ofatumumab, venetoclax, allogenic HCT, CAR-T therapy 등	

* del(11q) 있으면 권장 안됨 → FCR로
** anti-CD20 mAb ; rituximab, ofatumumab, obinutuzumab

- del(17p)/*TP53* mutation을 가진 환자의 치료

	권장	기타
1st line therapy	ibrutinib	alemtuzumab ± rituximab HDMP (high-dose methylprednisolone) + rituximab obinutuzumab
R/R therapy	ibrutinib venetoclax ± rituximab idelalisib + rituximab duvelisib	acalabrutinib, ofatumumab, alemtuzumab ± rituximab HDMP + rituximab lenalidomide ± rituximab, allogenic HCT, CAR-T 등

- maintenance (or consolidation) therapy : 효과 불확실 (일반적으로는 시행 안함)
- 치료 목표(기간)은 MRD (measurable/minimal residual disease) negativity가 이상적이지만, 현실적으로는 쉽지 않기 때문에 CR 획득까지 or 정해진 cycles이 있으면 그 만큼 시행

(4) 합병증의 치료

- AIHA ; steroid (효과 별로) → rituximab → CLL-directed therapy (대부분 효과적)
- ITP ; 보통 platelet 2만~3만/μL로 감소, 출혈, 수술/시술 등 때 치료
  - steroid & IVIG, rituximab, thrombopoietin receptor agonists (romiplostim, eltrombopag)
  - 대부분 CLL-directed therapy 없이도 잘 조절됨
- hypogammaglobulinemia ; regular (monthly) IVIG 투여, 수명 연장 효과는 없지만 세균 감염↓
- skin cancer 예방을 위한 자외선차단 및 정기적인 피부과 검진 필요

기타 림프구성 백혈병

1. Hairy cell leukemia (HCL)털세포백혈병

- indolent, B-lymphocyte의 neoplasm으로 비장과 골수를 주로 침범
- 드물다, 고령의 남성에서 발생 (평균 50세, 남:여 = 5 : 1)
- massive splenomegaly와 pancytopenia가 특징 (lymphadenopathy는 매우 드묾)
- PB에서 특징적인 "hairy cell" 관찰 가능
  - 세포질 : 다수의 hair-like projections & frayed borders

- TRAP (tartrate-resistant acid phosphatase) 염색 (+)가 특징
- BM reticulin fibrosis & 종양세포의 미만성 침윤 → BM aspiration은 대부분 실패(dry tap)
- 면역표현형 ; CD22, CD25, CD103 등에 강양성, soluble CD25 (dz. activity의 marker)
- 특이적인 염색체 이상은 없고, 대부분 *BRAF* activating mutation V600E이 발견됨
- 드문 감염 호발(e.g., TB, NTM, fungi … 심한 monocytopenia와 관련), systemic vasculitis
- 치료 : CLL처럼 적응이 될 때만 치료 시작 (적응 아니면 F/U),
  - purine analogs (DOC) ; 효과 매우 좋음, 2년 이후 재발시엔 동일한 purine analog 사용 가능
    - 2-chlorodeoxyadenosine (cladribine) : 90% 이상 CR, 재발률 20%
    - deoxycoformycin (pentostatin) : 80% 이상 CR, 재발률 20~30%
  - 반응 있으면 다시 치료의 적응이 발생할 때까지 F/U
  - splenectomy : splenic infarcts or massive splenomegaly 환자에서만 고려

2. Prolymphocytic leukemia (PLL)전림프구백혈병

- 매우 드묾, 고령의 남성에서 발생 (평균 70세, 남:여 = 1.6:1), CLL 및 MCL와 감별해야
- 매우 심한 lymphocytosis (보통 >10만/μL, 평균 35만/μL)
- massive splenomegaly (lymphadenopathy는 B-PLL은 거의 없고, T-PLL은 흔함)
- Dx : PB lymphoid cells의 55% 이상이 prolymphocytes (nucleoli가 뚜렷한 large lymphocytes)
  → acute leukemia 비슷한 모양 (80%는 B-PLL, 20%는 T-PLL)
- 면역표현형
  - B-PLL ; CD19, CD20, CD22, FMC7 등 양성 / CD23(-), 1/3에서 CD5(+)
  - T-PLL ; CD2, CD3, CD7, CD52, TCL1 등 양성 / TdT(-)
- 치료 ; 적응이 되면 치료 시작, 예후 나쁨 (평균 생존: B-PLL 30~50개월, T-PLL 12개월)
  - B-PLL ; CLL처럼 치료하지만 반응은 떨어짐
  - T-PLL ; alemtuzumab (DOC), FMC + alemtuzumab, pentostatin + alemtuzumab 등
    [anti-CD52] (↳ fludarabine, mitoxantrone, cyclophosphamide)

c.f.) 림프구증가증 (lymphocytosis)

- absolute lymphocytosis : PB에서 lymphocytes >4,000 (or 5,000)/mm^3
  (소아의 경우는 대개 >9,000/mm^3)
- mild~moderate lymphocytosis의 m/c 원인은 viral infection
  (일반적으로 세균성 감염 은 lymphocytosis보다는 mild lymphopenia or neutrophilia가 더 흔함)
- severe lymphocytosis (>15,000/mm^3)의 대표적 원인
  ① infectious mononucleosis (EBV 감염 등) ② pertussis (*Bordetella pertussis* 감염)
  ③ acute infectious lymphocytosis ④ CLL 및 ALL variants
- atypical (activated) lymphocytes : 정상 lymphocyte보다 크며, 파란 세포질 (low N/C ratio), 크고 불규칙한 형태의 핵을 가지고, 인접한 적혈구에 의한 indentation이 흔함
  - atypical lymphocytosis : lymphocytes의 20% 이상 (or WBC의 10% 이상)일 때
  - infectious mononucleosis (EBV)가 대표적 원인 → 감염내과 편 참고
    (또한 A형 간염, HFRS 등에서 심하고, 많은 virus 감염에서 흔히 관찰됨)

7
림프종(Lymphoma)

개요

1. 정의/분류

- lymphoid cells의 악성종양 (lymphoid malignancies)
  - lymphocytic leukemia : 주로 BM를 침범한 경우 → 말초혈액에 많은 종양세포 출현
  - lymphoma : 주로 solid lymphoid organs (e.g., LN, spleen)을 침범한 경우
  - plasma cell disorder (dyscrasia) : B-cells 분화과정 마지막 단계인 plasma cells에 발생된 종양

  (lymphatic tissues ; LN, spleen, thymus, adenoid, tonsil, BM, 위장관 등)
- lymphoma (LN biopsy로 진단)
  - Hodgkin lymphoma (HL) : Reed-Sternberg cells 존재시 (우리나라 5.5%)
  - Non-Hodgkin's lymphoma (NHL) : Reed-Sternberg cells 없음 (우리나라 94.5%)
- 서양인보다 동양인에 많다 (우리나라: 전체 암의 2~3% 차지, 백혈병보다 많음)

Lymphomas & Lymphoblastic leukemias의 비교

	NHL	HL	Lymphoblastic leukemia
Cell origin	90% B cell 10% T cell	B cell	80% B cell 20% T cell
침범 부위			
Localized	드물다	흔하다	드물다
Nodal spread	불연속적	연속적	불연속적
Extranodal organs	흔하다(1/3)	드물다	흔하다
Mediastinal	드물다(<10%)	흔하다(50%)	흔하다(T cell)
Abdominal	흔하다	드물다	드물다
BM	흔하다	드물다	항상
염색체 이상	흔하다 (translocations, deletions)	흔하다 (aneuploidy)	흔하다 (translocations, deletions)
치료 가능	30~50%	>75~90%	40~60%

Mature lymphoid, histiocytic and dendritic neoplasms의 WHO classification (2016, Revision 4th)

MATURE B-CELL NEOPLASMS

- Chronic lymphocytic leukemia/small lymphocytic lymphoma
- Monoclonal B-cell lymphocytosis*
- B-cell prolymphocytic leukemia
- Splenic marginal zone lymphoma
- Hairy cell leukemia
- Splenic B-cell lymphoma/leukemia, unclassifiable**
  - Splenic diffuse red pulp small B-cell lymphoma
  - Hairy cell leukemia-variant
- Lymphoplasmacytic lymphoma
- Waldenström macroglobulinemia
- Monoclonal gammopathy of undetermined significance (MGUS), IgM*
- MGUS, IgG/A*
- Mu heavy chain disease
- Gamma heavy chain disease
- Alpha heavy chain disease
- Plasma cell myeloma
- Solitary plasmacytoma of bone
- Extraosseous plasmacytoma
- Monoclonal immunoglobulin deposition diseases*
- Extranodal marginal zone lymphoma of mucosa-associated lymphoid tissue (MALT lymphoma)
- Nodal marginal zone lymphoma
  - Pediatric nodal marginal zone lymphoma**
- Follicular lymphoma
  - In situ follicular neoplasia*
  - Duodenal-type follicular lymphoma*
- Pediatric-type follicular lymphoma*
- Large B-cell lymphoma with IRF4 rearrangement*/**
- Primary cutaneous follicle center lymphoma
- Mantle cell lymphoma
  - In situ mantle cell neoplasia*
- Diffuse large B-cell lymphoma (DLBCL), NOS
  - Germinal center B-cell (GCB) type*
  - Activated B-cell (ABC) type*
- T cell/histiocyte-rich large B-cell lymphoma
- Primary DLBCL of the CNS
- Primary cutaneous DLBCL, leg type
- EBV(+) DLBCL, NOS*
- EBV(+) Mucocutaneous ulcer*/**
- DLBCL associated with chronic inflammation
- Lymphomatoid granulomatosis
- Primary mediastinal (thymic) large B-cell lymphoma
- Intravascular large B-cell lymphoma
- ALK(+) large B-cell lymphoma
- Plasmablastic lymphoma
- Primary effusion lymphoma
- HHV8(+) DLBCL, NOS*/**
- Burkitt lymphoma
- Burkitt-like lymphoma with 11q aberration*/**
- High grade B-cell lymphoma, with *MYC* and *BCL2* and/or *BCL6* rearrangements*
- High grade B-cell lymphoma, NOS*
- B-cell lymphoma, unclassifiable, with features intermediate between DLBCL and classical Hodgkin lymphoma

* WHO 2008 분류에서 변화된 것
** Provisional entities

MATURE T-AND NK-NEOPLASMS

- T-cell prolymphocytic leukemia
- T-cell large granular lymphocytic leukemia
- Chronic lymphoproliferative disorder of NK cells**
- Aggressive NK cell leukemia
- Systemic EBV+ T-cell Lymphoma of childhood*
- Hydroa vacciniforme-like lymphoproliferative disorder*
- Adult T-cell leukemia/lymphoma
- Extranodal NK/T-cell lymphoma, nasal type
- Enteropathy-associated T-cell lymphoma
- Monomorphic epitheliotropic intestinal T-cell lymphoma*
- Indolent T-cell lymphoproliferative d/o of the GI tract*/**
- Hepatosplenic T-cell lymphoma
- Subcutaneous panniculitis- like T-cell lymphoma
- Mycosis fungoides
- Sezary syndrome
- Primary cutaneous CD30(+) T-cell lymphoproliferative d/o
  - Lymphomatoid papulosis
  - Primary cutaneous anaplastic large cell lymphoma
- Primary cutaneous gamma-delta T-cell lymphoma
- Primary cutaneous CD8(+) aggressive epidermotropic cytotoxic T-cell lymphoma**
- Primary cutaneous acral CD8(+) T-cell lymphoma*/**
- Primary cutaneous CD4(+) small/medium T-cell lymphoproliferative disorder*/**
- Peripheral T-cell lymphoma, NOS
- Angioimmunoblastic T-cell lymphoma
- Follicular T-cell lymphoma*/**
- Nodal peripheral T-cell lymphoma with TFH phenotype*/**
- Anaplastic large cell lymphoma, ALK(+)
- Anaplastic large cell lymphoma, ALK(-) *
- Breast implant-associated anaplastic large cell lymphoma*/**

HODGKIN LYMPHOMA

- Nodular lymphocyte predominant Hodgkin lymphoma
- Classical Hodgkin lymphoma
  - Nodular sclerosis classical Hodgkin lymphoma
  - Lymphocyte-rich classical Hodgkin lymphoma
  - Mixed cellularity classical Hodgkin lymphoma
  - Lymphocyte-depleted classical Hodgkin lymphoma

POST-TRANSPLANT LYMPHOPROLIFERATIVE DISORDERS (PTLD)

- Plasmacytic hyperplasia PTLD
- Infectious mononucleosis PTLD
- Florid follicular hyperplasia PTLD*
- Polymorphic PTLD
- Monomorphic PTLD (B- and T/NK-cell types)
- Classical Hodgkin lymphoma PTLD

HISTIOCYTIC AND DENDRITIC CELL NEOPLASMS

- Histiocytic sarcoma
- Langerhans cell histiocytosis
- Langerhans cell sarcoma
- Indeterminate dendritic cell tumour
- Interdigitating dendritic cell sarcoma
- Follicular dendritic cell sarcoma
- Fibroblastic reticular cell tumour
- Disseminated juvenile xanthogranuloma
- Erdheim/Chester disease*

2. 원인

Lymphoma 발생의 위험인자

1. Infections ★
   - EBV ; Burkitt's lymphoma, post-organ transplant lymphoma, primary CNS diffuse large B cell lymphoma, extranodal T/NK cell lymphoma (nasal type), HL
   - HTLV-I ; adult T-cell leukemia/lymphoma
   - HCV ; lymphoplasmacytic lymphoma, marginal zone lymphoma
   - Human herpesvirus 8 (HHV-8) ; primary effusion lymphoma, Kaposi sarcoma, multicentric Castleman's disease
   - HIV ; diffuse large B cell lymphoma, Burkitt's lymphoma, HL
     (HIV 자체보다는, AIDS에 의한 다른 virus 활성화가 주요 기전)
   - *Helicobacter pylori* ; gastric MALT lymphoma
2. Chemical or Drugs
   - Benzene, Phenytoin, 농약(e.g., dioxin, phenoxyherbicides), Radiation
   - Prior chemotherapy & RTx. (azathioprine, cyclophosphamide, steroid)
3. Autoimmune diseases ; Sjögren's syndrome, RA, SLE, Celiac sprue
4. Inherited immunodeficiency diseases
   - Klinefelter's syndrome, Chédiak-Higashi syndrome, Wiscott-Aldrich syndrome
   - Ataxia telangiectasia syndrome, Common variable immunodeficiency disease
5. Acquired immunodeficiency diseases
   - 장기이식, AIDS, Acquired hypogammaglobulinemia, Transplantation, Sezary's syndrome

3. 진단 및 병기판정 (staging)

- Dx : 충분한 양의 LN or tumor biopsy가 필수
  - excisional biopsy 권장 (접근이 쉬운 곳에서), 불가능하면 core-needle biopsy (FNA는 권장 안됨!)
  - immunophenotyping (IHC), 염색체/유전자 검사 등

Revised Ann Arbor Staging (with Cotswolds modifications) ★	
Stage I	하나의 LN region or lymphoid structure (e.g., spleen, thymus, Waldeyer's ring) 침범
Stage II	횡격막을 중심으로 동측에 2개 이상의 LN regions 침범 (e.g., mediastinum과 hilar LN는 별개) * Anatomic sites의 수를 아래첨자로 표기 (예; II_2)
Stage III	횡격막을 중심으로 양측의 LN regions or lymphoid structures 침범 III_1 : 횡격막 하부에서 splenic, splenic hilar, celiac, or portal LN 침범 III_2 : III_1 + para-aortic, iliac, or mesenteric LN 침범
Stage IV	E에서 지정한 곳을 벗어나는 extranodal site(s) 침범 2개 이상의 extranodal sites 침범, Liver or BM 침범

■ 모든 stage에 적용되는 designations

- A : No Sx.
- B : B Sx. ; 발열(>38℃), 체중감소(6개월 동안 10% 이상 감소), 야간/심한 발한(sweats)
- X : Bulky disease ; 한개 혹은 뭉쳐진 림프절(mass)의 최대 직경이 10 cm 이상 or mediastinal mass는 (T5/6 level에서 안쪽) 흉곽 폭의 1/3 이상
- E : Localized, single extranodal site의 침범 (liver와 BM는 제외)
- CS : Clinical stage / PS : Pathologic stage

*Lymphoma 병기에 널리 쓰였으나, 원래 Hodgkin lymphoma를 위해 개발되어 NHL (특히 extranodal)에는 한계
→ 현재 NHL은 Lugano classification을 주로 쓰고, HL는 아직 Ann Arbor를 사용함

Lugano Classification (2014) Modification of Ann Arbor Staging ★

Stage		림프절(nodal) 침범	림프절외(extranodal) 침범 → 뒤에 E 붙임
Limited	I	하나의 LN or LN region or lymphoid structure (tonsils, Waldeyer's ring, spleen)	LN regions/structures 침범 없이 하나의 림프절외(extranodal) 침범
	II	횡격막을 중심으로 동측에 2개 이상의 LN regions/structures 침범	림프절 침범은 stage Ⅰ~Ⅱ이면서 인접한 림프절외(extranodal) 침범 동반
	II bulky	조직형에 따라 정의*	–
Advanced	III	횡격막 양측의 LN regions/structures 침범	–
	IV	인접하지 않은 림프절외(extranodal) 침범 (e.g., liver, BM, lung)	–

*Stage Ⅱ bulky : nodal mass ≥10 cm for Hodgkin lymphoma (mediastinal mass는 그 level 흉곽 폭의 1/3 이상)
6~10 cm for DLBCL, ≥6 cm for follicular lymphoma
→ 조직형 및 예후인자 수에 따라 limited or advanced로 치료

- anatomic staging은 Ann Arbor와 비슷함 + extranodal dz. 추가
- 접미사 A or B는 Hodgkin lymphoma에만 적용, E 이외의 접미사들은 제외됨
- LN, spleen, liver, BM(HL, DLBCL) ⇨ FDG-avid lymphoma(대부분)는 PET-CT로 평가(m/g)
  * non-avid lymphoma(6%)는 CT로 평가 (e.g., splenomegaly 기준 >13 cm)
    ↳ non-avid 비율이 높은 lymphoma ; MALT, CLL/SLL, lymphoplasmacytic lymphoma, marginal zone lymphoma, cutaneous T-cell lymphoma (mycosis fungoides) 등

Staging procedures

NHL	HL
① 필수 검사	
1. Pathologic documentation 2. Physical examination 3. Laboratory evaluation : CBC, LFT, RFT, Uric acid, Calcium, Serum PEP, LDH, β_2-microglobulin 4. PET-CT (non-avid lymphoma* 제외) 5. CT scan : chest, abdomen, pelvis 6. BM biopsy (DLBCL는 PET 음성일 때만)	1. Pathologic documentation 2. Physical examination 3. B symptoms 4. Laboratory evaluation : CBC, LFT, RFT, Uric acid, ESR 5. PET-CT 6. CT scan : chest, abdomen, pelvis
② 일부 경우에만 필요한 검사	
1. HIV, HBV, HCV 2. Head CT/MRI, Lumbar puncture (CSF cytology, FCM) 3. EGD or upper GI (barium studies) 4. ENT examination 5. Skeletal imaging 6. Effusion의 cytologic examination	1. Skeletal imaging (bone scan) 2. CNS MRI (CNS 침범은 매우 드묾)

* CLL/SLL, lymphoplasmacytic lymphoma, marginal zone lymphoma, mycosis fungoides

- serum LDH, β_2-microglobulin level : severity 및 aggressiveness 보는데 유용
- BM biopsy : HL와 대부분의 DLBCL는 PET로 가능, 다른 NHL 및 PET(-)인 DLBCL에서 시행
- chest CT : 흉강내 병변은 HL의 80%, NHL의 30~40%에서 동반

- MRI : bone, BM, CNS 침범 발견에 유용
- skeletal imaging (e.g., x-ray, CT/MRI, bone scan) : bone 침범이 의심되는 소견이 있을 때만 (e.g., 뼈 통증, 병적 골절) … NHL는 대부분 osteolytic, HL는 대부분 osteoblastic
- ENT examination : supra-hyoid cervical LN or GI tract 침범시
- EGD or upper GI series의 적응
  ① tonsil을 포함한 Waldeyer's ring 침범시 (→ 1/2에서 GI lymphoma 동반)
  ② GI lymphoma 의심되는 증상이 있을 때
  ③ mantle cell lymphoma
- CSF 검사(lumbar puncture)의 적응 ; cytology, flow cytometry
  ① highly aggressive NHL ; BL, ATLL, lymphoblastic lymphoma (ALL)
  ② CNS 침범 위험이 높은 aggressive NHL (DLBCL, FL grade 3b, MCL, PTCL 등)에서 BM, paranasal sinus, epidural space, 고환, 유방, 신장, 부신, 2개 이상의 extranodal sites 등을 침범
  ③ HIV-positive NHL
  ④ CNS 침범이 의심되는 신경학적 증상/징후가 있을 때

비호지킨 림프종 (Non-Hodgkin's Lymphoma, NHL)

1. 개요

- lymphoma중 HL (Hodgkin lymphoma)를 제외한 모든 lymphoma를 총칭
- 남>여, 40세 이후 증가 추세 (20~40세에서는 다른 암보다 상대적으로 흔함)
- 우리나라 : NHL이 전체 lymphoma의 95% 차지
  - DLBCL와 MALT lymphoma가 서양보다 많다 (각각 약 41%, 18%)
  - follicular lymphoma는 서양보다 적다 (약 3%)

2. 임상양상

- painless lymphadenopathy (m/c)
- centifugal LN involvement 많음 예) Waldeyer's ring, epitrochlear, mesenteric LN
- B Sx. (20%) : fever, weight loss, night sweats (→ HL보다 드물다)
- enlarged LN → lymphedema, intestinal obstruction, ureteral obstruction, epidural spinal cord compression, SVC syndrome, pleural effusion 등을 일으킬 수 있음
- Burkitt's lymphoma → abdominal pain / fullness
- 진단 당시 약 1/3에서 BM 침범

3. 병리학적 분류

- Tx. plan & Px에 가장 중요! (staging보다 중요)
- 서양은 B-cell type이 대부분 (90%)
- 우리나라와 일본은 서양에 비해 T-cell type이 흔함(25~40%) → 예후 나쁨

■ indolent (low-grade) lymphoma (e.g., follicular lymphoma)

- 진행이 느림 (large cell의 비율이 적음)
- 발견이 늦으므로 BM, liver, spleen 침범 흔함 (but, LFT는 대개 정상)
- 전신증상(B Sx), extranodal 침범, CNS 침범 등은 드묾
- 진단시 대부분 wide spread (stage Ⅳ) → intensive CTx.로 완치 어려움
  (close F/U ~ minimal CTx. or RTx.로 치료)

■ aggressive (intermediate~high-grade) lymphoma (e.g., DLCL)

- 진행이 빠름, extranodal 침범(e.g., GI) 및 전신증상(B Sx)이 흔함
- 간비장비대(→ LFT 이상), CNS 침범 흔함 (특히 BM 침범시 risk ↑)
- BM 침범은 low-grade보다는 드묾
- 치료 안하면 예후 매우 나쁨, 진단 즉시 intensive CTx. 시행 (→ CR되면 예후 좋음)

■ NHL의 grade에 따른 분류(WHO/REAL)

Grade	B-cell	T-cell
Indolent	**CLL/Small lymphocytic lymphoma** **Follicular lymphoma** **B-cell Marginal zone lymphoma** **Extranodal (MALT lymphoma)**, Nodal, Splenic Primary mediastinal (thymic) large B-cell lymphoma Hairy cell leukemia Lymphoplasmacytic lymphoma Heavy chain diseases **Plasma cell myeloma**	Mycoses fungoides/Sézary syndrome (= cutaneous T cell lymphoma) T-cell large granular lymphocytic leukemia
Aggressive ~intermediate	**B lymphoblastic leukemia/lymphoma (ALL)** B-cell Prolymphocytic leukemia (PLL) **Mantle cell lymphoma (MCL)** **Diffuse large B-cell lymphoma (DLBCL)** - m/c **Burkitt's lymphoma/leukemia** Plasmablastic lymphoma Primary effusion lymphoma	**T lymphoblastic leukemia/lymphoma (ALL)** T-cell Prolymphocytic leukemia (PLL) Aggressive NK cell leukemia **Peripheral T-cell lymphoma, NOS** **Angioimmunoblastic T-cell lymphoma** **Extranodal NK/T cell lymphoma, nasal type** Enteropathy-associated T-cell lymphoma Hepatosplenic T-cell lymphoma Subcutaneous panniculitis-like T-cell lymphoma **Anaplastic large cell lymphoma (ALCL)** Adult T-cell leukemia/lymphoma

* 진하게 표시된 type은 우리나라에서 흔한 것 (약 1.5% 이상)
* REAL : Revised European-American Lymphoma

■ B-cell lymphoma의 immunophenotyping (IHC)

	CD5	CD10	BCL6	CD20	CD23	CD30	CD79	SIg	Cyclin D1	CD38 /138	MUM1 (IRF4)	EBV
Chronic lymphocytic leukemia (CLL)/SLL	+	−	−	low	+	−	low/−	low	−	−	−	−
Mantle cell lymphoma (MCL)	+	−	−	high	−/low	−	+	high	+	−	−	−
Prolymphocytic leukemia (PLL)	−	−	−	+	−/+	−	+	high	−	+/−	−	−
Hairy cell leukemia (HCL)	−	−	−	high	−	−	+	high	+	−	−	−
Follicular lymphoma (FL)	−	+/−	−/+	high	−/+	−	+	+	−	−	−/+	−
Marginal zone lymphoma (MZL)	−	−	−	high	−	−	+	+	−	−	−/+	−
MALT−lymphoma	−	−	−	+	−/+	−	+	+	−	−	−/+	−
DLBCL−GCB (germinal center B cell)	−	+/−	+	+	−/+	−	+	+	−	−	−	−
DLBCL−ABC (activated B cell)	−	−	−/+	+	−/+	−/+	+	+	−	−	+	−/+**
Primary mediastinal large B−cell lymphoma (PMLBCL)	−	−	+/−	+	+	+	+	−	−	−	+	−
Burkitt lymphoma (BL)	−	+	+	+	−	−	+	+	−	−	−	−/+
Plasma cell myeloma (PCM)	−	−/+	−	−/+	−	−/+	+/−	+	−/+	+	+	−
Plasmablastic lymphoma (PBL)	−	−/+	−	−	−	+/−	+	+	−	+	+	+
Lymphoplasmacytic lymphoma (LPL)	−	−	−	+	−	−	+/−	+	−	+	+	−

* low = dim, weak / high = bright, strong

** EBV(+) DLBCL

■ T-cell lymphoma의 immunophenotyping (IHC)

	CD3	CD5	CD7	CD4	CD8	CD30	TCR	CD56	Cytotoxic granules	EBV
T−PLL (prolymphocytic leukemia)	+	+	++	+/−	−/+	−	αβ	−	−	−
T−LGL (large granular lymphocytic leukemia)	+	+	+	−/+	+/−	−	αβ	−	+	−
NK−LGL	−	−/+	+	−	−/+	−	-	+	+	+
Extranodal NK/T−cell lymphoma	cCD3	−/+	+	−	−	−	-	+	+	++
Hepatosplenic T−cell lymphoma	+	+	+/−	−	+/−	−	γδ > αβ	+	+	−
Enteropathy−associated T−cell lymphoma	+	−	+	−	+/−	+	αβ > > γδ	−	+	−
Mycosis fungoides (Sézary syndrome)	+	+	+/−	+	−	−	αβ	−	−	−
Subcutaneous panniculitis−like T−cell lymphoma	+	+	−	−	+	++	αβ	−	−/+	−
Primary cutaneous γδ T−cell lymphoma	+	−	+/−	−	−	−/+	γδ	−	+	−
Peripheral T−cell lymphoma (PTCL)−NOS	+	+	−	+	−/+	−/+	αβ > γδ	−/+	−/+	−/+
Angioimmunoblastic T−cell lymphoma	+/−	+	+	+	−/+	−	αβ	−	NA	+
Anaplastic large cell lymphoma (ALCL)	−/+	−/+	+/−	−/+	−/+	++	αβ	−	+	−

■ 면역표현형(IHC)에 의한 B-cell lymphoma의 분류

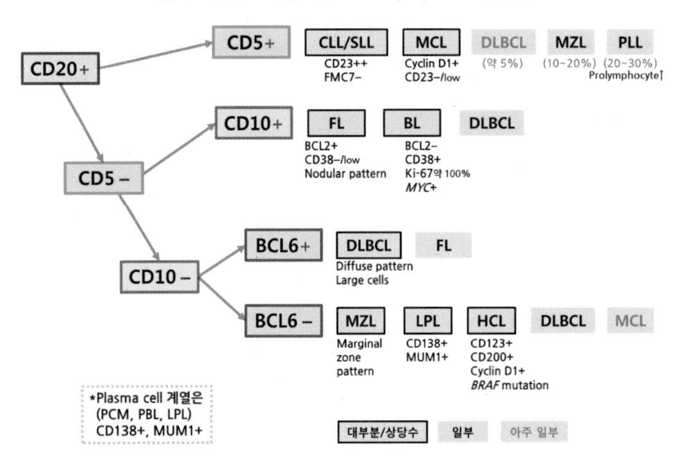

4. 일반적 치료 원칙

(1) 치료를 위한 stage 구분

Stage	Ann Arbor staging	B Sx.	Bulky tumor
Limited	Ⅰ or Ⅱ(침범 LN regions 3개 이하)	×	× (<10 cm)
Advanced	Ⅱ(침범 LN regions 4개 이상), Ⅲ or Ⅳ	○	○ (≥10 cm)

(2) lymphoma 치료의 일반적인 guideline

• combination CTx. regimens

┌ CVP : Cyclophosphamide, Vincristine (Oncovin), Prednisone
└ CHOP (표준) : CV(O)P + Hydroxydaunomycin / adriamycin (doxorubicin)

- B-cell lymphoma는 대개 rituximab (anti-CD20)을 추가한 R-CHOP regimen을 사용함!

Type (Grade)	Stage	Treatment
Indolent	Limited	IFRT (involved field radiation therapy)
	Advanced	증상이 없으면 close F/U 증상이 있으면 Chlorambucil or CVP, local Sx.에 대한 local RTx.
Aggressive*	Limited	R-CHOP ×3~4회 + IFRT
	Advanced	R-CHOP ×6~8회

* DLCL에서 BM 침범, peripheral T cell lymphoma, paranasal sinus/testicles/epidural tissue 침범 시에는 CNS prophylaxis 필요

- first relapse (second CR)시는 high-dose CTx. + autologous HCT
- high-risk lymphoma의 경우는 초기부터 autologous HCT 고려

5. 예후

- "paradox of NHL" : indolent NHL가 오래 생존 & 치료에는 반응이 좋으나 완치(cure)는 드물고 (재발 흔함), aggressive NHL가 강력한 치료는 필요하지만 완치될 확률은 더 높음
- 국제예후지표(IPI) : DLCL, peripheral T-cell, follicular lymphoma 등에서 유용

IPI (international prognostic index) ★

5 위험인자(risk factors)
1. Age >60세 2. Serum LDH 상승 3. Performance status (ECOG ≥2 or Karnofsky ≤70) 4. Stage Ⅲ~Ⅳ 5. 2개 이상의 extranodal involvement

- lymphoma type에 따라 다르게 분류될 수 있음

① diffuse large B cell lymphoma의 IPI

Risk	위험인자 수	빈도(%)	CR rate (%)	5YSR (%)
Low	0~1	35	87	73
Low-intermediate	2	27	67	51
High-intermediate	3	22	55	43
High	4~5	16	44	26

* R-CHOP 치료 이후의 diffuse large B cell lymphoma (revised IPI)

Prognosis	위험인자 수	빈도(%)	5YSR (%)
Good	0	10	94
Intermediate	1~2	45	79
Poor	3~5	45	55

② follicular lymphoma의 IPI (FLIPI)

FLIPI : Risk factors	Risk goup	위험인자 수
1. 60세 이상		
2. Stage Ⅲ~Ⅳ	Low	0~1
3. Hb <12 g/dL	Intermediate	2
4. Serum LDH 상승	High	3~5
5. 5개 이상의 nodes 침범		

FLIPI2 : Risk factors	Risk goup	위험인자 수
1. 60세 이상		
2. BM 침범	Low	0
3. Hb <12 g/dL	Intermediate	1~2
4. β_2-microglobulin >ULN	High	3~5
5. 최대 LN 직경 >6 cm		

*FLIPI2는 rituximab-based Tx.를 받는 군의 예후 평가에 유용함. FLIPI와 FLIPI2 모두 치료방침 결정에는 사용×

- 기타 예후인자 : 종양의 부피, 면역표현형(e.g., aggressive T- or NK-cell), 세포유전학 소견 (e.g., 1, 7, 17 염색체의 이상), 세포분열 속도, β_2-microglobulin, BCL-2 단백 표현, p53 유전자 변이 등

6. 각 subtype별 특징

Subtype	빈도 (한국)	평균 연령	남성 (%)	Stage Ⅲ/Ⅳ (%)	B Sx. (%)	BM 침범 (%)	GI 침범 (%)	5YSR (%)	기타 특징
B-cell CLL/small lymphocytic lymphoma	1.4%	65	53	91	33	>75	3	83	→ 6장 백혈병 편 참조
Mantle cell lymphoma	2.4%	63	74	80	28	64	9	30~60	t(11;14), CD5(+), slightly indented nucleus
Marginal zone B-cell lymphoma (MALT type)	19.6 %	60	48	33	19	14	50	85	CD20(+), CD5(-), CD23(-)
Follicular lymphoma	3%	59	42	67	28	42	4	60~90	조직소견 : follicular pattern t(14;18), BCL-2 (+)
Diffuse large B-cell lymphoma (DLBCL)	44% (m/c)	64	55	46	33	16	18	60~70	CD20(+), CD3(-) t(14;18), t(3;22), BCL6(+)
Burkitt's lymphoma	2.1%	31	89	38	22	≥40	11	60	소아 NHL의 19% 차지 (m/c), t(8;14)-m/c, t(2;8), t(8;22)
Precursor T-cell lymphoblastic lymphoma	2.4%	28	64	89	21	50	4	48	소아 NHL의 17.4% 차지
Anaplastic large cell lymphoma	3.2%	34	69	49	53	13	9	60~90	CD30 (Ki-1) +, t(2;5) → ALK protein ↑ (good Px)
Peripheral T-cell lymphoma, NOS	6.5%	61	55	80	50	36	15	20~70	대부분 CD4(+), 일부 CD8(+)

(1) 광범위 큰 B세포 림프종 (Diffuse Large B-Cell Lymphoma, DLBCL)

- m/c NHL (약 30~40%), 대표적인 aggressive (high-grade) type
- large mature B-cells의 diffuse infiltration을 기본으로 하는 다양한 형태의 lymphoma group
- 진단 (염색체/유전자검사는 진단에 필수적은 아님)
  - biopsy : small lymphocyte의 4~5배 크기, 균열이 있는 핵과 없는 핵이 섞여 있음, 2~4개의 뚜렷한 핵소체(nucleoli)
  - IHC : 대부분(98%) CD20, PAX5, CD79a 등의 pan-B-cell markers (+)
- 진단시 50~60%는 advanced stage ; extranodal site 침범 (GI, BM가 m/c)
- 모든 장기를 다 침범 가능 (뇌의 primary DLBCL도 증가 추세)
- BM 침범 (15%에서) : large cells보다 small cells에 의한 침범이 더 흔함
- 치료 : 모든 stage에서 아직 R-CHOP이 표준
  - ① localized dz. (limited stage) : stage I, II (→ cure rate : stage Ⅰ 85~90%, Ⅱ 70~80%)
    - nonbulky (<7.5 cm) ⇨ R-CHOP 3회 + ISRT (involved site RTx)
    - bulky (≥7.5 cm) ⇨ R-CHOP 6회 ± ISRT
  - ② advanced dz. : CTx (R-CHOP) 6회 (→ 약 70~80% CR, 이중 50~70%는 cure도 가능)
    - *2~4회 이후 중간 재평가(restaging)
      - 반응 ⇨ 총 6회까지 R-CHOP 지속
      - 반응× or 진행 ⇨ R/R dz.에 준해 치료

- GCB subtype ; 1st CR 이후 rituximab 유지요법 or HDT-ASCT 필요 없음
- ABC/non-GCB subtype ; 예후 나쁨, clinical trials 고려
- double hit DLBCL ; *MYC* & *BCL2* (and/or *BCL6*) 재배열, 예후 나쁨, clinical trials 권장

• 예후인자 ; IPI (m/i), cell of origin, 유전자이상, 혈중 cytokines & soluble receptors 농도
  - *BCL2* expression : 특히 ABC type에서 or *MYC* rearrangement 동반시 예후 나쁨

(2) 점막관련 림프조직의 림프종 (Extranodal Marginal Zone Lymphoma [EMZL] of MALT type, MALT lymphoma)

• NHL의 약 8%를 차지 (우리나라는 약 18%), 주로 림프절외 장기에 발생, 평균 49세, 남≒여
• 대개 B-cell origin, low-grade, 예후 좋다 (5YSR ~85%)
• MALT lymphoma에서 발견되는 염색체 이상 (~40%에서)
  - t(11;18)(q21;q21);*API2(BIRC3)-MALT1* (m/c) ; NF-κB를 활성화,
    H. pylori-음성에서 흔함, 제균치료에 반응×, 예후는 좋음, 대개 DLBCL로 진행 안함
  - t(14;18)(q32;q21);*IGHV-MALT1* (2nd m/c) ; 위 이외의 MALT에서 흔함
  - 기타 ; t(1;14)(p22;q32);*IGH/BCL10*, t(3;14)(p13;q32);*IGH-FOXP1*, +8 등 → 예후 나쁨
• 대부분 stage Ⅰ/Ⅱ, 40%는 침범 장기에만 국한, 30%는 침범 장기 및 인접 LN에만 국한
• ~30%에서 BM 등으로의 원격전이도 발생 가능 (특히 DLBCL로 전환시)
• stomach (*H. pylori*), orbit, lung, skin, salivary gland (sjögren's syndrome), thyroid gland (Hashimoto's thyroiditis) 등에서 발생 가능
  - gastric lymphoma의 50% 이상, orbital lymphoma의 40%를 차지
  - autoimmune or inflammatory process 동반 흔함!
• 대부분(80~90%) 위에서 발생 (gastric MALT lymphoma) ; 95%에서 *H. pylori* 감염 동반, t(11;18) 음성인 경우가 흔함, t(11;18) 양성이면 *H. pylori* 제균치료가 효과 없음!
• gastric MALT lymphoma의 치료
  ① limited ⇨ *H. pylori* 양성이면 제균치료 → 대부분 완치 가능 (5YSR 90%),
    반응 없고 국소적이면 ISRT (local RTx) or RTx 불가능하면 (증상 발생시) CTx
    ; BR (bendamustine + rituximab), R-CHOP, R-CVP, rituximab + chlorambucil 등
  ② advanced (드묾) ⇨ *H. pylori* 양성이면 제균치료 + 증상 발생시 CTx
  - 수술은 확진이 필요하거나 출혈/천공의 합병증 발생시에만 시행
• non-gastric MALT lymphoma ; limited ⇨ local RTx / advanced ⇨ rituximab ± CTx

(3) 외투세포 림프종 (Mantle Cell Lymphoma, MCL)

• NHL의 약 6% 차지 (우리나라 약 1.5%), 고령에서 호발, 남>여
• 골수외 침범이 흔함 ; BM, Waldeyer's ring, GI tract 등을 흔히 침범
• 진단시 약 70%가 stage Ⅳ & PB/BM 침범 흔함 / localized (stage Ⅰ~Ⅱ)는 매우 드묾
• 특징 : t(11;14) → *BCL1* overexpression → cyclin D1 (BCL-1 단백) (+), CD5(+)
• intermediate-grade로 경과/예후 다양 (5YSR 30~60%), CTx에 의한 CR rate 낮음(<50%)
• 치료
  ① indolent/nonnodal MCL ; CLL 비슷한 leukemic 양상, splenomegaly, lymphadenopathy↓, tumor burden↓, Ki67 proliferation fraction↓(<10%) … SOX11(-) [IGHV-mutated]
    ⇨ 예후 좋음, F/U하다가 증상이 발생하면 치료 고려

② typical/classic/aggressive MCL
(a) 적극치료군 ; 65세 이하 ⇨ aggressive chemoimmunotherapy 이후 ASCT 시행
- BR (bendamustine + rituximab) : 효과 좋고 독성이 적어 선호됨
- alternating R-CHOP/R-DHAP(rituximab/dexamethasone/cytarabine/cisplatin), VR-CAP, R-CHOP 등
- R-hyperCVAD(rituximab/hyperfractionated cyclophosphamide/vincristine/doxorubicin/dexa.)는 독성이 심해 권장×
(b) 표준치료군 ; 고령이면서 적극적 치료가 어려운 경우 ⇨ less-aggressive regimen
- BR (권장), VR-CAP(bortezomib/rituximab/cyclophosphamide/doxorubicin/prednisone), R-CHOP 등
- LR (lenalidomide + rituximab)도 효과적, 장기적인 반응도 우수할 것으로 기대됨
(c) 유지요법 ; rituximab (ASCT 이후엔 3년 동안, 표준치료 이후엔 진행/내성발성 때까지)

(4) 소포 림프종 (Follicular Lymphoma, FL)

- 2nd m/c NHL (약 22%, 우리나라는 3% 미만 뿐), 대표적인 indolent (low-grade) type
- 진단 : morphology (특징적인 follicular pattern 침범)만으로도 진단 가능
  - B-cell 표현형, CD38 low/(-), 85% 이상에서 t(14;18)(q32;q21) → *BCL2* overexpression
- 대부분 painless lymphoadenopathy (multiple)로 발견되고, 증상(fever, sweat, weight loss) 없음
- 약 50%는 IPI score 낮음(0~1), high score (4~5)는 10% 미만
- 25%는 치료 안 해도 자연 소실됨 (대개는 일시적)
  → 증상이 없는 환자는 치료 없이 주의 깊게 관찰 (특히 고령에서)
- 오래 생존은 하지만, 결국 30~40%는 aggressive lymphoma (대개 DLBCL)로 변환됨 (약 3%/yr)
- grade 1~3a FL의 치료 : 치료에 대한 반응은 매우 좋지만, 완치는 어려움 (대부분 재발/진행)
  ① stage Ⅰ ⇨ RTx (RTx가 어렵거나 거부하면 advanced처럼 치료 or F/U)
  ② stage Ⅱ~Ⅳ ⇨ 적응이 되면 치료(criteria 1개 이상) / 증상 없고 stable하면 F/U!
  - bendamustine + anti-CD20 (rituximab or obinutuzumab) [BR, BO]
    : R-CHOP보다 효과 좋고 독성 적어 선호됨 (↳ rituximab보다 PFS 더 향상, 독성↑)
  - 기타 anti-CD20 + CHOP (or CVP or lenalidomide) 등
- 예후 나쁜 군 ; early Tx failure (1st CTx 이후 2년 이내 재발), 1st Tx에 대한 PET-CT 반응 평가에서 metabolic CR 실패, high-risk FLIPI 등 → 보다 적극적인 치료

(5) Burkitt's Lymphoma (BL)

- 성인은 드물고, 소아에서 흔함 (소아 NHL의 약 30~40%), FAB ALL L3와 동일
- 분류
  ① endemic (african) BL ; maxilla, mandible, orbit 등에 호발
  ② sporadic (non-endemic) BL ; 소장에 호발 (특히 ileo-cecal 부위) … 우리나라 거의 대부분!
  ③ immunodeficiency-associated BL ; LN 및 BM에 호발, 주로 HIV 감염자에서 발생
- EBV 발견율 ; endemic (african) BL의 95%, sporadic (non-endemic) BL의 20~30%
  (endemic BL의 대부분은 EBV 및 malaria와 관련 있지만 추가적인 기전도 관여)
- 성장/진행이 엄청나게 빠름 (tumor doubling time 약 25시간)
  → spontaneous tumor lysis syndrome (TLS) 흔함 ; serum LDH ↑↑, uric acid ↑
- 큰 복부 종괴 및 장폐색 호발, CNS에도 전이 가능, 약 1/3에서 BM 침범
- 거의 다 *MYC* (8q24) translocation을 가짐 ⇨ t(8;14), t(2;8), t(8;22) 등의 염색체전위
  ↳ proto-oncogene → FISH (break apart probe)로 검사

• 진단
  - 매우 높은 (~100%) proliferation fraction (∵ *c-myc* deregulation) : Ki-67 Ab 등으로 염색
  - pan-B-cell (CD19, CD20, CD22, CD79a, PAX5), CD38, BCL6 등 양성 + CD10 강양성
  - CD5와 BCL2는 음성!, sporadic BL는 대부분 EBV(-)
• D/Dx : DLBCL … 대부분은 형태적으로 쉽게 구별되지만, 일부는 비슷할 수 있음!
• 치료 : 진단 48시간 이내에 빨리 치료 시작해야!
  ① intensive chemoimmunotherapy ; R-CODOX-M/IVAC, R-HyperCVAD, R-LMB 등
    (rituximab, cyclophosphamide, doxorubicin, vincristine, methotrexate, ifosfamide, etoposide, high-dose cytarabine + intrathecal cytarabine & methotrexate)
    → 반응 좋음, 빨리 치료하면 소아/성인 모두 70~80%에서 완치(cure) 가능! (5YSR >60%)
  ② 초치료가 실패하면 salvage therapy or HCT는 효과 거의 없음
  ③ CNS prophylaxis (e.g., intrathecal CTx) 및 tumor lysis syndrome에 대한 조치 (e.g., aggressive hydration, rasburicase)도 필요함

(6) Extranodal NK/T-cell Lymphoma, Nasal type (ENKL, 과거 Angiocentric T-cell Lymphoma)

• 아시아, 중미, 남미 등에서 호발, 남>여, 평균 60세에 발병, 대부분 EBV와 관련
• extranodal site를 침범 ; 비강(m/c), 입천장, 비인두 등의 안면 중앙부, 피부, 연조직, 고환, 상기도, 위장관 ...
  ↳ 코막힘, 코피, destructive mass, 안구부종
• aggressive (→ 예후 나쁜 편, 치료 안하면 수개월 내 사망), 합병증으로 hemophagocytosis가 흔함
• Ann Arbor staging보다 TNM (특히 T) staging이 예후를 더 잘 반영함
• 치료 : CHOP 등의 CTx에 반응이 매우 나쁨
  ① localized (stage Ⅰ~Ⅱ) ⇨ CTx + RTx (intensity-modulated, 50~55 Gy) → 3YSR ~85%
    - DeVIC (dexamethasone, etoposide, ifosfamide, carboplatin), modified-SMILE 등
  ② advanced/disseminated ⇨ L-asparaginase 기반 CTx → 예후는 나쁨 (평균 4.3개월 생존)
    - SMILE (dexamethasone, methotrexate, ifosfamide, L-asparaginase, etoposide)
    - AspaMetDex (pegaspargase, methotrexate, and dexamethasone), P-GEMOX 등

(7) Cutaneous T-Cell Lymphoma (CTCL) ; Mycosis fungoides (MF), Sézary syndrome (SS)

• 드문 $CD4^+$ helper-inducer T cells의 악성종양, 50대에 호발, 흑인 및 남성에서 더 흔함
• indolent lymphoma로 피부를 주로 침범, 말기에는 LN 및 내장도 침범 가능
  (상피세포 침범시 종양세포는 상피 내에 모여 있음 → Pautrier 농양)
• mycosis fungoides (MF) ; m/c (CTCL의 50%), patch → plaque → tumors로 서서히 진행
• Sézary syndrome (MF의 leukemic variant) ; erythroderma, generalized lymphoadenopathy, PB/LN/피부에 종양세포(Sézary cell) 존재 [Sézary cell : 대뇌 모양의 핵이 특징]
• IHC ; CD3+, CD4+, CD45RO+, CD8- (→ mature helper-inducer T cells 비슷), CD7-, CD26-
• 치료 ; 평균 18년 생존, stage에 따라 예후가 다양함, 약 34%는 계속 진행
  ① localized (stage ⅠA, 체표면의 10% 미만 침범) 환자 : 드묾, 예후는 매우 좋음
    ⇨ ISRT (local RTx) + skin-directed therapy (topical steroid or nitrogen mustard or retinoids [bexarotene, tazarotene] or imiquimod, phototherapy [UVB, $P_{psoralen}$UVA])
  ② generalized dz. ⇨ total skin electron beam therapy or systemic Tx.
    (± skin-directed therapy)

③ Sézary syndrome (PB 침범) ⇨ systemic Tx. ± skin-directed therapy (5YSR 25~50%)
; brentuximab vedotin, bexarotene, extracorporeal photopheresis, IFN, MTX, mogamulizumab (anti-CCR4), histone deacetylase inhibitor (romidepsin, vorinostat) 등

• advanced dz.는 만성/재발성 경과로, 치료 목표는 질병/증상 조절 및 aggressive dz.의 치료

(8) Peripheral T-Cell Lymphoma, not otherwise specified (PTCL, NOS)

• PTCL 중 m/c (약 30%), 전체 NHL의 약 6.5%, 고령에서 호발 (평균 65세)
↳ ALCL, AITL, ENKL (nasal type), subcutaneous panniculitis-like T-cell lymphoma 등

• 다른 T-cell lymphomas를 R/O한 뒤 진단
- IHC ; 대부분 CD4/8(+/-), 일부는 CD4/8(-/-) or CD4/8(+/+), 약 1/2은 CD5 or 7 (-)
- 때때로 *TCR* (T cell recepor) gene rearrangement 검사도 진단에 필요

• 대부분 진단시 advanced & 나쁜 예후인자 동반(80% 이상이 IPI score 2↑, 30% 이상은 4↑)
- generalized lymphadenopathy, BM, 간, 비장, 피부 등 침범, B Sx. 및 pruritus도 흔함
- aggressive 경과, 재발도 흔함, B-cell lymphoma보다 예후 나쁨 (5YSR 약 20~70%)

• 치료 ; CD30 발현율에 따라 다름
① 종양세포 10% 이상이 CD30(+) ⇨ BV-CHP (cyclophosphamide, doxorubicin, prednisone)
* **brentuximab vedotin** (BV, Adcetris®) : anti-CD30 + cytotoxic MMAE (monomethyl auristatin E)
- Hodgkin 및 일부 T-cells lymphoma에 사용, 불응성 CD30(+) DLBCL에도 가능
- 기존의 CHOP보다 생존율 향상되면서 독성 증가는 없음
② 종양세포 10% 미만만 CD30(+) ⇨ CHOP (≤60세 & 건강하면 etoposide 추가: CHOEP)
* IPI score 높고, 젊은 환자는 1st remission 이후 ASCT 고려

(9) Anaplastic Large Cell Lymphoma (ALCL)역형성큰세포림프종

• T-cell lymphoma의 약 3% 차지 (서양은 6~24%), aggressive lymphoma 중 예후 가장 좋음!
• 특징적인 tumor cells (hallmark cells) : large cells, 핵은 nucleoli가 뚜렷하고 말발굽(U) 모양
• CD30 (Ki-1) 양성이 특징 (c.f., 과거에는 대개 malignant histiocytosis로 진단되었음)
• 2번 염색체의 *ALK* gene 전위 ; t(2;5), t(1;2)
→ ALK (anaplastic lymphoma kinase) 단백 overexpression : ALK (+)
• 형태가 미분화 상태이고, 나쁜 예후인자를 가진 경우가 많으나 치료에는 잘 반응함
• 대개 lymphadenopathy 동반, BM와 GI tract 침범은 드물고, 피부 침범은 흔함
• 일부 피부에만 국한된 경우(cutaneous ALCL) 예후 더 좋음 (5YSR >90%)
• 치료 : CD30 발현율에 따라 다름
① 종양세포 10% 이상이 CD30(+) ⇨ BV-CHP (cyclophosphamide, doxorubicin, prednisone)
② 종양세포 10% 미만만 CD30(+) ⇨ CHOP (≤60세 & 건강하면 etoposide 추가: CHOEP)

■ primary CNS lymphoma

• 대개 high-grade B cell lymphoma에서 발생 (e.g., DLBCL)
• 노인 또는 면역저하 환자에서 호발 (→ HIV 검사등 시행)
• 안구 침범이 흔하므로 반드시 slit lamp 검사도 시행

- parenchymal CNS lymphoma
  - high-dose MTX (+ leucovorine rescue) ± cytarabine 으로 치료
  - 일반적인 CHOP regimen은 별 효과 없음 (∵ CNS에 도달↓)
  - RTx. : 신기능 저하시 or 재발시 사용 가능 (but, leukoencephalopathy의 부작용이 흔함)
- leptomeningeal CNS lymphoma
  - 치료가 어렵고, 확립된 치료법도 없다
  - high-dose MTX (+ leucovorine rescue) or high-dose steroid
- 수술 : 치료에는 도움 안되고, 진단 목적으로는 시행 가능

■ 임신시의 NHL

- staging시 CT 대신 초음파를 이용
- 치료는 가능하면 출산 이후로 연기 고려 (but, 치유의 기회를 놓칠 수 있음)
- 2nd~3rd trimester에는 대부분 full-dose CTx (e.g., CHOP) 시행해도 안전한 편임

호지킨 림프종 (Hodgkin lymphoma, HL)

1. 개요

- "RS (Reed-Sternberg) cells"을 가지는 lymphoma (과거 Hodgkin's disease)
  - germinal center or post-germinal center B cells 유래
  - 종양에서 RS cells의 비율은 적고 (약 1%), 대부분 염증세포들이 차지함
- 전체 lymphoma의 약 10% 차지 (우리나라는 약 5%)
  ; NHL가 증가 추세인데 비해, HL은 수십년간 일정함 (우리나라는 증가 추세)
- 호발연령(bimodal peak) : 성인기(15~35세) & 노년기(60세 이후) / 남>여, 백인>흑인
- 위험인자 ; HIV, EBV, 면역저하, 자가면역질환, 유전(가족력 有, 쌍생아 50~100배, 형제 6~7배) 등

2. 임상양상

- 대부분 무통성의 lymphadenopathy (연속적인 nodal spread)
  - 주로 목, 쇄골 상부, 액와부 등의 횡격막 상부 LNs를 침범
  - 1/2 이상에서 종격동 침범 (mediastinal adenopathy)
  - 횡격막 하부 침범은 10~20% 뿐 (노인에서는 침범↑)
- B symptom (약 40%에서 존재, NHL보다 흔함) → poor Px.
  ; fever, night sweats, weight loss (6개월 이내에 10% 이상)
- Pel-Epstein fevers : 발열(수일~수주) 및 정상 체온 기간이 반복되는 것
- 기타 드물게 나타날 수 있는 증상
  - generalized pruritus (10%) → poor Px.
  - 음주시 침범된 LN에서 pain 발생 (2~5%)

- paraneoplastic syndrome (minimal change GN [lipoid nephrosis]이 m/c), immune HA & thrombocytopenia, hypercalcemia, erythema nodosum ...
- extranodal site 및 BM 침범은 드물다
- BM 침범 (5~15%) : B Sx., stage Ⅲ, mixed cellularity, pancytopenia, LD >400, ESR >40 등인 경우에 잘 동반 (c.f., NHL는 30~70% 침범)
- ESR : dz. activity 평가에 유용
- 예후가 좋기 때문에 장기 생존자에서는 치료에 따른 후기 부작용이 문제 (→ 뒷부분 참조)

3. 진단

- biopsy (needle aspiration은 안 됨)
- Hodgkin RS (Reed-Sternberg) cells (HRS cells) 발견
  - large cell, bi-/multi-lobed nucleus, prominent inclusion-like nucleoli : 부엉이 눈 모양 (but, infectious mononucleosis나 NHL에서도 발견될 수 있음)
  - 98%가 germinal center 단계의 mature B cell로부터 기원
  - CD15 (85%) & **CD30** (100%, strong) 양성이 특징 / PAX-5 (+) 흔함 / CD45는 (-), CD19와 CD20 등의 다른 B-cell markers는 (-)~low

4. 분류 (WHO classification)

(1) classical HL (cHL) ··· Rye classification

Histologic subtype	서양 (%)	Pathology		Prognosis
		RS cell	기타	
1. Lymphocyte-rich (LRcHL)	5	Rare	Predominance of normal-appearing	Excellent
2. Nodular sclerosis (NScHL)	70	Frequent "lacunar variants"	Lymphoid nodules, collage bands	Very good
3. Mixed cellularity (MCcHL)	20~25	Numerous	Pleomorphic infiltrate	Good
4. Lymphocyte-depleted (LDcHL)	<1	Numerous, often bizarre	Lymphocytes, pleomorphic fibrosis	Poor

- 우리나라는 MCcHL (mixed cellularity)이 m/c, 젊은 연령에서는 NScHL이 대부분

(2) nodular lymphocyte predominant HL (NLPHL)

- small lymphocytes가 많고 RS cells은 적음, 전체 HL의 <5% 차지, 주로 남성(75%)
- RS cell (L&H cell : lymphocytic and/or histiocytic RS cell variant, popcorn cell) : 전형적인 RS cell과는 달리, CD15와 CD30은 음성이며 LCA (leukocyte common antigen, CD45), CD20을 포함한 다른 B cell 표지자와 J chain, epithelial membrane Ag (ema) 등을 발현함
- 주로 말초의 LN를 침범하며, 비장/종격동은 침범 안함 (대부분 localized)
- classical HL과는 임상양상이 다르고, NHL와 비슷한 특징을 보임
- 만성적이고 재발하는 경과를 취하며, 때때로(3~5%에서) DLBCL로도 전환 가능

5. 치료

• Tx. plan & Px.
- HL → clinical stage가 중요
- NHL → histologic subtype (grade)이 더 중요

			Risk factors
Early Stage	Favorable-risk	Risk factors 없는 stage Ⅰ~Ⅱ	- Mediastinal bulky dz. - Extranodal dz. - 3개 이상의 LN region 침범 - ESR >50 (B Sx 존재시 >30) - 기타 ; 고령, B Sx 존재 ...
	Unfavorable-risk	Risk factors 있는 stage Ⅰ~Ⅱ	
Advanced Stage		Stage Ⅲ~Ⅳ	

(1) Tx. recommendations

; 장기 생존율이 높으므로 RTx 부작용을 줄이기 위해 RTx를 줄이는 쪽으로 변화됨

① early stage favorable (low)-risk HL
- ABVD 3~4회 + involved-field RTx (30 Gy) ; 재발률↓ *or*
- ABVD 2회 + involved-field RTx (20 Gy) ; 부작용↓ *or*
- ABVD 4~6회 only ; 재발률은 조금 높지만, salvage Tx 효과가 좋으므로 장기 생존율은 비슷
  ↳ RTx 부작용을 피해야 하는 경우
- ABVD 2~3회 이후 PET-CT (-)면 excellent Px → RTx 생략 가능

② early stage unfavorable (high)-risk HL
- ABVD 4회 + involved-field RTx *or*
- ABVD 6회 only ; RTx를 피하는 것이 좋은 nonbulky 환자에서

③ advanced stage (Ⅲ~Ⅳ)
- International Prognostic Score (IPS)가 예후에 중요함
- ABVD 6회 only가 권장됨 (∵ 부작용 대비 효과 우수, 오랜 경험)
- CR 이후의 consolidation Tx.
  - RTx 추가 ; CR 이후에는 효과 없음, 일부(<10%) CR× & PET(+) 환자에서는 도움
  - high-dose CTx. + autoHCT ; 도움 안됨
- A+AVD, Stanford V, BEACOPP 등 ; 수명 연장 효과는 미미하면서 부작용↑ 위험
- nodular lymphocyte predominant HL (NLPHL)에서는 rituximab도 추가

(2) Chemotherapy regimens

① ABVD (m/c) : Adriamycin (doxorubicin), Bleomycin, Vincristine, Dacarbazine
- 장점 ; 효과 좋음, infertility와 leukemia의 부작용이 매우 적음
- 부작용 ; pulmonary toxicity (~30%, bleomycin 때문, 2%는 치명적)

② MOPP : Mechlorethamine (N. mustard), Oncovin (vincristine), Procarbazine, Prednisone
- 부작용 ; MDS or acute leukemia (m/i), infertility, AVN (steroid)
- ABVD 이전에 쓰던 요법, ABVD보다 효과 떨어져 최근엔 이용 안됨

③ Stanford V : Mechlorethamine, Adriamycin (doxorubicin), Vinblastine, Vincristine, Bleomycin, Etoposide, Prednisone + involved-field RTx (5 cm 이상 병변에)
- 미국에서 개발, 12주 동안 주 1회 투여 (가장 짧음), 효과는 ABVD와 비슷함
- RTx.와 함께·premature CAD, 2ndary malignancy 등의 치명적 부작용 위험이 단점

④ BEACOPP : Bleomycin, Etoposide, Adriamycin (doxorubicin), Cyclophosphamide, Oncovin (vincristine), Procarbazine, Prednisone
- 유럽에서 개발, 가장 효과 좋으나 대부분에서 infertility를 일으키고 2ndary malignancy (e.g., leukemia) 위험이 높으므로 고위험군(risk factor ≥4개)에서만 고려

⑤ A+AVD : ABVD에서 bleomycin 대신 A (Adcetris®, brentuximab vedotin, BV) 사용
- bleomycin에 의한 폐독성 고위험군(e.g., 고령, 폐질환, 흡연자)에서 고려

(3) 재발한 경우의 치료

① initial RTx. only 이후에 재발 → CTx.에 반응 좋음

② early stage에서 CTx. only 이후에 재발 → RTx. or salvage CTx 이후 RTx.에 반응 좋음

③ advanced stage에서 CTx. 이후에 재발 or CTx.에 불응 **(R/R HL)** : 약 20~30%

⇨ high-dose CTx. (HDT) + autologous SCT (HDT/ASCT) : 30~65%에서 장기 생존 가능
- 다른 종양과 달리 일차치료에 실패한 경우에도 완치 가능
- brentuximab vedotin (BV, Adcetris®) : anti-CD30 + microtubule antitoxin MMAE
- anti-PD-1 Ab (immune checkpoint inhibitors) ; nivolumab, pembrolizumab
- 기타 ; alloHCT (치료관련 사망률↑), CAR-T cells (CD30 target, 연구중) ...

(4) 임신 환자의 치료

- HL 호발연령이 가임기와 겹침
- 가임기 여성에서 HL 진단시 → 치료 전 임신반응검사 필수, 치료 중에는 피임
- 임신 중 HL 진단된 경우
  - 검사 ; chest X-ray (복부를 가리고), MRI, US (MRI 못하면), BM biopsy (B Sx 존재시) (PET scan, gallium scan, bone scan 등은 금기 / MRI와 US 불가능하면 CT는 고려 가능)
  - 1st trimester → 가능하면 2nd~3rd trimester까지 치료 연기 (매우 심하거나 즉시 치료가 필요한 상태라면 ABVD만 시행 or 임신중절도 고려)
  - 2nd trimester → ABVD만 시행, very low-risk면 F/U & 분만 이후로 치료 연기 가능 (횡격막 상부의 증상이 심한 local dz.는 RTx.도 고려 가능)
  - 3rd trimester 때 진단 → 가능하면 분만 이후로 치료 연기 권장, 치료 필요하면 ABVD

(5) nodular lymphocyte predominant HL (NLPHL)의 치료

- early stage ⇨ involved-field RTx (30~36 Gy) only
- advanced stage 및 stage Ⅱ에서 B-Sx or extensive abdomen dz.
  ⇨ CTx. : ABVD보다는 R-CHOP 사용 (∵ CD20+)
- classic HL보다 치료에 대한 반응 및 예후는 좀 더 좋음 (장기 생존율↑)

6. 예후

- localized HL은 90% 이상 완치(cure) 가능
- ABVD 2회 치료 이후에 반응 정도가 예후에 중요 (histologic subtype은 덜 중요함)
- 기타 poor Px factors ; 연령 ≥45~50세, 남성, 전신증상(B Sx) 존재, ESR↑, 침범된 림프절 수 ≥3~4개, large mediastinal mass (>10 cm or 33.3%), MC (mixed cellularity) or LD (lymphocyte-depleted) 조직형 등

International Prognostic Score (IPS) - advanced HL	
나쁜 예후인자 (risk factors)	1. Stage Ⅳ
	2. 남성
	3. Age ≥45세
	4. Hb <10.5 g/dL
	5. WBC ≥15,000/μL
	6. Lymphocyte <800/μL or <6%
	7. Serum albumin <4 g/dL

Risk factors 수	빈도 (%)	5년 후 PFS (%)	5년 후 OS (%)
0	8	88	98
1	26	84	97
2	26	80	91
3	21	74	88
4	12	67	85
5~7	7	62	67

* 대부분 완치/장기생존이 가능함에 따라, 치료에 의한 **지연부작용**이 더 문제 (10~15년 이후)
  - 이차종양과 심장질환이 가장 심각함
  - 폐암 ; m/c 이차종양, 주로 흉부 RTx.에 의해 발생 (→ 금연 필수)
  - 유방암 ; 젊은 여성이 흉부 or 액와절 RTx. 받은 경우
  - 심장질환(CAD) ; 일반인에 비해 사망률 3배↑, thoracic/mediastinal RTx. (>30 Gy)와 관련
  - cervical RTx. → carotid AS & stroke
  - hypothyroidism ; thoracic/cervical RTx. 이후 흔함(>50%) → 정기적으로 TSH F/U
  - Lhermitte's syndrome ; 흉부 RTx. 이후 ~15%에서 발생
    ↳ 목을 구부리면 척추/사지에 감전 비슷한 감각이 발생하는 것
  - AML ; CTx.에 의해 발생, 특히 alkylating agents의 누적 용량에 비례
    - alkylating agents가 포함된 MOPP, BEACOPP 이후 흔함
    - 발생↑ ; 불응/재발로 CTx. 반복, 고령(>60세)
  - infertility ; alkylating agents (ABVD에서는 매우 드묾) or 생식기관의 RTx.에 의해 발생
    ↳ 거의 모든 남성이 영구 무정자증 됨, 여성은 젊을수록 회복도 가능함
    → 임신 계획이 있으면 치료 전 정자나 난자를 미리 보관

MEMO

8 형질세포 종양 (Plasma cell neoplasms)

* 정의 : B-cells 분화 단계의 마지막인 plasma cells의 clonal expansion에 의해 monoclonal Ig (M-protein or paraprotein)이 분비되는 질환 ("monoclonal gammopathy")

Plasma cell neoplasms의 분류 (WHO, 2016)
Monoclonal gammopathy of undetermined significance (MGUS)
IgM MGUS (대부분 lymphoid/lymphoplasmacytic), non-IgM MGUS (대부분 plasma cell)
Plasma cell myeloma
Variants; Asymptomatic (smoldering) myeloma, Non-secretory myeloma, Plasma cell leukemia
Plasmacytoma
Solitary plasmacytoma of bone, Extraosseous (extramedullary) plasmacytoma
Monoclonal immunoglobulin deposition diseases
Primary amyloidosis, Systemic light and heavy chain deposition diseases
Osteosclerotic myeloma ; POEMS syndrome, TEMPI syndrome (provisional)

Plasma cell neoplasms의 진단기준 (IMWG, International Myeloma Working Group)	
Non-IgM MGUS* (모두 만족)	Serum M-protein <3 g/dL BM clonal plasma cells <10% Myeloma 관련 장기/조직손상(CRAB**) 또는 증상은 없음
IgM MGUS (모두 만족)	Serum M-protein <3 g/dL BM lymphoplasmacytic infiltration <10% Lymphoproliferative d/o.관련 증상 없음 (e.g., 빈혈, 전신증상, hyperviscosity, lymphadenopathy, or hepatosplenomegaly)
Smoldering (asymptomatic) MM (모두 만족)	Serum M-protein (IgG or IgA) >3 g/dL, or urine M-protein ≥500 mg/24hr and/or BM clonal plasma cells 10~60% Myeloma 관련 장기/조직손상(CRAB) 또는 증상은 없음
MM	→ 뒷부분 참조
Light-chain MGUS (모두 만족)	FLC level↑ & abnormal ratio (kappa↑& >1.65 or lambda↑ & <0.26) IFE (immunofixation EP)에서 heavy-chain (-) urine M-protein <500 mg/24hr, BM clonal plasma cells <10% Myeloma 관련 장기/조직손상(CRAB) 또는 증상은 없음
Solitary plasmacytoma (모두 만족)	조직검사에서 뼈/연조직의 clonal plasma cells 침윤 BM 정상 (clonal plasma cells 無) 영상검사에서 다른 뼈와 척추/골반은 정상 (primary solitary lesion은 제외하고) Myeloma 관련 장기/조직손상(CRAB) 또는 증상은 없음
Solitary plasmacytoma with minimal marrow involvement	Solitary plasmacytoma와 동일하면서 BM clonal plasma cells 침윤(<10%)만 차이

c.f.) 대부분의 림프계 종양은 WHO 분류/기준을 따르지만, 형질세포관련 종양은 IMWG 기준을 사용함

* MGUS : Monoclonal gammopathy of undetermined significance
** CRAB : HyperCalcemia, Renal insufficiency, Anemia, Bone lesions ★
이외에도 hyperviscosity, amyloidosis, recurrent infections 등을 MM의 주요 증상으로 봄

형질세포골수종(Plasma cell myeloma) [= 다발골수종 (Multiple myeloma, MM)]

Criteria for Diagnosis of Myeloma (IMWG, 2014) ★

1. BM clonal plasma cells ≥10% *or* biopsy-proven bony or extramedullary plasmacytoma
&
2. Myeloma-defining events (아래 중 1개 이상)
■ End-organ damage 증거 (CRAB)
- HyperCalcemia : serum calcium >11 mg/dL
- Renal insufficiency : C_{Cr} <40 mL/min or serum Cr >2 mg/dL
- Anemia : 정상하한치보다 2 g/dL 이상 낮음
- Bone lesions : 영상검사에서 1개 이상의 osteolytic lesion
■ Biomarkers of malignancy (아래 중 1개 이상)
- BM clonal plasma cells >60%
- serum Free Light Chain (FLC) ratio ≥100
- MRI에서 focal lesion (≥5 mm) 2개 이상 (bone & BM)

1. 개요

- 정의 : 단일 클론(single clone) plasma cells의 종양성 증식으로 주로 골수와 뼈를 침범하고 monoclonal gammopathy를 나타내는 질환 (spleen, LNs, 위장관 림프조직 등의 침범은 드묾)
- 고령에서 발생 증가 (평균 68세), 남>여, 흑인>백인
- 비교적 흔한 hematologic malignancy (전체 혈액종양의 10~15% 차지)
  c.f.) 국내 혈액종양의 빈도 : NHL > AML > MM(최근 증가 추세) > ALL ...
- 원인 (잘 모름) : 대부분에서 뚜렷한 원인은 확인 안됨
  - chronic antigenic stimulation (감염, 만성질환)
  - 방사선(원폭), 농약, 살충제, 산림업, 금속관련업, 벤젠, 석유제품, 약제 등에의 노출
  - 흡연, 음주와는 큰 관련 없음

2. 임상양상/병태생리

: 초기에는 대개 무증상이며, 질병이 진행될수록 증상 및 합병증 발생 (진행은 느린 편)

(1) bone destruction

- bone pain (70%, m/c Sx)
  - 주로 척추, 늑골, 골반 등을 침범 (e.g., 허리 통증)
  - 움직이면 악화, 누워도 아픔 (밤에는 악화되지 않음) (c.f., metastatic ca. : 밤에 악화됨)
- osteoporosis, pathologic fracture 등을 대부분 동반

- osteolytic lesions → hypercalcemia (진단시 28%에서 발견)
- 기전 : myeloma cells에서 OAF (osteoclast activating factor) 분비 → osteoclast 활성화
  - 촉진 ; IL-1, lymphotoxin, VEGF, RANK ligand, MIP-1α, TNF
  - 억제 ; glucocorticoid, IFN-α
- osteoblastic new bone formation은 드묾 (∵ myeloma cells에서 분비된 dickhoff-1_{DKK-1}에 의해 억제)

(2) 감염 호발

- 환자의 1/4은 진단시 관찰되며, 3/4은 병의 경과중 심각한 감염 발생
- 폐렴 및 신우신염(pyelonephritis)이 흔함
- 흔한 원인균
  - 폐렴 ; *S. pneumoniae, S. aureus, K. pneumoniae*
  - 신우신염 ; *E. coli* 등의 G(-) 균
- 원인 ① diffuse hypogammaglobulinemia (M component를 빼면)
  : 정상 Ab 생산↓ (plasma cells 기능↓) 및 말초에서 파괴 증가 때문
  ② neutropenia & neutrophil의 기능 이상
  ③ CD4+ cell 기능 저하, complement 기능 이상 등
  ④ CTx. (e.g., steroid)에 의한 면역억제 효과

(3) 신기능 장애 (20~50%) : Cr↑

- 흔한 원인 ; hypercalcemia (m/c), light chain cast nephropathy (myeloma kidney)
- 기타 원인 ; hyperuricemia (urate nephropathy), light chain (AL) amyloidosis (10~15%에서), light chain deposition dz., cryoglobulinemia, myeloma cells의 신장 침윤, pyelonephritis 등의 감염, 약물(e.g., NSAIDs, iodinated contrast dye, bisphosphonate) 등
- 과도하게 생산된 light chains의 통과/재흡수에 의한 tubular damage는 대부분에서 존재함
  → adult Fanconi syndrome (type 2 proximal RTA)이 초기 증상
- MM 환자는 특히 탈수시 ARF 발생 위험이 증가되므로 주의
- 단백뇨의 대부분은 light chains임 (Bence Jones proteinuria, dipstick test는 음성)

(4) 혈액학적 이상

- 빈혈 (~80%에서 동반) ; 대개 normocytic normochromic
  - 원인 ; 종양세포의 BM 침윤, 종양세포에서 생성된 인자에 의한 조혈 장애, 신장에서 EPO 생산 감소, RBC 수명 감소, mild hemolysis, blood loss (IDA)
  - 약 9%에서는 folate or vitamin B_{12} 결핍에의한 macrocytosis (MCV >100 fL)도 동반
- granulocytopenia (~20%)와 thrombocytopenia (~5%)는 드묾!
- 출혈 경향 - 원인
  ① 혈소판 기능장애 (∵ M compenent가 혈소판을 coating)
  ② M component와 응고인자(Ⅰ, Ⅱ, Ⅴ, Ⅶ, Ⅷ)와의 상호작용
- DVT ; thalidomide (or lenalidomide)와 dexamethasone 병용시 발생 가능

(5) 신경학적 증상, 기타

- hypercalcemia → lethargy, weakness, depression, confusion, stupor
- bony damage & collapse → spinal cord compression, radicular pain, 위장관/방광 조절 장애
- Raynaud 현상 및 순환장애 (∵ M 단백에 의한 cryoglobulin 형성 및 hyperviscosity 때문)

- hyperviscosity syndrome ; headache, fatigue, visual disturbance, retinopathy ...
  - IgM (1/2 이상에서), IgG3, IgA subclass에서 흔함, 출혈도 동반 가능
  - ┌ relative serum viscosity 5~6 이상에서 발생 (정상: 1.8)
  - └ IgM 4 g/dL, IgG3 5 g/dL, IgA 7 g/dL 이상에 해당
  - Waldenström's macroglobulinemia에 비해서는 드묾 (<10%)
- 말초 신경의 amyloid 침윤 → carpal tunnel syndrome, other neuropathies
- 체중감소 (24%에서) ; 이 중 약 1/2은 9 kg 이상 감소

3. 검사소견/진단

* classic triad ; lytic bone lesions, serum and/or urine M protein, BM plasmacytosis

(1) PB/PBS

- normocytic normochromic anemia (WBC & platelet count는 대개 정상임!)
- RBC : rouleaux formation (>50%에서) → multiple myeloma에 매우 특징적인 소견!
- plasma(cytoid) cells (드묾) : RBC의 2~3배 크기, eccentric nucleus, perinuclear halo

(2) BM aspiration & biopsy

- plasma cell infiltration (5~100%) : 대부분 10% 이상, focal > diffuse pattern
  → 보통 aspiration보다는 biopsy에서 높게 나옴 (높은 쪽의 %를 진단 기준으로 사용함)
- clonal plasma cells … immunophenotyping (aspiration은 FCM, biopsy면 IHC)
  - CD38(+), CD138(+), CD19(−), CD45(−), CD56(±), MUM1/IRF4(+), cytoplasmic Ig(+)
  - surface Ig : κ/λ (kappa/lambda) restriction ⇨ clonal κ (>4:1) or λ (<1:2) 확인
- BM plasma cells을 이용한 세포유전검사 → 예후 평가 및 치료방침 결정에 중요
  ; interphase FISH (m/c), cytoplasmic Ig enhanced FISH, NGS (RNAseq) 등

(3) M (monoclonal) 단백의 검출 ★

- serum & urine PEP (protein electroporesis) → M band (component, spike) 봄
  ; Ig (M 단백) 양이 500 mg/dL 이상 되어야 검출 가능 (→ 약 10^9 cells에 해당)
- IFE (immunofixation EP) ; M band의 종류 확인, 고해상도 EP로 150 mg/dL까지 검출 가능
- M (myeloma) component
  - 종류 ; IgG 52% (m/c), IgA 21%, IgD 2%, biclonal 2%, IgM 0.5%,
    16~20%는 light chain only (Bence Jones proteinuria)
  - serum M component를 가진 환자의 2/3는 urine light chains도 가짐
- light chains
  - 종류 ; κ 65%, λ 35% (예후는 λ가 훨씬 나쁨)
  - serum EP나 urine dipstick test로는 진단 어려움, Bence Jones protein test도 50%는 위음성
  - 24hr urine PEP & IFE도 sensitivity 낮음
  - 혈청 유리형 경쇄(serum free light chain, sFLC) 정량검사
    ; 1.0 mg/dL 미만까지 검출 가능, 자동화장비로 검사 간편함, κ/λ ratio도 측정 가능,
    조기 진단 및 치료경과 monitoring에 유용, Bence Jones protein test를 거의 대치 가능

• PEP/IFE에서 M band가 없는 경우 (MM의 1~3%) → free light chain assay가 유용
① light chain myeloma ② IgD myeloma
③ nonsecretory myeloma ④ solitary bone plasmacytoma, extramedullary plasmacytoma

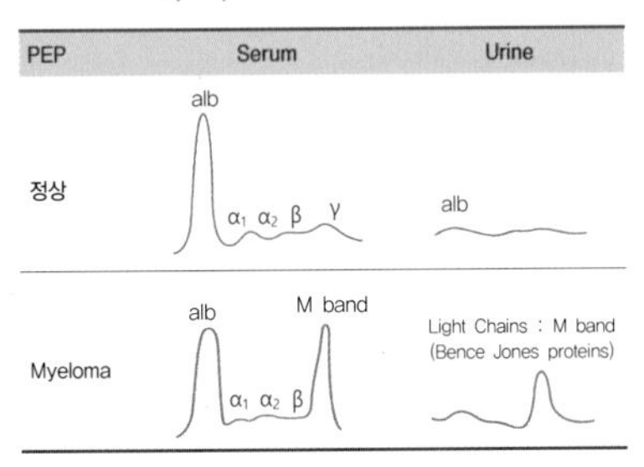

* IgD myeloma
- IgG와 IgA에 비해 M-protein 양이 적고, λ-type의 Bence Jones proteinuria가 흔함
- amyloidosis와 extramedullary plasmacytoma가 더 흔함
- 수명은 다른 형태의 myeloma에 비해 대개 짧음

(4) 영상검사

• bone X-ray
① multiple punched-out osteolytic lesions (주로 axial skeleton에서)
- skull (lateral), ribs, spine, proximal long bone
- bone mass의 30% 이상이 감소해야 osteolytic lesion으로 발견됨
(→ bone destruction의 말기 단계)
② generalized osteoporosis (diffuse osteopenia) : 골밀도 검사도 반드시 시행해야 됨
• CT : 다른 악성종양과 달리 red marrow space를 침범
• MRI : X-ray보다 훨씬 초기에 골병변(intramedullary focal tumor) 발견 가능
• PET : bone 및 extramedullary (e.g., liver, spleen) lesions 발견 가능
→ lymphoma에서처럼 치료반응 판정 및 F/U에 유용

* bone scan은 bone lesions 발견에 도움 안 됨!
(∵ osteolytic lesions으로 osteoblastic activity가 없으므로)
* 정맥신우조영술(IVP)은 신부전을 유발할 수 있으므로 금기!

(5) 기타

• ESR ↑
• serum calcium, BUN, Cr, uric acid ↑
• total protein ↑ (∵ globulin 증가) ⇨ <u>A/G ratio 역전!</u> … 대개 MM을 처음 의심하게 되는 단서!
• <u>β_2-microglobulin</u> → single most powerful Px. factor (staging을 대신할 수도 있음)
• ALP는 대개 정상 (∵ osteoblastic activity는 없으므로)

4. 예후 평가(staging)

- International Staging System (ISS)
  : serum β_2-microglobulin & albumin levels에 따른 분류

Stage	β_2-microglobulin (mg/L, ㎍/mL)		Albumin (g/dL)	빈도 (%)	평균생존기간 (개월)
Ⅰ	<3.5	&	≥3.5	28	62
Ⅱ	Ⅰ or Ⅲ에 해당되지 않는 경우			39	44
Ⅲ	>5.5		Any	33	29

- Revised International Staging System (R-ISS) ★

R-ISS stage	ISS stage		염색체 이상		serum LDH	빈도(%)	PFS(月)	Median OS(月)
Ⅰ	Ⅰ	&	Standard-risk	&	<UNL	28	66	not reached
Ⅱ	Ⅰ or Ⅲ에 해당되지 않는 경우					62	42	83
Ⅲ	Ⅲ	&	High-risk*	*or*	>UNL	10	29	43

	Standard-risk	High-risk*
Karyotyping	정상	비정상
FISH (권장)	t(11;14) t(6;14) Del(13) Trisomies	Del(17p) or 17p13 deletion t(4;14) t(14;16) t(14;20) Gain 1q or 1q34 amplification

Conventional Karyotyping
: MM cells은 증식력이 낮아 어려움
→ 20~30%에서만 이상 발견
(c.f., plasma cell leukemia에서는 68%)

*약 20% (예상 수명 2~3년)

- 기타 예후가 나쁜 경우 ; age ≥70세, poor performance status (3~4), serum albumin <3 g/dL, serum β_2-microglobulin↑ (m/i), Cr ≥2 mg/dL, calcium >11 mg/dL, Hb <10 g/dL, thrombocytopenia, IgG level >7 g/dL (IgA >5 g/dL, urine light chain >12 g/day), BM plasma cells >50%, PB에 plasma cells 존재, plasmablastic morphology, λ light chain, LDH↑, plasma cell labeling index ≥1%, thymidine kinase↑, IL-6↑, 3개 이상의 lytic bone lesions, extramedullary dz. 등

5. 치료

(1) 개요 및 골수종 치료제

- 진행이 느리고 증상(e.g., CRAB)이 없는 환자는 치료 안하고 경과관찰!
  (∵ 조기에 치료해도 이득이 없고, 진행된 뒤에 치료해도 생존율은 비슷함)
- 치료의 대상 : 진행이 빠르거나(e.g., serum M protein↑) 증상이 발생했을 때
  ⇨ 우선 이식(ASCT)에 적합한지에 따라 치료방침 결정 ★
    : 65~70세 이하, good performance status, 동반질환이 없거나 미미하면 ASCT 시행
- 약 50%는 initial therapy로 ASCT 대상군이 되고, 약 50%는 비대상군이 되어 CTx.를 받게 됨
- 치료에 잘 반응하는 것은 bone pain, hypercalcemia, anemia 등의 증상 호전
  - M protein 감소는 증상 호전보다 훨씬 나중에 발생 (대개 4~6주)
  - urine light chain excretion은 치료 1주 이내에 감소

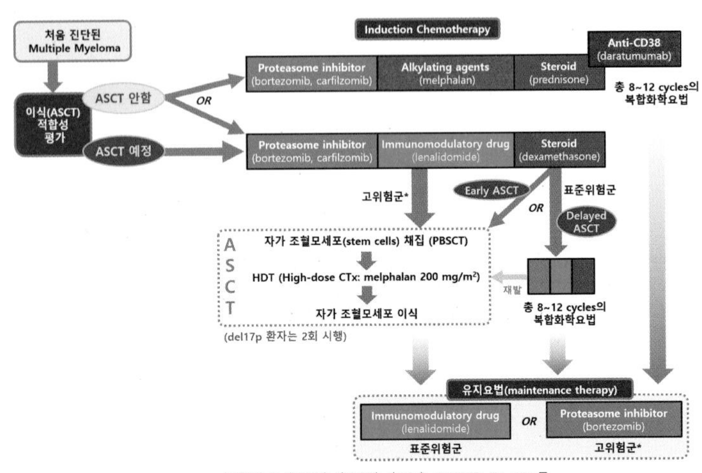

*고위험군; t(14;16), t(14;20), t(4;14), de17p13, 1q gain 등

Myeloma 치료제의 분류 및 약자 ★	
Immunomodulatory agents	Thalidomide (T), Lenalidomide (Revlimid®), Pomalidomide (P)
Proteasome inhibitor	Bortezomib (Velcade®), Carfilzomib (Kyprolis®), Ixazomib (I), marizomib
Antibodies	Daratumumab (Da), Elotuzumab (E)
Histone deacetylase inhibitor	Panobinostat (Pa)
Alkylating agents	Melphalan (M), Cyclophosphamide (C), Bendamustine (B)
Anthracycline	Doxorubicin (Adriamycin®)
Steroid	Dexamethasone (D), Prednisone (P)

- immunomodulatory drugs (IMiDs) ; thalidomide, lenalidomide (Revlimid®), pomalidomide
  - 기전은 아직 정확히 모름 (골수종세포, 골수미세환경, 혈관형성 등 억제)
  - Cx ; cytopenias, VTE (venous thromboembolism), SPM (2ndary primary malignancy) 등
  - IMiDs 사용시 VTE 예방을 위한 thromboprophylaxis 권장됨
    - 저위험군 (VTE의 다른 위험인자 無) → aspirin
    - 고위험군 (VET 위험인자 有 or 고용량 병합요법) → LMWH or warfarin (INR 2~3 유지)
- proteasome inhibitor ; bortezomib (Velcade®), carfilzomib (Kyprolis®), ixazomib, marizomib
  - 기전 ; proteasomes (세포 내부의 단백질 분해효소) 억제 ···→ 골수종세포의 apoptosis↑
    (bortezomib → 26S / carfilzomib & ixazomib → β5 / marizomib → 20S subunit 억제)
  - 단독으로는 효과가 적어 병합요법으로 사용, 대부분 내성 발생이 문제

- carfilzomib (2세대) : bortezomib보다 더 효과적이고 PN은 적으나, 심혈관계 Cx↑ 위험
- ixazomib (Ninlaro®) : oral proteasome inhibitor

• monoclonal antibodies : 역시 단독으로는 효과가 적어 병합요법으로 사용
  ① daratumumab (Darzalex®) : CD38에 대한 monoclonal Ab, 다른 제제와 병합시 효과↑↑
  ② elotuzumab (Empliciti®) : SLAMF7 (CD319)에 대한 monoclonal Ab
• panobinostat (Farydak®) : histone deacetylase (HDAC) inhibitor, 2015년 R/R MM에 허가

(2) ASCT 비대상자 : induction chemotherapy

• MP regimen (과거의 표준) : Melphalan (L-PAM: L-phenylalanine mustard) + Prednisone
- steroid의 작용 기전 : plasma cells의 apoptosis 유도
- 관해 50~60% (but, CR은 2~4% 뿐), 평균생존기간 28개월, 5YSR <30% (→ 거의 안씀)

• new agents와의 병합요법 (3제 이상 권장) : 기존 MP regimen보다 치료 반응↑ & 생존율↑
- VMP (bortezomib [Velcade®] + MP) : CR ~30% → 얼마전 표준 (이제는 D-VMP 선호)
- D-VMP (daratumumab + VMP) : VMP보다 훨씬 좋음 (CR ~50%, PFS↑, 사망률 ½↓), MRD-negativity도 VMP는 1.7%, D-VMP는 6.3%로 3배 이상 효과적임
- VRD (bortezomib + lenalidomide + dexamethasone) … 나중에 이식(ASCT)도 가능
- KRd (carfilzomib [Kyprolis®] + Rd), D-KRd, VRD + ixazomib 등등

* 2제요법 : Rd (lenalidomide [Revlimid®] + low-dose dexa.), D-Rd (daratumumab + Rd)
  ↳ 고령(≥75세) or 허약자에서 고려 ↳ Rd보다 훨씬 효과적

• 이식(ASCT) 예정 환자는 alkylating agents (e.g., melphalan) 금기임! (∵ stem cells 손상)
• 일반적으로 병합요법 8~12 cycles 이후에 유지요법 시행

(3) ASCT자가조혈모세포이식 대상자 : induction CTx. + ASCT (HDT-ASCT)

1. **Induction CTx. (3제 이상 병합요법)** : new agents + steroid (이식 약 4개월 전) → tumor cytoreduction
   - Bortezomib / lenalidomide / dexamethasone (VRD)
   - Bortezomib / cyclophosphamide / dexamethasone (VCD, CyBORD) ; ARF 때 선호, 회복되면 RVD로
   - Bortezomib / doxorubicin / dexamethasone (PAD, VAD)
   - Bortezomib / thalidomide / dexamethasone (VTD)
   - Carfilzomib* / lenalidomide / dexamethasone (KRD) ; VRD보다 좀 더 효과 좋음
   - Ixazomib / lenalidomide / dexamethasone (IRD)
   - Carfilzomib* / cyclophosphamide / lenalidomide / dexamethasone (KCRD) ; 4제요법, 3제보다 효과 좋음
2. **자가 조혈모세포(stem cells) 채집** (PBSCT *or* BMT)
   c.f.) lenalidomide 사용시에는 lenalidomide에 오래 노출되기 전에 stem cells 채집 고려
3. **HDT (High-dose CTx.: melphalan 200 mg/m^2)** *or* lower-dose melphalan + total body RTx.
   (고령, 신부전 등의 고위험군은 melphalan 100~140 mg/m^2)
4. **자가 조혈모세포 이식**

• CTx보다 관해율 및 생존기간 우수함! (CR 약 50%)
• initial or salvage therapy로 모두 유용 (→ 70세 이하면 우선적으로 고려)
• 고령(>65세)이라도 이전 치료기간이 12개월 이하이고 platelet 200,000/μL 이상이면 시행 가능
• C/Ix. ; 초고령(>70~75세), 심폐기능 저하, 간기능 손상, 정신장애 등의 심한 기저질환자
• stem cells collection은 PBSCT가 권장됨 (∵ 간편, engraftment 빠름, 종양세포 오염 적음)

(4) 유지요법(maintenance therapy)

- MRD를 제거하거나 억제하기 위해 장기간 저강도 CTx.를 지속하는 것 → PFS & OS 향상
- immune-modulating drug (e.g., lenalidomide)가 경구로 저용량 장기 복용에 편리함

┌ 표준위험군 ⇨ lenalidomide
└ 고위험군 ⇨ proteasome inhibitor (e.g., bortezomib) ± lenalidomide
(del17p 환자는 VRd or KRd 고려)

(5) 증상 및 합병증에 대한 보존적 치료

- hypercalcemia (bone destruction)
  ① hydration (N/S), diuretics, corticosteroid, calcitonin
  ② bisphosphonate (pamidronate or zoledronate) IV : 모든 환자에게 투여!
    - osteoclastic bone resorption 억제 → pathologic fracture 예방
    - performance status 및 삶의 질 유지 효과
    - antitumor effect도 있음 → sruvival 향상
  ③ anti-RANKL monoclonal Ab (denosumab) → osteoclasts의 분화/활성화 억제
    ; 매우 비쌈, bisphosphonate를 사용 못할 때 대신 투여(e.g., 신부전, 부작용)
  ④ gallium nitrate
  ⑤ 가능한 active하게 활동! (immobilization은 금기!) → osteopenia와 DVT 예방
  * 응급 (Ca^{2+} >12 mg/dL) ; high-dose steroid, calcitonin, mitramycin
- bone pain → 진통제(e.g., AAP, codeine), 반응 없으면 localized RTx.
- extradural plasmacytoma에 의한 척수압박 증상 → RTx. & dexamethasone
- 신기능 악화와 urate nephropathy 예방 → allopurinol, hydration
- ARF → plasmapheresis (light chains 제거에 매우 효과적)
- anemia → transfusion, hematinics (iron, folate, cobalamin), EPO
- hyperviscosity syndrome → plasmapheresis (TOC), hydration
  (packed RBC 수혈시엔 혈액점도가 더 상승하여 증상 악화)
- pneumococcal infection 예방 → vaccine (but, Ab 생성이 없을 수도 있음)
- 심한 감염 반복시 → 예방적 IV γ-globulin 투여
  (예방적 경구 항생제의 장기 사용은 권장 안됨)

6. 예후/경과

- 치료 후 ; light chain 1주일 이내 감소 (∵ 반감기 ~6시간) ⇨ 증상 호전
  (↳ serum FLC이 가장 먼저 감소, urine LC는 신기능의 영향을 받을 수 있음)
  ⇨ serum M protein은 4~6주 이후에 감소 (∵ 반감기 ~3주), 몇 달 지나야 50% 이하로 감소
    ↳ induction Tx. 기간에는 적어도 1달에 1회 이상 M protein monitoring 시행
- 치료의 발전으로 평균 8년 이상 생존, 젊은 환자는 10년 이상
- 치료 안하면 symptomatic MM 환자의 1년 미만 생존
- 급성 말기에 이르기 전까지 대개 2~5년간의 만성적인 경과를 밟음
  (급성 말기 : pancytopenia 및 치료에 불응성을 보임)

• 사망원인
  - 만성기 (46%) ; MM의 진행 (16%), sepsis (14%), 신부전 (10%)
  - 급성 말기 (26%) ; MM의 진행 (13%), sepsis (9%)
  - 약 5%는 therapy-related AML or MDS로 사망
  - 약 1/4은 고령에 따른 동반질환(e.g., 심장/폐질환, DM, stroke)으로 사망

형질세포골수종(다발골수종)의 변형

1. Asymptomatic (smoldering) multiple myeloma

• 다른 MM의 진단기준에 해당하지만 증상(e.g., CRAB)은 없는 것 (BM plasma cells은 10~60%)
• MGUS와 active MM의 중간단계 (Durie-Salmon stage IA에 해당)
• active MM로 진행하는데 평균 26개월 소요
• MM로 진행 위험이 높은 경우
  ; BM plasma cells >10%, serum M protein >3 g/dL, free light chain κ/λ ratio 비정상
• 치료 : F/U (진행하지 않으면 치료 안함)

2. Non-secretory myeloma

• IFE에서 M-protein이 검출 안되는 MM, MM의 약 3% 차지
• 진단 : BM clonal plasma cells ≥10% or plasmacytoma 존재 (immunoperoxidase or immunofluorescence methods로 plasma cells 내에서 cytoplasmic M-protein 확인)
• 치료에 대한 반응이나 수명은 비슷하나, MM보다 신부전 및 hypercalcemia는 드물다

3. Plasma cell leukemia (PCL)

• 정의 : PB에서 clonal plasma cell 증가 (>2000/μL & >20% of WBC)
• 분류
  - primary PCL (60%) : 처음부터 leukemic phase로 발견되었을 때
  - secondary PCL (40%) : multiple myeloma 진단 이후 PCL로 진행되었을 때
• 상대적으로 light chain only, IgD, IgE myeloma에서 흔함
• primary PCL 특징 ; young, hepatosplenomegaly & lymphadenopathy 흔함, high platelet count, bone lesions 적음, serum M-protein 작음, survival 7~11개월 (secondary PCL은 2~7개월)
• 치료 : 만족스럽지 못하다
  ① primary PCL ; high-dose CTx + HCT, bortezomib-based CTx
  ② secondary PCL : CTx.에 거의 반응 안함 (∵ 이전에 받은 CTx.로 인해서 내성이 생겼음)

4. Solitary bone / extramedullary plasmacytoma

• solitary bone plasmacytoma : MM에 해당하는 BM 소견 & M 단백 없는 single lytic bone lesion
• extramedullary plasmacytoma : MM의 BM 소견 & M 단백 없는 다른 부위의 plasmacytoma

┌ 상기도 (80%) ; 주로 nasal cavity & sinuses, nasopharynx, larynx
└ 기타 ; GI tract, CNS, bladder, thyroid, breast, testes, parotid gland, LN

- 30% 미만에서만 소량의 M-component를 가짐
- MM보다 젊은 연령에서 발병하고, 예후 더 좋다 (평균 생존기간 10년 이상)
- 치료 : local RTx.에 매우 반응 좋다

5. Osteosclerotic myeloma (POEMS syndrome)

- 정의 ; ***P***olyneuropathy, ***O***rganomegaly, ***E***ndocrinopathy, ***M***-protein, ***S***kin changes
- 드묾, 평균 약 50세, 남>여, 예후는 좋음 (평균 약 15년 생존)
- 대부분 소량의 M-protein을 가짐 (IgG λ or IgA λ) : serum은 약 80%, urine은 약 50% 미만
- 임상양상
  ① chronic inflammatory-demyelinating polyneuropathy (주로 motor 장애)
  ② sclerotic bone lesions
  ③ hepatomegaly & lymphadenopathy (2/3에서), splenomegaly (1/3에서)
  ④ hyperprolactinemia, type 2 DM (1/3에서)
  ⑤ amenorrhea, impotence, gynecomastia
  ⑥ 피부 변화 (2/3에서) ; hyperpigmentation, hypertrichosis, thickening, 손/발가락의 clubbing
  ⑦ Hb은 대개 정상 or 증가, thormbocytosis 흔함
  ⑧ BM plasma cells <5%
  ⑨ hypercalcemia와 renal insufficiency는 드물다
- 진단 ┌ osteosclerotic plasmacytoma (monoclonal plasma cells)가 특징적 소견
  └ lymphadenopathy : 약 2/3에서 Castleman's dz.와 비슷한 소견을 보임
- 치료 ┌ limited area (1~3 isolated bone lesions) → RTx.
  └ widespread (BM 침범 포함) → MM과 비슷하게 치료 (e.g., CTx, HDT-ASCT)

MGUS (Monoclonal Gammopathy of Undetermined Significance, 의미불명단클론감마병증)

- multiple myeloma보다 훨씬 흔함, 유병률 1% (>50세) ~10% (>75세), 남>여
- 대부분 무증상으로, 검사 중 우연히 발견됨 (혈청에서 M 단백이 검출된 환자의 50% 이상 차지)
- 진행이 매우 느림, 매년 약 1%만 myeloma를 포함한 B-cell 종양으로 진행
  → 질병 발생의 상대위험도 ; Waldenström's macroglobulinemia 46배, MM 25배, plasmacytoma 8.5배, primary amyloidosis 8.4배, 기타 NHL 2.4배 (CLL의 발생위험은 증가 안함)
- myeloma는 거의 다 MGUS 단계를 거쳐 발병함
- myeloma로 진행할 위험이 높은 경우 (3개 모두 존재시 20년 동안 60%가 MM로 진행, 모두 없으면 5%)
  ① serum M-protein >1.5 g/dL ② non-IgG subtype ③ free light chain κ/λ ratio 비정상
- 수명은 정상인보다 약 2년 짧음
  (1/2은 monoclonal gammopathy가 원인이 되어 사망, 1/2은 다른 원인으로 사망)
- 치료는 필요 없고, F/U이 중요 (보통 6개월마다, 안정적이면 2~3년마다)

Waldenström's macroglobulinemia (WM)

1. 개요

- IgM monoclonal gammopathy & BM 침범을 동반한 lymphoplasmocytic lymphoma
- familial (AD 유전), 고령에서 호발 (평균 64세), 남>여
- BM, LN, spleen 등을 침범
- multiple myeloma와의 차이
  - lymphadenopathy와 hepatosplenomegaly가 흔함
  - lytic bone lesions, hypercalcemia, renal insufficiency, amyloidosis 등은 드묾
  - MM 수준의 현저한 BM plasmacytosis는 없음
  - hyperviscosity syndrome이 주 증상

2. 임상양상

- hyperviscosity syndrome이 주 증상 (e.g., visual difficulty, neurologic Sx.)
- 출혈 경향 (e.g., 점막 출혈), cryoglobulinemia (10%에서 pure M component), Raynaud's phenomenon, purpura, arthralgia 등도 흔함
- Coombs (+) hemolytic anemia와 Rouleaux formation은 MM보다 더 흔함
- IgM M-component >3 g/dL (다른 Ig은 대개 정상/감소)
- urinary light chain은 20%에서만 발견 (80%가 κ) → 신장 합병증 드묾

3. 치료/예후

- 대부분은 진행 느림 → 증상이 없으면 경과관찰
- MM보다 예후 조금 더 좋음 (평균 수명 약 10년)
- poor Px ; age >65세, Hb <10 g/dL, platelet <10만/μL, IgM >7 g/dL, β_2-microglobulin ↑

WM에서 치료의 적응	
전신증상(발열, 발한, 피곤, 체중감소)	증상을 동반한 cryoglobulinemia
Hyperviscosity	Cold agglutinin anemia
크거나(≥5 cm) 증상을 동반한 lymphadenopathy	AIHA and/or ITP
증상을 동반한 간비장종대	WM에 의한 Nephropathy, Amyloidosis
Peripheral neuropathy	Hb <10 g/dL, platelet <10만/μL

- hyperviscosity Sx → plasmapheresis가 가장 효과적 (∵ IgM의 80%는 혈관내에 존재)
- WM의 초치료 (CLL과 비슷)
  - anti-CD20 (e.g., rituximab, ofatumumab)-based regimens 선호
    ; BR (bendamustine + rituximab) or BDR (bortezomib + dexamethasone + rituximab)
  - ibrutinib ($BTK_{Bruton's\ tyrosine\ kinase}$ inhibitor) ± rituximab
    ↳ mutated *MYD88* & wild-type *CXCR4* 환자에서 반응 좋음
  - 기타 ; fludarabine, cladribine, cyclophosphamide, carfilzomib 등

9
지혈 및 응고 장애

개요

1. Physiology

(1) 지혈(hemostasis)의 과정

① vasoconstriction

② platelet adhesion & aggregation (primary hemostasis)
- injury site에서 platelet plug 형성
- injury 발생 수초 내에 발생하며, blood loss를 막는데 가장 중요

③ fibrin formation & stabilization (secondary hemostasis)
- plasma coagulation system의 작용, 몇 분 걸림

(2) 혈소판(platelet)의 역할

① 강력한 vasoconstrictor 분비 : thromboxane A2, serotonin

② 혈관 손상 부위에 adhesion, aggregation & plug 형성
- platelet adhesion → vWF, GP Ⅰb-Ⅸ 필요
- platelet aggregation → fibrinogen, GP Ⅱb-Ⅲa complex 필요

③ coagulation factor가 activation 되기 위한 surface 제공

* 혈관에 부착(adhesion)된 platelet은 ADP, serotonin, Ca^{2+}, vWF, fibronectin 등을 분비

* platelet aggregation을 촉진하는 인자
  ① collagen, ADP, epinephrine, serotonin → platelet activation
  ② PGG_2 ; ADP-induced aggregation에 필요
  ③ thromboxane A_2 ; further platelet activation (fibrinolysis에 저항성↑)
  ④ 혈관확장물질 (EDRF, nitric oxide) 감소
  (c.f., aspirin → PG, thromboxane A_2 합성을 억제)

* platelet membrane glycoprotein (GP)
  ① GP Ⅱb-Ⅲa (CD41/CD61) ; fibrinogen receptor, 거핵세포계에만 존재
  ② GP Ⅰb-Ⅸ (CD42b/42a) ; vWF receptor, 거핵세포계에만 존재
  ③ GP Ⅰa-Ⅱa ; collagen receptor, 여러 세포에 존재

(3) 혈관내피(vascular endothelium)의 역할

- 정상 상태의 endothelial cells은 혈관이완/수축, 혈소판억제/활성화, 혈전형성억제/촉진 기능들이 서로 평형을 이루고 있음 (→ 여러 세포와 혈장이 잘 흐르도록 혈관벽을 매끄럽게 유지)
- endothelial cells에서 표현/분비되는 억제/촉진 인자들의 예

	억제	촉진/활성화
혈관수축	heparan sulfate nitric oxide (NO)	endothelin, PDGF basic fibroblast growth factor insulin-like growth factor I
혈소판	prostacyclin, EDRF, ADPase, t-PA, NO	vWF, endothelin
응고(혈전형성)	heparan sulfate, dermatan sulfate thrombomodulin	tissue factor (thromboplastin)

- 혈관벽(endothelium)에 손상이 발생하면 혈관수축, 혈소판활성화, 혈전형성 촉진 인자들의 분비↑

(4) blood coagulation (3 key reactions)

① factor X의 활성화

- extrinsic pathway : 혈관손상으로 내피세포가 파괴되면 tissue factor (III)가 유리
  → factor VII 활성화 → VIIa-TF complex가 factor X를 활성화시킴
- intrinsic pathway : plasma의 "contact factor" (XII, PK, HMWK) 활성화
  → factor IX 활성화 → IXa-VIIIa complex가 factor X를 활성화시킴

- common pathway : factor X 활성화 이후의 과정

② thrombin (activated factor II)의 생성

- factor V, Ca^{2+}, phospholipid 존재 하에 prothrombin (factor II)으로부터 활성화됨
- master coagulation enzyme
  - fibrinogen을 fibrin으로 전환시킴 (m/i)
  - factor V, VIII, XIII, protein C 등을 활성화
  - platelet aggregation & secretion 촉진
- antithrombin III : m/i coagulation inhibitor

③ fibrin 형성 : fibrin monomer → fibrin polymer → factor XIIIa (plasma transglutaminase)에 의해 cross-link가 형성되어 안정화됨 (fibrin clot)

(5) fibrinolysis

- plasmin이 주관 → fibrin, fibrinogen 분해 (→ FDP 생성)
- 생성되는 FDP는 다시 coagulation을 억제하는 이중 효과를 나타냄
- fibrinolytic system의 activation (plasminogen → plasmin)
  ① tPA (tissue plasminogen activator) : m/i, 주로 endothelial cells에서 생산됨
  ② uPA (urinary plasminogen activator, urokinase)
  ③ 내인성 활성제(contact factors) ; XII, XI, PK, HMWK 등
  (→ 전체 fibrinolytic system의 약 15% 정도에 관여)
- plasmin의 역할 (plasminogen system)
  ① fibrinolysis & fibrinogenolysis → clot 분해, FDP 생성
  ② matrix metalloproteinase (MMP)를 활성화 → extracellular matrix (ECM) 분해

- fibrin(ogen)olysis는 국소적으로 발생하는 이유
  ① tPA (일부 uPA)는 fibrin clot에 흡수된 뒤 plasminogen을 더 효과적으로 활성화시킴
  ② fibrin(ogen)olysis 억제제
    - PAI (plasminogen activator inhibitor)-1 : tPA와 uPA의 일차적 억제제
      (혈중의 PAI-1은 대부분 platelets의 α granules에서 분비됨)
    - α_2-antiplasmin : 혈중 plasmin을 신속히 억제하고, fibrin clot 부위의 plasmin도 억제함
- 임상적 이용
  ① tissue type PA ; fibrin homeostasis에 관여
  ② urokinase type PA ; cell migration과 tissue remodeling에 관여

(6) 지혈억제 작용기전

① antithrombin III (AT III) (m/i) → 최근엔 그냥 antithrombin으로 부름
- 억제작용의 표적 ; thrombin, Xa, IXa, XIIa, XIa, kallikrein ...
- common & intrinsic pathway의 응고인자들을 억제 (예외 ; V, VIII)
- heparin은 AT III의 억제작용을 더욱 크게 강화시킴

② protein C 및 protein S
- vitamin K 의존인자의 일종, thrombin-thrombomodulin complex에 의해 활성화됨
- protein C ⇨ activation되면 protein S와 complex를 이룸
  - AT III가 작용 못하는 factor Va, VIIIa를 불활성화시킴
  - plasminogen activator에 의한 plasmin 활성화도 촉진(→ fibrinolysis)
  - protein C inhibitor에 의해 억제됨
- protein S : protein C의 cofactor

③ α_2-macroglobulin 및 α_1-antitrypsin
- AT III의 보조역할로서 억제작용 기전 중에는 아주 작은 역할에 불과

④ thrombomodulin
- endothelial cells의 transmembrane glycoprotein
- thrombin이 여기에 결합되면 substrate preference가 변화
  - procoagulant 물질 & platelet 활성화 능력은 크게 감소
  - 새롭게 protein C를 활성화

⑤ tissue factor pathway inhibitor (TFPI) : extrinsic pathway (VIIa-TF complex)를 억제

2. 출혈성 질환의 진단적 접근

(1) Hx. & P/Ex.

* 자세한 병력 및 진찰이 출혈 위험성 예측에 가장 중요함
  - Hx ; 출혈병력, 투약병력, 기저질환, 가족력 등
  - P/Ex ; 출혈병변의 양상 (혈소판/혈관 ↔ 응고 장애), LN, 간비장비대 등

	Primary Hemostasis 장애 : 혈소판의 결함	Secondary Hemostasis 장애 : 응고계(혈장 단백)의 결함
출혈 부위	Superficial ; 피부, 점막, 코, 소화기, 비뇨기계 ...	Deep ; 관절, 근육, 후복막 ...
진찰 소견	점(상)출혈(petechia)이 흔함 얼룩출혈/반상출혈(ecchymosis)은 작고 여러개	점(상)출혈은 드묾 반상출혈은 크고 단일 병변 혈종(hematomas), 관절강내/근육내 출혈이 흔함
외상후 출혈 시작 시간	즉시	지연(수시간~수일 뒤)
찰과상에 의한 출혈	다량의 지속적 출혈	소량의 출혈
가족력	드묾 (vWD-AD)	흔함(AR or XR)
치료에 대한 반응	즉시 (국소 처치로 효과적)	지속적인 전신적 치료 필요

(2) bleeding time (BT)

- lancet으로 귀를 찌른 후 피가 멈출 때까지의 시간을 측정 (Duke method)
- platelet의 기능 및 혈관의 integrity를 반영
- 정상치 : 2~7분
- 연장되는 경우
  ① thrombocytopenia (→ PT, aPTT는 정상)
  ② inherited platelet function defect ; Bernard-Soulier syndrome, Glanzmann's thrombasthenia
  ③ acquired platelet function defect ; uremia, paraproteinemia
  ④ inherited plasma defect ; vWD, afibrinogenemia, factor V deficiency
  ⑤ platelet inhibitory drugs ; aspirin, NSAIDs
  ⑥ vascular abnormalities ; Ehlers-Danlos syndrome
  ⑦ Hct <20%
- 혈액응고장애의 경우는 정상임 (∵ BT는 혈액응고가 일어나기 전에 손상된 혈관에 platelet plug가 생겨 일시적인 지혈만 되는 과정까지의 검사)
- sensitivity가 낮고 검사자에 따른 변이 문제로, 대부분 PFA-100(200)을 대신 이용하는 경향임

(3) prothrombin time (PT)

- citrated plasma (3.2% sodium citrate tube)에 complete thromboplastin (tissue factor)과 Ca^{2+}을 넣어 주고 fibrin clot이 생길 때까지의 시간을 측정
- extrinsic & common pathway를 반영 (특히 factor II, VII, X)
  ↳ 반감기 가장 짧음 (약 5시간)
- 정상치 : 11~14초 (60~140%), INR <1.2
- 연장되는 경우

PT만 연장되는 경우 (PTT는 정상)	PT와 PTT가 모두 연장되는 경우
Liver disease Vitamin K deficiency (→ factor II, VII, IX, X) Warfarin therapy Factor VII deficiency	Liver disease (advanced) Vitamin K deficiency (PT가 더 연장됨) DIC Warfarin therapy (PT가 더 연장됨) Heparin therapy (PTT가 더 연장됨) Factor deficiencies (드묾) ; I (fibrinogen), II, V, X

- PT에서의 *INR (International Normalized Ratio)* ; 시약/기기에 따른 변이를 보정하기 위해 고안된 단위로, 경구항응고제 복용 환자에서 PT monitoring에 주로 이용됨
  - 정의 : (환자의 PT / 정상인의 평균 PT)^{ISI}
  - ISI (international sensitivity index) : WHO에서 정한 reference thromboplastin에 대한 실제 사용하는 thromboplastin의 활성도 (1에 가까울수록 표준 시약에 근접한 좋은 시약임)

(4) activated partial thromboplastin time (aPTT)

- citrated plasma에 partial thromboplastin (phospholipid), 활성인자(e.g., kaolin, ellagic acid), Ca^{2+}을 넣어서 factor XI를 인공적으로 활성화시킨 후 fibrin clot이 생길 때까지의 시간을 측정
- 주로 "intrinsic" pathway를 반영 (c.f., common pathway 인자인 I, II, V, X에는 PT가 더 민감)
- 정상치 : 22~38초
- aPTT만 연장되는 경우 (factor VIII, IX, XI, XII 결핍)

Congenital factor deficiencies
Contact factors ; Factor XI, Factor XII, PK, HMWK
Factor IX (hemophilia B)
Factor VIII ; Hemophilia A, von Willebrand's disease (type 2N)
Anticoagulants
Heparin therapy, Lupus anticoagulant (nonspecific inhibitor)
Factor VIII, IX, XI 등에 대한 inhibitors

(5) thrombin time (TT)

- plasma에 thrombin을 넣어주고 fibrin clot이 생길 때까지의 시간을 측정
- 목적 : anticoagulant, fibrinogen의 존재 여부를 봄
- 연장되는 경우 (정상: 10~30초)
  ① fibrinogen deficiency ; DIC, dysfibrinogenemia, 심한 간질환 등
  ② heparin therapy (heparin → thrombin 억제)
  ③ FDP 증가시

* reptilase time : TT와 비슷하나 thrombin 대신 뱀독에서 추출한 reptilase를 사용 (thrombin과 달리 heparin에 의해 억제되지 않음) → TT 연장의 원인으로 heparin을 R/O할 때 이용

(6) 섬유소원 (fibrinogen)

- 희석한 plasma에 과량의 thrombin을 가한 후 calcium을 첨가하여 응고시간을 측정 (fibrinogen의 농도는 응고시간과 반비례)
- 정상치 : 170~400 mg/dL
  - 증가 ; 임신, 염증, 수술후 (acute phase reaction과 관련)
  - 감소 ; DIC, liver dz., fibrinolytic therapy, hereditary hypofibrinogenemia, dysfibrinogenemia (면역학적 검사법으로는 fibrinogen 정상)

(7) fibrinogen degradation product (FDP) 및 D-dimer

- FDP의 정상치 : 4.9 ± 2.8 μg/mL (D-dimer는 검사방법에 따라 다양)
- FDP 및 D-dimer가 증가하는 경우 ; DIC, DVT, pul. embolism, hepatic dz., renal dz., hyperthyroidism, malignancy, leukemia, pregnancy ...
  (DIC 진단에서 FDP 증가는 단지 혈중 plasmin의 존재만을 의미, 역가는 진단에 의미 없음)

	FDP	D-dimer
측정하는 것	fibrinogen과 fibrin의 모든 분해산물	cross-linked fibrin clot의 분해산물만
검체	serum (∵ fibrinogen의 영향 배제 위해)	plasma에서도 측정 가능
혈중상태의 반영	부정확 → 민감도와 특이도가 낮다 (위양성 및 위음성이 많다)	정확 → 특이도 높다 (민감도는 낮을 수 있음)
해석시 주의할 점	음성	양성
	fibrinolysis가 미약한 DIC, 국소적 점막 혈전 용해, D-dimer의 위양성 (e.g., cryoglobulinemia)	
	양성	음성
	감염, 임신, 간질환, FDP의 위양성, D-dimer 검사 한계치 이하의 D-dimer 존재, neutrophil elastase에 의한 분해산물의 증가	

(8) euglobin clot lysis time

- 목적 : fibrinolytic activity의 증가를 확인
- 원리 : plasma 중 euglobin fraction (fibrinogen, plasminogen, PA)을 1% acetic acid로 추출한 뒤 thrombin을 첨가하면 clot이 형성됨
  → 37℃에서 incubation하며 clot lysis될 때까지의 시간을 측정
- 정상 : 2~4시간
- 단축 (fibrinolytic activity 증가) : 2시간 미만
  → DIC, liver dz., 수술, 일부 종양, 생리중 또는 경구 피임약 복용중

(9) mixing test (inhibitor test)

- 목적 : PT/aPTT가 연장된 경우, 원인이 factor deficiency 인지 circulating inhibitors에 의한 것인지 구별하기 위해 가장 먼저 시행!
- 원리 : 환자의 plasma와 정상인의 plasma를 여러 다른 비율로 혼합한 뒤 응고검사 재시행

┌ factor deficiency → coagulation tests 결과가 정상으로 교정됨
　(∵ 정상인의 plasma가 부족한 응고인자를 공급)
└ circulating inhibitor → coagulation tests 결과가 정상으로 교정되지 않음
　(∵ 환자의 circulating inhibitor가 정상인의 응고인자도 억제)
　예) SLE, antiphospholipid Ab., heparin, multiple myeloma, factor Ⅷ Ab

응고검사에 따라 추정되는 응급 출혈성 이상과 치료방법

Platelet	PT	aPTT	BT	질환	치료
N	N	N	N/↑	Vascular disorders	RBC 수혈
↓	N	N	↑	ITP TTP Marrow replacement	Steroids Plasmapheresis Platelet 수혈
N	N	↑	↑↑	von Willebrand's dz.	Desmopressin
			N	Hemophilia (VIII or IX def.)	Factor concentrates
↓	↑	↑	↑	DIC, Liver diseases	FFP, Cryoprecipitate, Platelet 수혈
N	↑↑	↑	N	Warfarin overdose Vitamin K deficiency	Vitamin K + FFP Vitamin K

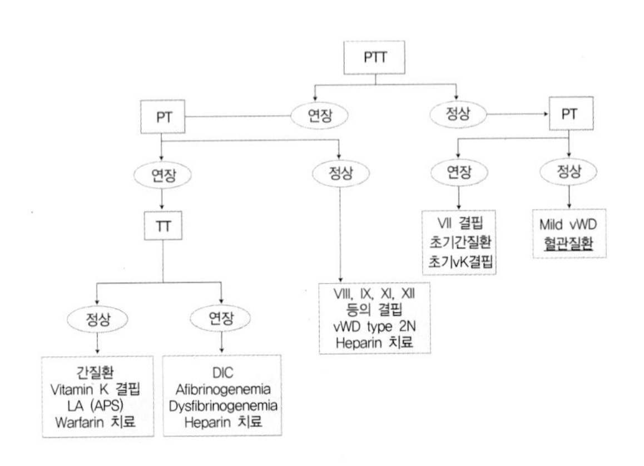

c.f.) Hemostasis에 영향을 미치는 drugs

1 Thrombocytopenia를 일으키는 것

1. Immune mechanism proposed
   Quinine/quinidine , TMP/SMX, Ampicillin, Penicillin, Vancomycin, <u>Acyclovir</u>, <u>Amphotericin B</u>, Rifampin, Thiazide, Furosemide, Acetazolamide, Phenytion, α-Methyldopa, Valproic aicd, Digoxin, Amiodarone <u>AAP</u>, Aspirin, Aminosalicylate, <u>Diclofenac</u>, GP II b/ III a inhibitor (e.g., Abciximab, Eptifibatide, Tirofiban), Heparin, Ranitidine, Cimetidine, Danazol, Procainamide, Carbamazepine, Phenybutazone, Chlorpropamide, <u>Acetaminophen</u>, Octreotide, Tamoxifen, Levamisole, Arsenicals ...
2. Nonimmune mechanisms (hemolytic-uremic syndrome)
   Mitomycin C, Cisplatin, Cyclosporine, Ticlopidine, Clopidogrel
3. 기전을 모르는 것 ; Gold compounds, Indomethacin

2 Platelet function에 영향을 미치는 것

1. Primary antiplatelet agents ; Aspirin, Sulfinpyrazone, Dextran, Ticlopidine
2. BT의 연장도 일으키는 것 ; NSAIDs, β-lactam antibiotics, ε-Aminocaproic acid (>24 g/day), Heparin, Plasminogen activators (streptokinase, urokinase, t-PA)

3 Coagulation factors에 영향을 미치는 것

1. 억제기능을 가진 Ab 생산을 유도
   Lupus anticoagulant ; Phenothiazines, Procainamide
   Factor VIII antibodies ; Penicillin
   Factor V antibodies ; Aminoglycosides
   Fator XIII antibodies ; Isoniazid
2. Vitamin K-dependent clotting factors의 합성 억제 (Factors II, VII, IX, X, proteins C and S)
   Coumarin compounds (Warfarin), Moxalactam
3. Fibrinogen synthesis 억제 ; L-Asparaginase

혈관 장애

1. **Hereditary**
   Hereditary hemorrhagic telangiectasia (HHT, Osler-Weber-Rendu disease)
   Cavernous hemangioma
   Connective tissue disorders ; Marfan's syndrome, Ehlers-Danlos syndrome, Osteogenesis imperfecta, Pseudoxanthoma elasticum
2. **Infection** ; Bacterial, Viral, Richettsial
3. **Allergic** ; Henoch-Schönlein purpura, Drugs, Food
4. **Monoclonal gammopathy** ; Waldenström's macroglobulinemia, Myeloma, Amyloidosis, Cryoglobulinemia
5. **Atrophic** ; Senile purpura, Cushing's syndrome & steroid therapy, Scurvy (vitamin C deficiency)
6. **기타** ; Simple easy bruising, Factitious, Fat embolism, Autoerythrocyte sensitization

• BT, PT, PTT, platelet count 등 응고검사는 대개 정상임

* MAHA & thrombocytopenia (thrombotic microangiopathy) → 2장 용혈성 빈혈 편 참조

혈소판 장애

* platelet count (정상 : 140,000~430,000/μL)

1. >50,000/μL : 대부분 무증상, severe trauma 시 정상인보다 BT 연장 가능
2. 20,000~50,000 /μL : minor trauma시에도 bleeding이 발생하나 spontaneous bleeding은 드묾, easy bruising 발생 가능
3. <20,000 /μL : spontaneous bleeding 발생 가능, petechiae & dry purpura
4. <10,000 /μL : severe bleeding 발생 가능, wet purpura
5. <5,000 /μL : 뇌출혈 등 심각한 내부 장기의 출혈 위험 높음

* platelet의 평균 수명 : 7~10일 (약 2/3는 혈중에, 1/3은 spleen에 존재)

혈소판 기능장애의 원인

Inherited disorders	
기전	예
Platelet adhesion의 장애	
Defects of adhesive proteins	von Willebrand disease
Defects of adhesion receptors	Bernard-Soulier syndrome (Gp Ib/IX defect) Platelet-type von Willebrand disease Glycoprotein (Gp) Ia or Gp VI (deficiency)
Platelet aggregation의 장애	
Deficiency of the ligand (fibrinogen)	Afibrinogenemia
Defects of the receptor (Gp IIb-IIIa)	
Defects of Gp IIb-IIIa quantity or quality	Glanzmann thrombasthenia and variants
Defects of Gp IIb-IIIa activation	Platelet activation defects; Bartter's syndrome
Storage pool defects	Storage pool disease; gray platelet syndrome
Platelet procoagulant activity의 장애	Scott's syndrome

Acquired disorders
Drugs
NSAIDs, aspirin (cyclooxygenase 억제)
β-Lactam antibiotics (platelet coating)
ADP-receptor antagnonists; Ticlopidine, Clopidogrel
Glycoprotein IIb/IIIa receptor antagonists; Abciximab, Eptifibatide, Tirofiban ...
Miscellaneous drugs
Systmic Conditions
CRF, hepatic failure
Cardiopulmonary bypass
Antiplatelet antibodies
DIC
Hematologic Diseases
AML, MDS, MPN
Multiple myeloma & other B-cell neoplasms (paraprotein → platelet coating)
Antiplatelet antibodies

1. Thrombocytopenia의 원인

• 정의 : platelet count <14만/μL (140×10^9/L)

Ⅰ. 혈소판 생성의 감소
- (1) Hematopoietic stem cells의 hypoplasia
  - Aplastic anemia
  - Drugs, chemicals, ionizing radiation, alcohol, infection 등에 의한 BM damage
  - Congenital & hereditary thrombocytopenias
    - Thrombocytopenia with absent radii syndrome
    - Wiskott-Aldrich syndrome
    - May-Hegglin anomaly
- (2) BM의 침윤(replacement)
  - Leukemias
  - Metastatic tumor (prostate, breast, lymphoma)
  - Myelofibrosis
- (3) Ineffective thrombocytopoiesis (megakaryocytes 수는 증가/정상)
  - Cobalamin or folate deficiency
  - Hematopoietic dysplastic syndromes ; MDS

II. 혈소판 파괴의 증가
- (1) Immune disorders
  - Idiopathic immune thrombocytopenic purpura (ITP)
  - 2ndary ITP ; Cancer (CLL, lymphoma 등), Systemic autoimmune disorders (SLE; polyarteritis nodosa), Infection (infectious mononucleosis, CMV, HIV, *H. pylori* 등), Drugs (quinine/quinidine, rifampin, TMP-SMX, danazol, methylodopa, AAP, digoxin, heparin 등 → 앞의 표 참조)
- (2) Nonimmune disorders
  - DIC, Cavernous hemangioma, TTP, HUS, Sepsis, Malaria, PNH, Vasculitis, 청색증형 선천성 심장병, 인공 심장판막, 인공 혈관, 급성 신이식 거부반응

III. Sequestration (distribution 장애)
- Hypersplenism : Congestive splenomegaly
- Liver diseases (portal HTN), Storage diseases, Tumors

IV. Dilutional
- Massive transfusion

• m/c 원인은 바이러스 및 세균 감염 - 여러 기전이 관여 ; 생산↓, 수명↓, 면역(e.g., 소아의 ITP)

■ Pseudothrombocytopenia

- EDTA, heparin 등의 항응고제 사용시 일부에서 platelet clumping이 발생하여 실제보다 platelet count가 낮게 측정되는 것 ⇨ PBS로 확인
- 조치 : sodium citrate tube에 채혈하여 재검 (but, 재검해도 계속 낮게 측정되는 경우가 많음), 경과관찰 (∵ in vitro 현상이고, 체내에서 문제되는 것은 아님)

■ Heparin-induced thrombocytopenia (HIT)

- heparin 투여 환자의 10~15%에서 발생 (LMWH보다 UFH에서 5~10배 더 호발)
- 발생기전 : heparin-PF4 (platelet factor 4) complex에 대한 Ab (anti-heparin/PF4)가 생성되고 이 Ab가 FcγRIIa receptor를 통해 platelets, monocytes, endothelial cells 등을 활성화시킴
- anti-heparin/PF4 Ab ; titer는 HIT의 severity와 비례, heparin 노출 뒤 약 100일까지 존재
- 대부분 heparin 투여 후 5~14일 째 발생
  - early-onset HIT (<5일) : anti-heparin/PF4 Ab가 이미 존재시
  - delayed-onset HIT (>14일) : 드묾
- intravascular platelet aggregation, paradoxical thrombosis (white clot syndrome, 치명적) 등을 일으킬 수 있음 (출혈은 드묾!)
- 보통 thrombocytopenia는 심하지 않은 편임 (20,000/μL 이하는 드묾)
- 진단 : 대개 임상양상으로 진단, 의심 환자는 영상검사도 권장 (최소한 하지 duplex Doppler)
- anti-heparin/PF4의 검사
  ① ELISA ; sensitivity & specificity 낮음, 양성이라도 HIT 임상양상 없는 경우 많음
  (IgG-specific ELISA : specificity ↑, sensitivity ↓)
  ② paltelet activation study ; specificity ↑, sensitivity ↓
- 치료 ; 즉시 heparin을 중단하고 다른 항응고제를 사용 (혈소판 수혈은 금기)
  ① direct thrombin inhibitors (DTI) 선호 ; argatroban, lepirudin, bivalirudin
  ② indirect Xa inhibitor ; fondaparinux, danaparoid
  ③ thrombosis 존재시 → warfarin으로 전환 (보통 3~6개월간 치료 필요)
  - thrombosis가 없더라도 발생 위험이 높으므로 항응고제는 반드시 사용
  - LMWH은 금기 (∵ anti-heparin/PF4는 LMWH와도 교차반응)
  - warfarin : thrombosis 위험을 증가시킬 수 있으므로 (∵ clotting activation, protein C/S ↓) 반드시 DTI or indirect Xa inhibitor와 병용

2. 특발성/면역성 저혈소판자반병 (Idiopathic ITP [immune thrombocytopenic purpura])

(1) 개요

- 정의 : 임상적으로 뚜렷한 원인이 없는 isolated ITP (c.f., 원인이 있으면 2ndary ITP)
- autoimmune 기전 : platelets에 autoantibody (대개 IgG)가 결합
  → macrophage의 Fc receptor에 결합되어 파괴 (주로 spleen에서)
  → platelets의 수명이 2-3일~수분으로 감소됨
- 자가면역질환과 관련이 많다

	Acute ITP	Chronic ITP
연령	소아 (2~6세에 호발)	성인 (20~50세에 호발)
성비	남 = 여	남 : 여 = 1 : 3~4
선행질환	상기도감염(viral infection) 1~3주 뒤	대부분 없음
혈소판감소 기간	6개월 이내 (보통 2~6주)	6개월 이상 (~수년) 지속
혈소판감소 정도	심함 (<20,000/μL)	30,000~80,000/μL
경과	대부분(80~90%) 자연회복!!	호전/악화 반복, 자연회복 드묾(10%)

(2) 임상양상

- easy bruising, mucocutaneous bleeding, 드물게 CNS 출혈도 발생 가능
  - dry purpura ; 점출혈(petechiae), 반상출혈(ecchymosis) 등의 피하 출혈
  - wet purpura ; 잇몸의 oozing, 구강내 blood blisters, 비출혈, 혈뇨, 월경과다 등의 점막 출혈
    - ↳ thrombocytopenia가 심할 때 더 잘 발생 → 심각한 출혈 위험↑
- no splenomegaly (만약 splenomegaly 있으면 다른 dz. 먼저 고려), no lymphadenopathy
- 출혈로 인한 사망은 드묾 (소아는 1% 내외에서 발병 1~2주 이내에 CNS 출혈로 사망 가능)

(3) 검사소견

- platelet count↓ / Hb, WBC는 대개 정상
- BT 연장 / 응고검사(PT, PTT 등)는 모두 정상!
- 반복되는 출혈이 동반되면 IDA도 발생 가능
- ITP의 10%에서 autoimmune hemolytic anemia도 동반 (Evans' syndrome)

(4) 진단

: thrombocytopenia를 일으키는 다른 질환, 약물 등을 R/O 한 뒤 진단

① PBS (말초혈액도말검사) → 가장 먼저 확인!
- platelet : 크기 정상 or 약간 증가 (현저한 giant platelet은 드묾)
- RBC, WBC는 정상 (반복된 출혈로 인한 mild anemia 동반 가능)
- pseudothrombocytopenia, MAHA (TMA) 등을 R/O

② BM study
- primary hematologic disorders (e.g., AA, leukemia, MDS)를 R/O 하기위해 시행
- Ix ; 60세 이상, 다른 혈액 질환이 의심되는 소견 존재(e.g., CBC 이상), 치료에 반응×
- megakaryocytes의 수 : 증가~정상 (증가되면 ITP일 가능성 높아짐)

③ antiplatelet Ab
- ITP 진단에 큰 도움은 안됨!, thrombocytopenia의 severity와는 무관
- platelet-associated IgG (PAIgG) : 혈소판에 부착된 Ab
  - sensitivity는 높지만 (95%), specificity가 낮다 (50%)
  - 사실상 거의 모든 원인의 thrombocytopenia에서도 증가 가능
- platelet glycoprotien (GP)에 대한 serum Ab
  - GP Ia, GP IIb-IIIa, GP Ib-IX 등에 대한 Ab
  - PAIgG보다 sensitivity가 낮지만, specificity는 높음(~90%)
  - 임신/분만시에 태아에게 넘어가 태아에서도 ITP 발생 가능

④ SLE 등 자가면역질환 R/O (∵ SLE 초기에 thrombocytopenia만 발생 가능) ; ANA, anti-ENA
⑤ hypogammaglobulinemia, monoclonal gammopathy 등 R/O ; serum Ig level, PEP
⑥ hepatic/splenic enlargement, lymphadenopathy, atypical lymphocytosis 등이 있으면
→ 혈청검사로 viral hepatitis, CMV, EBV, toxoplasma, HIV, HFRS 등을 R/O
⑦ anemia 동반시 → Coombs' test로 AIHA 동반 여부 R/O

* 소아에서는 antiplatelet Ab와 BM study가 거의 필요 없음

(5) 치료

- platelet 30,000/μL 이상이면 자연 출혈 가능성은 거의 없음! → 사망률 증가×
- 일반적인 치료의 적응 (적응 아니면 일단은 경과관찰!)
  - platelet ≤20,000/μL or platelet ≤30,000/μL & 출혈 지속
  - 심각한 출혈 발생 위험 (wet purpura, 망막 출혈)
  - 6개월 이상 지속시 : chronic ITP (platelet ≤20,000/μL or ≤50,000/μL & 점막출혈 동반)

① high-dose **steroid** (prednisone) : TOC
- 80%에서 platelet count 정상화, 출혈경향은 치료 시작 1일 내에 회복 (∵ vascular integrity↑)
- 기전 (1) macrophage가 platelet을 phagocytosis하는 것을 억제
  (2) Ab 생산 억제 및 Ab가 platelet에 결합하는 것을 억제
  (3) platelet 생산 촉진
- 끊으면 대부분 재발 → platelet count 유지 위한 용량을 찾아야
- 치료실패의 정의 : 4주 뒤에도 platelet count <50,000/μL
- severe ITP ± bleeding Sx → 입원 & 병합요법 : steroid + IVIG, anti-RhD, rituximab 등

② high-dose IV γ-globulin (**IVIG**, IVIgG)
- 90%에서 반응, 가장 작용이 빠르나(1~3일) 효과가 일시적이고(1~2주), 비쌈
- Ix : platelet count를 빨리 올려야 할 때 (e.g., active bleeding, major surgery, delivery)
- 기전 : macrophage Fc receptor를 block하여 phagocytosis 억제, complement 활성 물질 제거, anti-inflammatory cytokines 유도, anti-idiotypic Ab 제공 (pathogenic autoAb 중화), T & B-cells의 활성화 및 기능 억제 ...

③ anit-D [anti-Rh(D), RhoGAM]
- Rh(D) 양성 환자에서 IVIG 대신 사용 가능, 작용 빠르고 효과적이나 일시적임
- 기전 : anti-D-coated RBCs가 spleen의 macrophage Fc receptors를 포화시켜 platelet 수명↑
- 일부 AIHA 부작용 발생, splenectomy 환자에서는 효과 없음

④ splenectomy
- Ix : steroid에 반응이 없거나 의존적인 경우(과량 or 장기간 필요)
  ⇨ 일부는 자연관해도 가능하므로, anti-D or IVIG 등으로 조절하면서 F/U하다가
  ITP 진단 6~12개월 이후에 시행 고려 (c.f., 시행 전 예방접종 등의 조치 필요)
- spleen은 platelet 파괴가 일어나는 주 RES이고, Ab도 주로 spleen에서 생성되므로 매우 효과적
- 1~2주 내에 혈소판수 상승 시작, chronic ITP의 85%가 반응 (60~70%는 관해 장기 유지)
- splenectomy 후 반응이 없거나 재발한 경우는 residual spleen (특히 accessory spleen) 의심
  → radionuclide spleen scan 시행 (c.f., 간에서도 platelet 파괴가 일어날 수 있음) or
  PB smear 시행 (spleen이 완전히 제거된 환자에서는 Howell-Jolly body가 관찰됨)

⑤ refractory ITP : 위의 치료들에도 반응이 없거나, 금방 재발하는 경우
- rituximab (anti-CD20 Ab) : antiplatelet Ab를 생산하는 B cells을 제거, 장기간 효과적
- thrombopoietin receptor agonists [TPO-RAs] (romiplostim, eltrombopag) ; 비쌈, 다른 모든 치료에 반응 없는 chronic ITP에서 고려 (특히 splenectomy 금기시)
- immunosuppressive agents ; azathioprine, cyclophosphamide, vincristine, vinblastine
- 기타 ; Danazole, pulsed high-dose dexamethasone, INF-α ...

⑥ platelet transfusion : 거의 사용 안 한다!
- exogenous platelet은 수명이 짧아 대부분 몇 시간 내에 파괴됨
- life-threatening bleeding (e.g., 뇌출혈)시엔 응급으로 사용할 수 있음

3. 이차성(secondary) ITP

- 자가면역질환(특히 SLE), CLL, 감염(e.g., HIV, HCV), 약물 등이 흔한 원인
- 대개 thrombocytopenia가 심하지는 않음 (기저 질환 먼저 치료 고려), 심하면 ITP처럼 치료

4. 임신과 ITP

(1) 임신 중 발생하는 thrombocytopenia의 원인

① gestational thrombocytopenia (m/c)
② pregnancy-induced HTN
③ HELLP syndrome (Hemolysis, Elevated Liver function test, Low Platelet count)
④ ITP ; 비교적 드물다

(2) gestational thrombocytopenia

- 특이한 증상이 없는 mild thrombocytopenia, 분만 후 자연 회복됨
- 임신 전에는 thrombocytopenia가 없었고, 임신 후반기에 발생
- 태아의 thrombocytopenia와는 관련 없음
- ITP와의 D/Dx
  ① 임신전 thrombocytopenia의 유무가 중요 or
  ② platelet count
    - 5만 이하 → ITP
    - 7만 이상 → gestational thrombocytopenia

(3) ITP

① 임신 중에 처음으로 ITP가 발생한 경우
→ 신생아에서 serious bleeding이 발생할 위험은 적다

② 임신 전부터 ITP가 있었던 경우
→ 신생아의 20%에서 severe thrombocytopenia 발생
(intraventricular hemorohage, GI bleeding → death)
→ ITP의 Tx. (일반적인 ITP에 비해 치료기준을 높게 정함)
+ C/S (신생아의 뇌출혈 위험을 감소시키기 위해)

5. von Willebrand's disease (vWD)

(1) 개요

- m/c 유전성 출혈질환 : 선별검사 상 약 1% (but, symptomatic vWD의 유병률은 약 0.01% 뿐)
- 다양한 발현을 나타내는 복잡한 질환, 대부분 AD 유전 (type 2N과 3은 AR 유전), 남≒여
- platelet adhesion의 장애 (platelet aggregation은 정상)
- vWF (factor VIII-related Ag)의 기능
  : vascular endothelial cell과 megakaryocyte/platelet에서 합성됨 (→ multimer)
  ① platelet과 subendothelium의 adhesion을 매개 (접착제 역할) : large vWF multimer가 관여
     (vWF → platelet의 GP Ib receptor와 결합)
  ② factor VIII과 결합하여, VIII의 분해 방지 & carrier 역할
     (vWF 결핍시 factor VIII도 결핍되어 응고장애가 발생할 수 있으나, 심한 경우는 드묾)

(2) 분류(subtypes)

- **type 1** (classic vWD) : m/c (70~80%), vWF가 경도~중등도로 감소
- **type 2A** : 2nd m/c (15~20%), vWF의 기능장애 (multimer의 감소)
  - ADAMTS13에 의한 large vWF 분해 증가 or 세포에서 large vWF 분비 감소 때문
- **type 2B** : vWF의 기능장애 (vWF가 platelet GP Ib receptor에 과도하게 결합되어 함께 RES에 의해 제거됨 → plasma vWF↓, platelet도 감소 가능)
- **type 2M** : platelet과 결합하는 vWF의 기능장애 (multimur는 존재함)
- **type 2N** : platelet adhesion은 정상이나, factor VIII와의 결합력 감소 ⇨ factor VIII level↓ (혈우병 A와 비슷한 양상을 보임), AR 유전 ("autosomal hemophilia")
  → 혈우병으로 오진 가능, 혈우병 의심 환자에서 가족력이 애매하면 반드시 vWD 2N을 R/O
- **type 3** (severe vWD) : vWF 거의 없음 (대개 <10%), factor VIII도 크게 감소되어 심부 출혈 증상도 보임, AR 유전 (대개 부모가 모두 무증상 mild type 1 vWD)

* pseudo-vWD (platelet-type vWD) : platelet membrane의 이상 (GP Ib/IX mutation)으로 vWF가 과도하게 platelet에 결합 → plasma vWF↓ (type 2B vWD와 임상양상은 비슷함)

(3) 임상양상

- 대부분 mild ; 평상시에는 문제없다가, 수술/발치/외상 이후에 출혈 발생
- mucocutaneous bleeding (e.g., epistaxis, gum bleeding, menorrhagia), easy bruising
- 심한 경우 ; spontaneous bleeding, GI bleeding, genitourinary bleeding ...
  (type 3 vWD에서는 hemarthrosis, muscle hematoma 등의 심부 출혈도 발생 가능)
- 특징적으로, 임신이나 estrogen 복용시 bleeding 감소
- aspirin, NSAIDs 복용시 출혈 증상 악화됨

(4) 검사소견/진단

① BT ↑ (BT 정상인 경우는 aspirin 투여하면 BT ↑), PT는 정상
  * but, BT는 sensitivity와 재현성이 낮아, 최근에는 PFA-100(200) 같은 혈소판기능검사기가 screening에 주로 이용됨 (type 2N을 제외한 vWD에서 closure time 연장됨)

② vWF:Ag ↓

- anti-vWF Ab를 이용한 EIA 방법으로 vWF를 정량 측정
- vWF Ag level은 변동이 심하고, 다른 인자의 영향을 많이 받음
  - ↑ ; endothelial injury, Valsalva maneuver, inflammation, AB/A/B형 혈액형, aging, estrogen, pregnancy
  - ↓ ; O형 혈액형 (약 25% 낮음), hypothyroidism ...

③ vWF의 biologic activity ↓

- ristocetin cofactor activity (vWF:RCo), collagen binding activity (vWF:CB) 등
- vWF:RCo를 선호, 치료 효과를 추적하기 위한 검사로도 이용됨
- vWF:Ag level의 영향을 받을 수 있으며, mild vWD에서는 정상일 수 있음
- vWF:RCo/vWF:Ag ratio : 정상(0.7~1.2)이면 type 1, 감소되면(<0.7) type 2

④ 혈소판응집검사(platelet aggregation test)

- standard agonist (ADP, collagen, thrombin, Epi.) 투여 → 정상 (응집)
- ristocetin 투여 (RIPA : ristocetin-induced platelet aggregation) → 비정상 (응집×), type 2B에서는 low-dose에서 GP Ib에 대한 affinity ↑ (type 2B 진단에 유용)

⑤ factor Ⅷ:C level ↓ (→ 25% 미만으로 감소시 aPTT도 ↑) : 심한 경우 및 type 2N에서

⑥ vWF multimer analysis (EP) : subtype 분류에 유용 (e.g., 2A, 2B, 2M)

⑦ factor Ⅷ binding assay (vWF:FⅧB) : vWF의 exogenous factor Ⅷ 결합능 검사

⑧ vWF 유전자검사 : PCR or sequencing

* platelet의 수와 모양은 정상! (type 2B에서는 platelet 감소 가능)

von Willebrand's disease의 분류 및 검사소견

vWF EP

	BT	aPTT	vWF:Ag	vWF:RCo	Factor VIII Activity	vWF Multimer Pattern (EP)
Type 1	↑	N~↑	↓	↓	N~↓	N
Type 2A	↑	N~↑	↓	↓↓	N~↓	high & inter ↓
Type 2B	↑	N~↑	↓	↓↓	N~↓	high ↓
Type 2M	↑	N~↑	↓	↓↓	N~↓	N
Type 2N	N~↑	↑↑	N~↓	N~↓	↓↓	N
Type 3	↑↑	↑↑	0	0	0	0
Pseudo-vWD	↑↑	N~↑	↓~N	↓~N	↓~N	high ↓
Hemophilia A	N	↑↑	N	N	↓↓	N

* vWF:RCo ; ristocetin cofactor activity

(5) 치료

* 대부분 mild → 치료 필요 없다

* Ix.
- surgery, dental procedure, major trauma
- severe epistaxis, severe menorrhagia, recurrent GI bleeding

① **desmopressin** (DDAVP: deamino-D-arginine-vasopressin)
- mild type 1 vWD에서 TOC (IV or nasal spray)
- 기전 : endothelial cells에 저장되어 있던 vWF & factor VIII의 분비 촉진
- type 2와 3에서는 효과 없음, 특히 type 2B에서는 금기 (∵ vWF multimer ↑↑ → intravascular platelet aggregation → thrombocytopenia 발생 위험)
- 일부 type 2A와 2M 환자에는 minor procedure 전에 사용 가능

② vWF multimer가 포함된 factor VIII concentrate (Humate-P®, Alfanate®)
- 순도가 높고 virus 제거 처리가 된 것을 사용, 매우 효과적
- Ix ; 증상이 있는 type 3 vWD, DDAVP에 반응이 없는 severe type 1 or 2 vWD, major procedure 전

③ cryoprecipitate
: factor VIII과 vWF가 풍부하지만, virus 전염의 잠재적 위험 때문에 처리되지 않은 형태로는 더 이상 사용하지 않음

④ platelet 수혈
- platelets에서도 vWF의 약 15% 정도가 생산됨
- 다른 치료에 반응이 없는 일부 vWD 환자에서 도움 가능

⑤ antifibrinolytic agent
- EACA (ε-aminocaproic acid), tranexamic acid
- DDAVP와 병용시 mucosal bleeding 예방/치료에 특히 효과적 (e.g., dental procedure 때 보조적으로 사용, 발치 뒤 재출혈 예방, 월경과다, tonsillectomy, prostate procedure)
- 상부 요로 출혈시에는 금기 (∵ 요로 폐쇄 유발 위험)

⑥ menorrhagia → hormonal suppression (경구피임약)

Acquired vWD (AvWD)

- 일부에서 후천적으로 vWD 발생 가능

Acquired vWD를 일으킬 수 있는 질환
1. Lymphoproliferative d/o (48%) ; lymphoma, CLL, MGUS, MM
2. Cardiovascular d/o (21%) ; AS, LVAD, HOCM, PDA, MV stenosis ...
3. Myeloproliferative neoplasm (15%) ; ET, PV
4. Other neoplastic (5%)
5. Autoimmune d/o (2%) ; SLE, MCTD, GVHD
6. Thyroid d/o 2%
7. Drug effect

- 기전 (다양)
  ① anti-vWF Ab 생산 (lymphoproliferative d/o, Autoimmune d/o)
  ② 종양세포의 vWF 흡착 (ET 등의 MPN)
  ③ high sheer stress에 의한 vWF multimers의 분해↑ (심혈관질환)
  ④ vWF 합성↓ (갑상선질환)
- 치료 : 원인 질환의 치료 및 기전에 따라 DDAVP, EACA, 보충요법 등

6. Platelet membrane receptors의 장애

* 모두 AR 유전, 심한 지혈장애, 반복되는 점막 출혈 등이 특징

(1) Bernard-Soulier syndrome

- 원인 : GP Ib-IX complex (vWF의 receptor) deficiency
  → vWF 결합 장애 → platelet adhesion 안됨 → BT ↑↑
- PB : "giant" platelet, mild thrombocytopenia
- platelet aggregation test
  - ristocetin 투여시 → 비정상 (응집×), 정상 혈장 추가해도 교정 안됨
  - ristocetin 이외의 모든 agonists → 정상 반응 (응집)
- 치료 : platelet transfusion, antifibrinolytic agent (DDAVP도 효과적일 수 있음)

(2) Glanzmann's thrombasthenia

- 원인 : GP IIb-IIIa complex (fibrinogen의 receptor) deficiency
  → fibrinogen의 결합 장애 → platelet aggregation 안됨 → BT ↑↑
- platelet aggregation test
  - ristocetin 투여시 → 정상 (응집)
  - ristocetin 이외의 모든 agonists 에는 비정상 (응집×) (∵ fibrinogen을 필요로 함)
- 치료 : platelet transfusion, antifibrinolytic agent (DDAVP는 대부분 효과 없음)

혈액응고장애 및 혈전증

1. 혈우병(hemophilia) A : classic hemophilia

(1) 개요

- factor VIII deficiency : factor VIII coagulant activity (VIII:C) 감소
  (⇨ intrinsic pathway만 이상 → aPTT ↑)
- Xq28의 *F8* gene의 다양한 mutations이 원인
- **XR 유전** → 대부분 남자에서만 발병 (X^HY), 여성은 대부분 보인자(XX^H)
  - 여성 보인자 ; VIII level 보통 40~60%, 약 28%는 mild hemophilia 가능 (VIII level 5~40%)
  - 여성 hemophilia 발병 기전 ; homozygous mutation (X^HX^H, 대개는 태아 때 사망), X 염색체의 치우친 불활성화(lyonization), X/O 핵형(Tuner syndrome), X/상염색체 전위
- 약 30%는 가족력이 없음 (sporadic) → 대부분 엄마가 de novo mutation carrier
- vWD 다음으로 흔한 유전성 출혈 질환 ; 약 1/12,000 male (hemophilia B보다 약 6배 많음)
- 분류(severity)
  - severe (약 60%) : factor VIII level <1% (< 0.01 IU/mL)
  - moderate : factor VIII level 1~5% (0.01~0.05 IU/mL)
  - mild : factor VIII level 6~30% (c.f., 정상 hemostasis에는 25% 이상 필요)

(2) 임상양상

- 혈관절증(hemarthrosis)이 혈우병의 특징임 (m/c)
  - weight-bearing joints ; ankle, knee, hip, elbow ...
  - 급성이면 통증도 동반, 반복되면 osteoarthitis도 일으킬 수 있음
- 피하 또는 근육내 hematoma (→ 말단에 발생되면 compartment syndrome도 유발 가능)
- GI bleeding, hematuria, epistaxis
- mild~moderate 경우는 외상, 수술, 발치 뒤에 대량의 출혈 발생
- CNS, 구인두, 후복막 등의 출혈은 치명적임 (→ 즉시 치료 필요)
- neurologic Cx. ; CNS 출혈, peripheral neuropathy (∵ hematoma에 눌려)

* 검사소견
  - mild : aPTT 만 약간 연장됨 (다른 검사는 모두 정상)
  - severe : aPTT (2~3배 연장) 및 전혈응고시간(WBCT) 연장

* 확진 : factor VIII:C 정량 검사

(3) 예방치료

① factor VIII

> (1) Factor VIII concentrates ; 헌혈자들의 혈장에서 추출 (mAb로 정제), virus 전파 위험
> (2) Recombinant human factor VIII ; 동물/사람 세포의 유전자재조합으로 제조, 좋지만 비쌈
> (3) Long-acting recombinant factor VIII ; 반감기 1.5~1.8배↑(→ 투여 빈도↓) → 삶의 질↑, 순응도↑, 필요시 치료 수준을 높이는 데도 효과적, 항체 형성도 적음
> 예) Factor VIII-Fc fusion, Factor VIII-PEGylated, Single chain factor VIII
> (4) Recombinant porcine (pig) factor VIII ; factor VIII에 대한 자가항체 치료용으로만 사용

- factor VIII 1 unit/kg → factor VIII level 2%↑ (1 unit : normal plasma 1 mL에 함유된 양을 의미)
- factor VIII 제제의 표준 반감기는 8~12시간이므로 치료 수준 유지 위해서는 하루 2회 투여
- 단점 ; inhibitors (autoAb) 발생 위험, vWF와의 상호작용으로 반감기 향상에 한계

② emicizumab (Hemlibra®)

- factor IXa와 X에 동시에 결합하는 bispecific mAb로 체내에서 factor VIII의 역할을 대신함
- 혈우병 A(2018년) 및 inhibitors (autoAb) 동반 혈우병 A(2017년) 환자에 사용 허가됨(FDA)
- 연간 출혈(annualized bleeding) 감소에 매우 효과적, 1~2주마다 1회 SC 투여로 매우 편함
- 급성 출혈 치료에는 못씀 (∵ 적정 치료수준 상승까지 loading doses 필요)

③ cryoprecipitate (fibrinogen, VIII, XIII, vWF 등을 많이 함유)

- 1 bag (60 mL) = factor VIII 약 80~100 units 함유
- 혈액전파성 감염 위험 → 응급 상황 같이 응고인자농축제제가 없을 때에만 사용
  (c.f., cryoprecipitate도 없다면 할 수 없이 FFP)

④ desmopressin (DDAVP) ; mild hemophilia A에서만 factor VIII level을 일시적으로 증가시킴 (투여 30~60분 뒤 최대 효과)

⑤ antifibrinolytic agent (EACA, tranexamic acid) ; 위장관출혈, 치과치료 등 때 보조적으로 사용

* aspirin 이나 NSAID는 금기 (→ AAP, codeine 등으로 사용)

(4) 치료목표

① uncomplicated soft tissue bleeding or early hemarthrosis
  → factor VIII level을 처음엔 30~50%, 그 뒤 2~3일간 15~25%로 유지

② extensive hemarthrosis or retroperitoneal bleeding
→ 처음엔 50% 이상, 그 뒤 3일 이상은 25~50%로 유지
③ life-threatening bleeding (e.g., 뇌출혈), major surgery, trauma
→ 지혈 될 때까지 100% 이상, 그 뒤 7~10일 동안은 50~100%로 유지

(5) 합병증

① factor VIII inhibitors 발생 (주로 IgG_4 Ab)
② 혈장제제로 인한 HCV or HIV 감염 (최근엔 거의 없음)
③ IDA : 심한 경우는 드물다 (∵ 대부분 internal bleeding → iron 재이용)
④ mild Coombs(+) hemolytic anemia
⑤ progressive joint deformity, muscle atrophy ...

2. Factor VIII antibodies

- factor VIII 투여 받은 hemophilia A 환자의 약 20~30%에서 발생, 노출 초기에 호발
  - 위험인자 ; 더 많은 양에 노출된 심한 환자에서 주로 발생(>80%), 가족력, 흑인, mutations
  - 혈장제제보다 유전자재조합제제(recombinant factor) 사용시 좀 더 많이 발생함
- factor VIII:C level↓ → aPTT↑
- 진단
  ① mixing test : 정상 혈장과 혼합해도 응고이상 교정 안됨
  ② factor Ⅷ 투여로 예상된 만큼의 factor Ⅷ:C level의 상승이 없을 때
  ③ Ab의 정량 → Bethesda unit (BU)로 표시 (1 BU = 응고인자 activity를 1/2로 떨어뜨리는 수치)
- low-titer VIII inhibitors (≤5 BU)의 치료 ⇨ high-dose human factor VIII (50~100 U/kg)
- high-titer VIII inhibitors (≥6 BU)의 치료
  ① porcine factor VIII concentrate (∵ inhibitors의 영향 안 받음)
  ② bypass 제제 : inhibitor에 의해 차단된 응고경로를 우회함
    - prothrombin complex concentrate (PCC) : 활성화된 응고인자들을 함유
    - recombinant factor VIIa : factor X를 직접 활성화시킴
  ③ immune tolerance induction (ITI) : inhibitor 자체를 없애는 데는 가장 확실 (성공률 30~80%)
    - 고비용, 심하거나 다른 치료에 반응이 없을 때 고려
    - ITI와 함께 rituximab (anti-CD20) 병용시 더 효과적

■ Acquired hemophilia (Acquired autoantibody inhibitors to factor Ⅷ)

- 증상 없던 사람에서 factor Ⅷ에 대한 자가항체가 발생한 것, 매우 드묾, 대부분 고령, 남=여
- 원인 (약 1/2은 모름) ; 자가면역질환, 혈액/비혈액 악성종양, 약물, 임신 ..
- 이전에 출혈 병력이 없다가 spontaneous bruising, soft tissue bleeding 발생
  - congenital hemophilia와는 달리 hemarthrosis는 드묾
  - 진단과 치료의 지연으로 인해 congenital hemophilia보다 심한 출혈 발생이 흔함
- aPTT만 연장, mixing test에서 교정됨(→ 37℃에서 incubation하면 aPTT 다시 연장됨)
- 진단 ; Bethesda assay로 FⅧ autoAb 정량, ELISA 등
  (c.f., congenital hemophilia의 FⅧ alloAb는 oligoclonal ↔ acquired FⅧ autoAb는 polyclonal)

- 치료
  ① 출혈의 조절
    - 경미한 출혈 ⇨ antifibrinolytic agent (ε-aminocaproic acid), desmopressin (DDAVP)
    - 심한 출혈, low-titer (<5 BU) FVIII Ab ⇨ recombinant human factor VIII
    - 심한 출혈, high-titer (≥5 BU) FVIII Ab ⇨ PCC or high-dose factor VIII
  ② FVIII autoAb의 제거 (면역억제제) ; steroid, cyclophosphamide, rituximab (anti-CD20), high-dose IVIG, cyclosporine, cladribine 등 (but, 중단시 재발 흔함 ~20%)
  ③ 면역억제제에 반응이 없으면 plasmapheresis or extracorporeal immunoadsorption 고려
- 예후 ; 사망률 15~25% (congenital hemophilia 환자의 FVIII alloAb보다 매우 높음)

3. 혈우병(hemophilia) B : christmas disease

- factor IX 결핍, XR 유전 → 남자에서만 발생 (1/30,000 male), hemophilia A보다 드묾 (약 1/6)
- 임상양상 : hemophilia A와 같다 (e.g., aPTT만 연장)
- 치료 (factor IX level을 15~30%로 유지하는 것이 적절)
  ① factor IX : moderate~severe deficiency때 사용
    - factor VIII와 다른 점
      (1) volume of distribution이 크다 → 더 많은 양(2배)을 투여해야 됨 (factor IX 1 unit/kg → factor IX level 1% 상승)
      (2) factor IX의 반감기는 18~24시간 → 치료 수준 유지 위해서는 하루 1회 투여
    - factor IX inhibitors는 약 1.5~3%에서만 발생 (factor VIII보다 훨씬 적음)
    - 종류 ; plasma-derived factor IX concentrates, recombinant factor IX (m/c), long-acting recombinant factor IX (반감기 5배↑) 등
  ② prothrombin complex concentrate (PCC)
    - 6개의 vitamin K-dependent factors (II, VII, IX, X, protein C, S)의 mixture
    - 소량의 activated coagulation factors 함유 → thrombosis & embolism↑ 위험 (heparin을 같이 투여하기도 하지만, 일부에서는 FFP를 더 권장)
    - hepatitis, HIV 등의 전염 위험 ↑
  ③ fresh-frozen plasma (FFP) : mild~moderate 때 사용
    - 보조적으로 EACA도 사용 가능 (mucosal bleeding이나 치과 수술시)

* desmopressin은 효과 없다, cryoprecipitate는 안 씀 (∵ 효과↓, 전염위험↑)

4. Vitamin K deficiency

(1) vitamin K

- 지용성(fat-soluble) vitamin으로 K_1, K_2 두가지 형태, 간에 저장됨 (소량)

	Vitamin K_1 (phylloquinone)	Vitamin K_2 (menaquinone)
공급원	녹황색 채소	장내 혐기성 세균이 합성
흡수부위	소장 (십이지장, 공장)	대장
흡수방법	능동흡수 (흡수에 담즙 필요!)	수동적 확산
결핍요인	편식, 흡수장애	항생제 사용

- 2~3개월 vitamin K_1이 결핍된 식사를 해도 K_2 때문에 vitamin K 의존 응고인자의 수치만 약간 낮아질 뿐, 출혈경향은 보이지 않음
- hemostasis에 중요 ⇨ "vitamin K-dependent factors"
  ; factor II (prothrombin), VII, IX, X, protein C, S의 cofactor
  (vitamin K가 glutamic residue를 γ-carboxyglutamic acid로 전환시켜야 활성화됨)
- 정상 level 유지에는 recycling이 중요 (→ 성인에서 섭취 부족만으로 심한 결핍은 드묾)

(2) 원인

① 섭취 부족 (e.g., uremia, malignancy, surgery) → 대개 다른 원인이 동반되어야 결핍 증상 발생
② 흡수장애 : 대개 지방 흡수부전에 동반되어 발생
  예) obstructive jaundice (→ bile acid↓), pancreatic insufficiency, short bowel syndrome
③ 간세포질환에 의한 저장량 감소
④ 광범위 항생제 (→ bacterial flora 감소) c.f.) cephalosporin은 warfarin과 비슷한 작용도 가짐
⑤ coumarin anticoagulants (warfarin, 쥐약) : vitamin K antagonist
⑥ neonatal vitamin K deficiency (hemorrhagic disease of newborn)

(3) 검사소견

- factor II, VII, IX, X, protein C, S 등 감소
  (반감기가 짧은 factor VII, protein C가 제일 먼저 감소됨)
- aPTT보다 PT가 훨씬 더 연장됨 (특징!)
- mild vitamin K deficiency : factor VII이 빨리 감소 → PT만 연장됨!

┌ 환자의 혈장을 정상 혈장과 혼합한 뒤 PT 재검하면 (mixing test) 정상화됨
└ vitamin K 투여하면 12~24시간 내에 PT 정상화됨

(4) 치료

- vitamin K의 비경구적 투여 : 10 mg 투여하면 8~10시간 이내에 응고인자 정상화됨
  (anaphylaxis의 위험 때문에 IM/subcut.로 주사 / 출혈 경향으로 IM 금기시에는 IV)
- 출혈 지속 or invasive procedure로 즉시 응고인자 교정이 필요할 때
  → FFP or PCC (심한 기저 간질환 환자에는 thrombosis 발생 위험으로 금기)
- 생명을 위협하는 출혈 때는 소량의 recombinant factor VIIa도 효과적
  (but, 기저 혈관질환/외상 등의 환자에서는 thromboembolic Cx 발생 위험)

5. 간 질환에 의한 응고/지혈장애

(1) 개요 – 지혈(hemostasis)에서의 간의 역할

① 간은 대부분의 응고인자, 항응고인자, 섬유소용해관련인자 들을 합성
  *예외 ┌ vWF : endothelial cells, megakaryocytes/platelets에서 합성됨
  　　　└ tPA, thrombomodulin, TFPI : endothelial cells에서 합성됨
② 활성화된 응고 & 섬유소용해 인자들을 순환계(circulation)에서 제거 (특히 tPA)
③ 복부 혈류에 영향 : portal HTN (e.g., 정맥류 출혈)

(2) 병인

	지혈 방해 (출혈↑)	지혈 촉진 (출혈↓)
Platelet	Thrombocytopenia Platelet function defects NO, prostacyclin 증가(→ platelet 억제)	vWF 증가 ADAMTS13 감소 (→ large vWF 증가)
Coagulation	II, V, VII, IX, X, XI 인자 감소 비타민K 결핍 Fibrinogen의 양 및 기능 이상	VIII 인자 증가 Protein C, protein S, antithrombin, heparin cofactor II, α_2-macroglobulin 감소
Fibrinolysis	tPA 증가 α_2-antiplasmin, XIII, TAFI 감소	Plasminogen 감소

- **응고인자의 생산 감소** ; fibrinogen, prothrombin (factor II), V, VII, IX, X, XI 등 (∵ 간세포에서의 합성 감소, vitamin K deficiency)
  - * vitamin K deficiency의 원인 ; 간세포질환에 의한 저장량 감소, bile acids의 변화, cholestasis
- 급성 간부전에서는 반감기가 짧은 factor V와 비타민K-의존 응고인자가 가장 먼저 감소됨 (VII → protein C → II → X), factor V는 liver failure의 indicator (∵ 오직 간에서만 합성됨)
- factor VIII은 증가됨!
  - 간(sinusoidal endothelial cells, Kupffer cells > hepatocytes), 신장, 비장, LN 등에서 합성됨 (→ 간기능이 심하게 떨어져도 VIII 합성 기능 유지)
  - ┌factor VIII의 운반단백인 vWF 합성 증가
  - └간의 low-density lipoprotein-related receptor 발현 감소 → vWF-VIII complex 제거 감소
- dysfibrinogenemia (→ TT 연장)
  - fibrinogen은 정상 or 증가 (acute-phase reactant로서 합성 증가)
  - 매우 심한 간질환(말기 간경화, 급성 간부전)에서는 감소, DIC 동반되면 크게 감소
  - 모든 간질환에서 fibrinogen의 질적 결함이 더 흔함 (60~70%가 non-functional fibrinogen)
- hyperfibrinolysis ; tPA 증가 및 α_2-antiplasmin, XIII, TAFI 등의 감소로 인해
  - hyperfibrinolysis 정도는 간질환의 severity와 비례
  - 간질환이 심할수록 DIC의 발생빈도 및 severity도 증가 (∵ 활성화된 응고인자의 제거 감소)
  - pseudo-DIC, AICF (accelerated intravascular coagulation & fibrinolysis)로 볼 수도 있음
  - 전형적인 심각한 DIC의 발생은 드문 편

(3) 검사소견

- PT↑, aPTT↑, TT↑, thrombocytopenia, FDP↑ 등이 전형적인 소견
  - 경미한 간질환에서는 PT만 연장, 심해지면 aPTT도 연장됨
  - FDP와 D-dimer는 간에서의 clearance 감소로 증가될 수도 있음 (DIC 없이)
- D-dimer↑ → classic DIC에 더 specific (특히 VIII, fibrinogen 감소시)
- fibrinogen↓ ; 매우 심한 간질환(e.g., 전격성 간염, 비대상성 간경변) or DIC 동반시에만
- TT↑, fibrinogen & FDP 정상 → dysfibrinogenemia를 시사
- factor VIII↓ → classic DIC 동반을 시사
- factor V 정상 & factor VII↓ → vitamin K deficiency를 시사

(4) 임상양상

- hemostatic net effect → balanced, bleeding tendency (특히 invasive procedures 시)
- 가장 중요한 원인은 thrombocytopenia, platelet dysfunction, 응고인자 감소 등의 복합작용
  (hyperfibrinolysis의 역할은 불확실함)
- hepatic insufficiency시 vitamin K-dependent factors와 factor V가 먼저 감소
  (factor VII이 가장 먼저 감소됨) → aPTT보다 PT가 훨씬 더 연장됨 (초기엔 PT만 연장)
  → **PT의 연장 정도로 출혈의 위험도를 예측 가능**
- portal & mesenteric veins의 thrombosis도 발생 가능 - 원인
  ① 응고억제인자 감소 ; antithrombin, protein C, protein S 등
  ② 유전성 혈전성향증 ; factor V Leiden, prothrombin G20210A 등
  ③ 내장혈류 감소 (∵ portal HTN)
  ④ 일부 간질환에서 anti-phospholipid Ab, anti-cardiolipin Ab, ANCA
  (e.g., autoimmune chronic hepatitis, PBC, PSC)

(5) 치료

① FFP (TOC) : 모든 coagulation factors를 골고루 함유
(but, hepatic encephalopathy, fluid & sodium overload 유발 가능)
② vitamin K : vitamin K 결핍 동반도 흔하므로 첫 검사 이후에 일단 vitamin K를 1회 주사함
(but, 효과 적거나 없을 수도 있음)
③ platelet 수혈 (but, hypersplenism으로 인해 효과는 떨어짐)
- platelet <20,000/μL & bleeding
- platelet <50,000/μL & invasive procedure 시행 전

④ fibrinogen concentrates (or cryoprecipitates) : fibrinogen이 낮은 경우에만 (<100 mg/mL)
FFP와 함께 사용 (but, 대부분은 fibrinogen 정상임)

* 쓰지 말아야 할 것
  - prothrombin complex concentrates (PCC) : vitamin K 의존 인자만 함유
    (∵ activated coagulation factors 함유 → thrombosis ↑↑)
  - factor IX concentrates (∵ DIC 유발 가능)
  - DIC 발생시 heparin (∵ 심한 출혈 유발 가능) → 보충요법으로 치료

6. 파종혈관내응고 (Disseminated intravascular coagulation, DIC)

(1) 병태생리

- 과도한 coagulation stimulation (tissue factor의 생산/유리↑)
  → 과다 생산된 "thrombin"이 혈중으로 유리 (정상에선 국한된 부위에 있어야)
- 과도한 coagulation을 처리하기 위해 fibrinolysis도 activation → coagulation & fibrinolysis 반복
  → 응고인자와 platelets이 고갈 → 출혈 및 응고장애

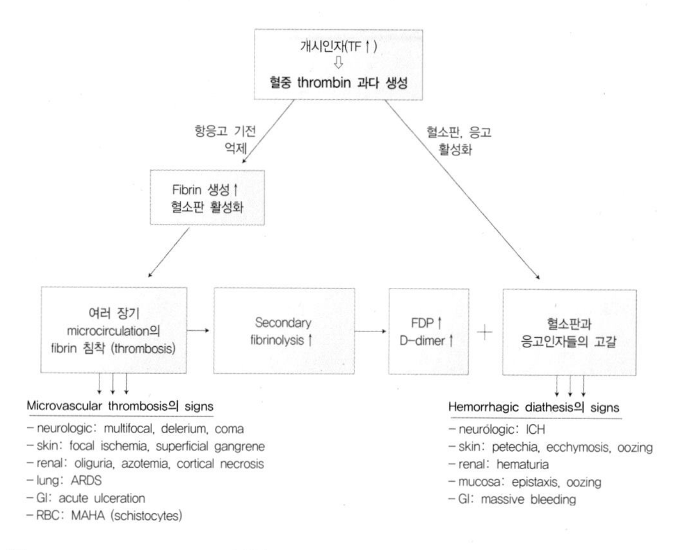

(2) consumptive coagulopathies의 원인

Disseminated intravascular coagulation

High-grade DIC

Sepsis (m/c) ; 특히 G(-)균 감염
Acute promyelocytic leukemia (fibrinolysis 활성화가 주 기전)
부적합 수혈 (ABO mismatch)
조직손상 (외상, 수술, 화상, 동상, 열사병 등), 출혈성 췌장염
산과적 합병증 ; eclampsia, abruptio placentae, 양수색전증
간부전(hepatic failure)
뱀 독 (→ 응고인자의 직접 활성화 or thrombin과 유사한 기능)
Prothrombin complex concentrate (PCC) 투여

Low-grade DIC

전이암, 혈관염, 만성염증질환, Aortic aneurysm, PNH,
Giant hemangioma, Eclampsia, Retained fetus syndrome

Platelet consumption (platelet DIC)

Vasculitis
TTP, HUS, Intravascular prosthetic devices
Postchemotherapy

- 병원내 DIC의 m/c 원인은 sepsis (특히 GNB)와 악성종양

(3) 임상양상

① bleeding이 주증상 ; 광범위한 mucocutaneous bleeding, 다발성 출혈
(특히 venipuncture 부위와 수술, 상처 부위)

② thrombosis (덜 흔함) ; digital ischemia & gangrene, multiple organ failure

* chronic DIC : DIC의 유발인자와 방어기전이 비교적 평형을 이룬 상태
  - 원인 ; 암(특히 췌장, 위, 난소, 뇌), giant hemangioma, 자궁내 태아 사망, 일부 vasculitis ...
  - 무증상 or 경미한 출혈 증상 및 thromboembolism/thrombophlebitis 동반 가능
  - platelet count 정상~약간감소, PT/PTT 정상~약간연장, FDP/D-dimer ↑, fibrinogen 정상~↑, PBS에서 schistocytes 관찰 (acute DIC보다는 적음)

(4) 검사소견

- thrombocytopenia
- MAHA (1/4에서) ; fragmented RBC (schistocyte) (c.f., TTP, HUS에서 더 흔함)
- PT, aPTT, **TT** ↑
- **euglobulin clot lysis time** ↓ (fibrinolytic activity의 증가를 의미)
- **FDP, D-dimer**, fibrin monomer ↑ (fibrinogen, fibrin의 분해산물) : 확진!
- fibrinogen ↓ … fibrinogen level이 출혈정도를 잘 반영
  - 기저질환에 따라 증가할 수도 있기 때문에 일부에서는 정상일 수도 있음
  - fibrinogen은 반감기가 길므로 severe DIC에서 주로 감소됨
- factor II, V, VIII 등 ↓ (factor VII, X, plasmin inhibitor 등은 정상)
- high-grade DIC에서는 antithrombin III or plasminogen activity도 감소(정상의 <60%)

(5) 치료

① 교정 가능한 원인 질환의 치료 (m/i)
  : 원인 질환의 치료가 쉽고, 빠를 수 있으면 보충요법 만으로 충분
    예) 산과적인 합병증, acute bacterial sepsis, APL

② 출혈의 조절 - 보충요법(replacement therapy)
  - platelet <50,000/μL → platelet 수혈
    (c.f., 출혈 증상이 없고 platelet ≥10,000/μL 유지되면 예방적 수혈은 안함)
  - PT/PTT >1.5배 → FFP 수혈
  - fibrinogen <100 mg/dL → cryoprecipitate
  - vitamin K 공급
  - severe sepsis & septic shock → thrombin 생성 억제 치료 고려
    (antithrombin III, TFPI, activated protein C 등)

③ heparin
  - 작용 : AT-III와 함께 thrombin의 작용 차단, 혈관내 응고 억제
    (but, 출혈경향을 악화시킬 수 있으므로 특수한 경우에만 사용)

DIC에서 heparin 사용의 적응	Heparin 사용의 금기
1. 일부 chronic DIC (warfarin은 효과 없음) ; 전이암, dead fetus syndrome, aortic aneurysm, APL 2. Chronic DIC 환자의 수술전 3. 대혈관의 혈전색전증 합병 4. 적극적인 보충요법에도 반응없는 acute DIC에서 ┌ 출혈증상 지속 └ 혈전증으로 인한 조직괴사 위험 (e.g., 말단청색증, 신장피질괴사)	1. 국소 부위의 심한 출혈 2. CNS 출혈 위험 (e.g., NS procedure) 3. 조절되지 않는 HTN (diastolic pr. >110 mmHg) 4. 최근 5일 이내의 수술

- 반드시 보충요법과 병행해야 됨! (heparin만 쓰면 출혈 증가)
- antithrombin III level이 매우 낮으면 heparin 효과가 없으므로 치료 전에 반드시 antithrombin III level 측정 (→ antithrombin III or FFP로 보충)
- acute DIC의 대부분은 보충요법이 효과적이며 heparin은 필요 없음

④ fibrinolysis 억제제 ; EACA (ε-aminocaproic acid), tranexamic acid

- 심한 출혈(excessive fibrinolysis)이 주 증상이면서 heparin + 보충요법에도 반응이 없는 경우에 사용 (이외의 일반적인 DIC에서는 금기임)
  → giant hemangioma에 의한 chronic DIC, APL 환자에서 도움
- EACA는 반드시 heparin (e.g., LMWH)과 같이 사용
  (∵ heparin 없이 투여하면 심한 thrombosis 초래)

⑤ 기타 연구중인 치료제 ; AT III, APC (activated protein C), direct thrombin inhibitors ...

7. 과응고상태 (hypercoagulability)

혈전증(thrombosis)의 원인/위험인자

	Inherited	Acquired
Arterial thrombosis	Homocystinemia*	Atherosclerosis (hyperlipidemia, DM*) Antiphospholipid antibody syndrome* Myeloproliferative neoplasms (MPN)* TTP/HUS/vasculitis Heparin-induced thrombocytopenia*
Venous thrombosis	AT-III deficiency Protein C deficiency Protein S deficiency Factor V Leiden Prothrombin G20210A Factor XIII V34L Homocystinemia* Dysfibrinogenemia Plasminogen deficiency tPA deficiency PAI-1 excess	고령(>60세), 비만, 활동저하, 장시간 비행기여행 Immobilization (e.g., bed rest, CVA) Central venous catheter Malignancy Postoperative state 임신 (특히 출산후) Estrogen (경구피임약, HRT) Nephrotic syndrome Antiphospholipid antibody syndrome* SLE*, DM*, MPN*, PNH Inflammatory disorders ; UC

* arterial & venous thrombosis를 모두 일으킬 수 있음

선천성(유전성) 과응고상태를 의심해야 되는 경우
1. 혈전증의 가족력 존재 2. 45세 미만에서 반복적으로 또는 특별한 원인 없이 혈전증 발생 3. 장관정맥, 뇌정맥 등과 같이 발생이 드문 부위에 혈전증 존재 4. 항응고제 투여 중에도 자주 재발하는 혈전증

(1) Factor V Leiden

- 가장 흔한 유전성 과응고질환 (전세계 인구의 약 3%, but, 우리나라엔 無)
- factor V gene의 point mutation → factor Va가 activated protein C에 의해 분해 안됨
  → factor Va의 thrombogenic effect가 연장됨 : "activated protein C resistance"
  (activated protein C를 첨가해도 aPTT가 연장 안됨)

- thromboembolism 발생 위험 : heterozygous 7배↑, homozygous 20배↑
- 25%에서는 recurrent DVT or pul. embolism 발생

(2) Antithrombin III (AT-III) deficiency

- AT III의 정상 level : 22~39 mg/dL (70~130%)
- 정상 level보다 조금만 낮아도 thrombosis 위험 증가 (8~10배↑)
- screening
  ① AT-III의 immunoassay
  ② plasma AT-III & heparin cofactor activity의 functional assay
- mild (heterozygous) AT-III deficiency가 m/c (homozygous는 생존 불가능)
- 증상이 있는 (thromboembolism Hx.) 환자의 치료 ; IV heparin → oral anticoagulant (평생)
- 증상이 없는 환자
  - thrombosis의 위험이 있는 시술 전에는 반드시 heparin or plasma 투여
  - chronic oral anticoagulation은 권장되지 않는다

(3) Protein C or S deficiency

- protein C : vitamin K-dependent hepatic protein
- activated protein C
  ① protein S와 함께 factor Va와 VIIIa를 분해 (→ fibrin 형성↓)
  ② fibrinolysis 자극 (→ clot lysis 촉진)
- protein C or S의 deficiency (대개 AD 유전) → recurrent venous thrombosis, pul. embolism
  - type Ⅰ protein C deficiency : Ag과 activity 모두 감소
  - type Ⅱ protein C deficiency : activity만 감소
- symptomatic heterozygous 환자의 치료
  - IV heparin → oral anticoagulant (warfarin)
  - oral anticoagulantion의 문제점
    ① vitamin K antagonist 임 → protein C or S도 감소됨
    ② warfarin-induced skin necrosis 발생 위험
- homozygous 환자 (출산 직후부터 생명 위험)의 예방적 치료 ; 주기적인 plasma 투여
  (oral anticoagulation은 안 함)

(4) Prothrombin gene mutation

- prothrombin gene의 point mutation (G20210A)
- plasma prothrombin level이 30% 증가 → venous thrombosis (DVT) ↑

(5) Hyperhomocysteinemia

- homocysteine : methionine의 중간대사 산물
- homocysteine의 증가 원인
  - 선천적 ; 대사와 관련된 효소의 결핍 (e.g., MTHFR, CBS, MS)
  - 후천적 ; 고령, 폐경, 신부전, hypothyroidism, leukemia, psoriasis, drugs (e.g., MTX, nitrous oxide, INH, 일부 항경련제), vitamins (folic acid, B_{12}, B_6) 결핍
- 정상인의 5~10%, DVT 환자의 10~15%, CAD 환자의 10% 차지

- AS와 venous & arterial thrombosis를 촉진
- 심/뇌/말초혈관질환, 정맥혈전증의 독립적인 위험인자임
- 치료
  - vitamins 보충 : folic acid, B_{12}, B_6 (pyridoxine) 등
  - 혈전증 발생시에는 항응고제(e.g., warfarin, LMWH) 3~6개월 사용

(6) Antiphospholipid antibody syndrome (APS)

- 정의 : antiphospholipid Abs (aPL)에 의한 자가면역질환으로 recurrent venous and/or arterial thrombosis, recurrent fetal loss, thrombocytopenia 등이 특징
  - antiphospholipid Abs의 실제 표적은 anionic phospholipids와 결합하는 다양한 단백들임 (특히 β_2-glycoprotein I)

┌ primary APS (약 1/2)
└ secondary APS ; infection, trauma, drugs, SLE, GN, 혈액투석, 신이식, 임신 ...

- major Sx (→ 모두 나타나면 "catastrophic APS [CAPS]")
  ① recurrent venous thrombosis : DVT, pul. thromboembolism, livedo reticularis
  ② recurrent arterial thrombosis : CVA, MI, gangrene
  ③ recurrent fetal loss (abortion) ④ persistent thrombocytopenia
- 기타 증상 ; arthralgia, migraine, 심장판막 이상, Coombs(+) HA, myelopathy, chorea ...
- 검사/진단

APS의 잠정 진단기준

임상기준	검사기준
1. Vascular thrombosis • 1회 이상의 동맥, 정맥, 소혈관의 혈전증 • 영상검사 or 조직검사로 확인되어야 함 2. Pregnancy morbidity • 임신 10주 이후에 자연유산 1회 이상 발생 • 임신 34주 이전에 조산 1회 이상 발생 • 임신 10주 이전에 자연유산 3회 이상 발생	다음 중 하나 이상이 12주 이상의 간격으로 2회 이상 (+) 1. LA 2. aCL (IgG or IgM) 3. anti-β_2GPI (IgG or IgM) * 진단: 임상기준 1개 이상 + 검사기준 1개 이상

- screening (phospholipid 의존성 응고검사 연장) ; aPTT↑ / aPTT 정상이면 민감도를 더 높인 dilute aPTT↑ (인지질 함량↓), PTT-LA (silica와 같은 활성인자 사용), dilute PT↑, dilute Russel viper venom time (dRVVT)↑, kaolin clotting time (KOT)↑ 등 시행

  ⇨ ┌ mixing test로 교정 안 됨! (∵ 항체의 inhibitor activity)
  　 └ 과량의 phospholipid 첨가시 교정/단축됨 → LA (lupus anticoagulant) 확진

  * LA : PL-binding proteins (주로 β_2GPI)과 prothrombin에 결합하는 다양한 항체들
- 확진검사 (antiphospholipid Ab)
  ① lupus anticoagulant (LA) : clot-based assay

LA의 정의
인지질과 결합해 응고검사를 연장시키는 항체(IgG and/or IgM) (1) 인지질 의존성 응고검사(e.g., aPTT)가 연장됨 (2) Mixing test에서 연장된 응고검사가 교정되지 않음 (3) 과도한 인지질을 첨가하면 연장된 응고검사가 교정됨 ; 혈소판중화시험(platelet neutralization test), 고농도 RVVT, 고농도 PTT 등

* LA는 위양성이 많은 편인데 대개 감염이 원인임 (정상인도 양성 가능)

② anticardiolipin Ab (aCL) : immunoassay (e.g., ELISA)로 측정
③ anti-β_2-glycoprotein-I Ab (anti-β_2GPI) (more specific) : immunoassay로 측정
- 이러한 항체들은 VDRL 위양성도 초래함 (false-positive VDRL)

• 치료/예방
- thrombosis 병력 無 → low-dose aspirin or F/U
- thrombotic event 병력 無 → warfarin (INR 2.5~3.5 유지) ± aspirin
- preop. → subcutaneous UFH or LMWH
- 유산, 임신 중 → aspirin + LMWH or UFH (IV Ig도 유산 예방 가능, steroid는 효과×)
- ARF → plasmapheresis 및 면역억제제에 일부 반응
- recurrent V(A) thrombosis, catastrophic APS → 치료용량의 heparin IV or LMWH SC
- HIT 발생 시엔 fondaparinux (SC) or rivaroxaban (oral)

항혈전제 (Antithrombotic drugs)

┌ antiplatelet drugs : 주로 arterial thrombosis의 예방/치료에 사용
│ anticoagulants : 주로 venous thrombosis의 예방/치료에 사용
└ fibrinolytic agents : 주로 심한 arterial or venous thrombosis의 치료에 사용

c.f.) ┌ arterial thrombi : high shear 환경, 주로 platelets으로 구성 (→ white plaque)
└ venous thrombi : low shear 환경, 주로 fibrin, RBCs로 구성 (→ red plaque)

1. 항혈소판제 (antiplatelet drugs)

(1) arterial thrombosis에서 혈소판의 역할

: 혈관 손상 → TF 노출 → 응고 활성화 (thrombin → fibrin 형성, platelets 모집 & 활성화↑)
↳ collagen, vWF, fibronectin 노출 → platelets 부착 & ADP, thromboxane A_2 분비
→ platelets 모집 & 활성화 → platelets 응집(aggregation)
⇨ platelet-fibrin thrombus 형성

(2) asprin (acetylsalicylic acid, ASA)

• 가장 널리 쓰이는 기본적인 항혈소판제
• 기전 : platelets의 cyclooxygenase (주로 COX-1)를 비가역적으로 억제
→ thromboxane A_2 생성 억제 → platelets 모집 & 활성화 억제 → platelets 응집 장애
• 적응 : 심혈관/뇌혈관/말초혈관 질환의 이차 예방 (→ 심혈관계 사망, MI, stroke 등 20% 감소)
c.f.) 일차 예방 효과는 논란 → 심혈관계 일차 예방으로 사용은 고위험군에서만 권장됨
• 용량 : 대부분 하루 1회 low-dose (75~100 mg)를 사용 (고용량이 더 효과적인 것은 아님)
(효과는 1시간 이내에 발생, 혈소판의 수명인 약 1주일간 지속됨)
• 부작용 : 출혈(주로 GI, major bleeding도 1~3%/yr, 항응고제와 병용시 위험↑), allergy (~0.3%)
↳ PUD 환자에서는 *H. pylori* 박멸 & PPI 투여시 UGI bleeding 위험 감소
• 내성 (clinical resistance : aspirin이 ischemic vascular events 예방에 실패한 것)

- laboratory (biochemical) resistance : thromboxane A_2 생성 and/or 혈소판 응집 억제 실패
  → platelet function analyzer로 진단 가능하지만 아직 표준화가 부족, 연구중

(3) thienopyridines ($P2Y_{12}$ inhibitors)

- 약제 ; ticlopidine (1세대), clopidogrel (2세대; 더 효과적이고 안전), prasugrel (3세대)
  - 약효에는 모두 hepatic cytochrome P-450 (CYP)에 의한 대사 활성화가 필요함
  - prasugrel : clopidogrel보다 대사과정이 간단해 상대적으로 빠르고 강력한 혈소판 억제 효과
- 기전 : 혈소판의 ADP ($P2Y_{12}$) receptor에 비가역적으로 결합 (→ 작용시간이 길[응급수술시 문제])
  → ADP-induced platelet aggregation 억제 ↳ 수술 최소 5일전 중단해야
- 적응 : aspirin과 비슷함 (단독으로는 aspirin보다 8.7% 더 효과적), ACS 및 PCI stenting 이후
  → 서로 다른 기전으로 혈소판 활성화를 억제하므로 대개 aspirin과 병용 [DAPT]
- 용량 : clopidogrel 하루 1회 75 mg / prasugrel 60 mg loading 이후 하루 1회 10 mg
- 부작용 : 출혈 (asprin + clopidogrel 병용시↑), ticlopidine은 위장관 및 혈구감소 부작용도 있음
- C/Ix. ; active bleeding (+ prasugrel ; stroke/TIA 과거력, 75세 이상, 60 kg 미만)

■ **Clopidogrel 저항성(resistance)**
- 25~50%의 환자는 CYP isoenzymes (CYP2C19가 m/i)의 유전적 다형성으로 인한 clopidogrel의 활성화 저하로 약제 내성을 보임 (서양보다 우리나라에서 더 흔함) → ADP-induced platelet aggregation 억제 실패
- 혈소판기능검사(e.g., VerifyNow®) or CYP2C19 유전자검사 등으로 저항성이 의심되면 clopidogrel 대신 prasugrel or ticagrelor 사용 권장

* ticagrelor : triazolopyrimidine 계열 약물, 최초의 가역적 direct ADP ($P2Y_{12}$) receptor 차단제
  - 반감기가 짧아 2회/일 복용 (용량 : 180 mg loading 이후 하루 2회 90 mg씩)
  - clopidogrel보다 작용이 빠르고 약물반응이 일정하며 효과 우수함
  - 부작용 ; 출혈, dyspnea (~15%, 대개는 mild & self-limited), bradyarrhythmia
  - C/Ix. ; active bleeding, 뇌출혈 병력, severe COPD, hyperuricaemia/gout
* cangrelor : IV direct & rapid $P2Y_{12}$ inhibitor , 반감기 3~5분
  → oral $P2Y_{12}$ inhibitors를 복용한 적 없는 환자에서 PCI 시행할 때 사용

(4) PDE inhibitors

- 약제 ; dipyridamole, cilostazol (Pletal®)
- 기전 : platelets의 cAMP↑ (∵ phosphodiesterase 3 억제, adenosine reuptake 억제)
  → platelets 내 Ca^{2+}↓ → platelets 활성화 억제 (작용은 약함)
- 적응 : TIA 환자에서 stroke 예방 → Aggrenox® (aspirin + extended-release dipyridamole), 말초동맥질환(PAD) 환자에서 claudication 호전 → cilostazol (항혈소판 + 혈관확장)
- 부작용 : 혈관확장(→ 증상이 있는 CAD 환자에서는 금기), 위장관, 두통, 저혈압 ...

(5) GP IIb-IIIa receptor antagonists

- 약제 ; abciximab, eptifibatide, tirofiban
- 기전 : 활성화된 pleteles의 GP IIb-IIIa receptors를 차단하여 fibrinogen이 결합하지 못하게 함
  → platelet aggregation의 최종 단계를 억제
- 적응 ; PCI 예정 환자 (특히 MI에서), high-risk UA
- IV로 투여, eptifibatide과 tirofiban은 신장으로 배설되므로 신부전시 감량
- 부작용 ; 출혈, thrombocytopenia (immune-mediated, GP IIb-IIIa의 neoAg에 대한 Ab 때문)

	Abciximab	Eptifibatide	Tirofiban
GP IIb-IIIa에 대한 특이성	×	○	○
혈중 반감기	짧음(몇분)	길(2.5시간)	길(2시간)
혈소판결합상태의 반감기	길(며칠~2주)	짧음(몇초)	짧음(몇초)
혈소판감소증 발생 위험	5%	1%	1%

2. 항응고제 (anticoagulants)

(1) heparin (unfractionated heparin, UFH)

- 기전 : antithrombin과 결합하여 활성화시킴 → 활성화된 antithrombin은 common pathway 응고인자인 thrombin (IIa)과 factor Xa를 주로 불활성화시킴
- 비경구적으로 투여 (IV-m/c, SC), 반감기 30~60분 (용량이 클수록 길어짐)
- 용량-반응은 예측 불가능함 (∵ 혈장 heparin-binding proteins level의 개인차 및 다양한 변화)
  ⇨ 반드시 aPTT로 monitoring : 대개 control의 2~3배 유지
  - heparin 내성이 의심되면 anti-factor Xa activity로 monitoring
  - antithrombin 결핍 또는 heparin-binding proteins level이 높은 경우에는 heparin 용량↑
  - 예방 목적의 투여시(SC)에는 monitoring 안 해도 됨
- 태반은 통과하지 못함 (→ 임신 중에도 사용 가능)
- 부작용 ; 출혈(→ antidote : protamine sulfate), thrombocytopenia (HIT → 앞부분 참조), osteoporosis ...

(2) low-molecular weight heparin (LMWH)

- 약제 ; dalteparin, enoxaparin, tinzaprin ...
- UFH와 작용기전은 같지만 (antithrombin 활성화), thrombin과 완전히 결합하기에는 길이가 짧아 anti-thrombin activity는 약하고 (aPTT로 monitoring 불가능), anti-factor Xa activity가 강함

	anti-factor Xa activity	anti-thrombin (IIa) activity	평균 분자량	혈장 반감기
UFH	1	1	15,000	30~60분
LMWH	2~4	1	5,000	4시간
Fondaparinux	1	0	1,728	17시간

- LMWH의 장점 (UFH에 비해)
  ① 비특이적 결합 적음 → subcutaneous 투여, bioavailability 우수 (90%), 반감기 길고 일정 → 안정된 용량-반응 예측 가능, 하루 1~2회 투여
  ② 같은 정도의 항응고 효과를 가질 때, 출혈 부작용이 UFH보다는 적음
  ③ 부작용(e.g., HIT, osteopenia) 및 내성 드묾
- 대부분 monitoring은 필요 없지만, 필요시에는 반드시 anti-factor Xa activity로 시행 (e.g., 신부전, 비만, 임신, 소아, 기계적 심장판막 같은 고위험군)
- 신장으로 배설되므로 신부전시에는 주의
- protamine sulfate에 의해 부분적으로만(~60%) 억제됨

(3) indirect Xa inhibitor (synthetic pentasaccharide)

- 약제 ; fondaparinux, idraparinux (출혈 부작용이 심함), danaparoid
- heparin에서 antithrombin과 결합하는 pentasaccharide 부분만 인공적으로 합성한 것
  → factor Xa만 불활성화시킴
- SC로 투여, bioavailability 100%, 신장으로 배설됨
- 적응 ; 일반외과 및 고위험 정형외과 수술에서 DVT의 예방, ACS
- PF4 (platelet factor 4)와 결합하지 않으므로 HIT의 부작용은 없음
- 부작용 ; 출혈 (antidote가 없으므로 주의)

(4) direct thrombin inhibitor (DTI)

- heparin 계열 약제와 달리 antithrombin이 필요 없으며, PF4에 의해서도 억제되지 않음
- oral DTI (현재는 dabigatran 뿐) ; warfarin을 대치하기 위해 개발되는 약물
- parenteral DTI ; 반감기 짧음, 특수한 용도에 사용 (e.g., HIT 치료, PCI 환자)

	PI (polypeptide inhibitor)	LMWI (low-MW inhibitor)
작용	Circulating & clot-bound thrombin을 모두 억제	Circulating thrombin만 억제
예	Hirudin, Lepirudin, Bivalirudin	Argatroban, Dabigatran (oral), Napsagatran, Melagatran

	Lepirudin	Bivalirudin	Argatroban	Dabigatran
배설경로	신장	Peptidase에 의해 분해 (일부 신장)	간	신장 80% 담도 20%
투여	IV (or SC)	IV (or SC)	IV	Oral
반감기	60분	25분	45분	12~17시간
Monitoring	aPTT, ECT	aPTT (저용량) ACT (고용량)	aPTT	대개 필요없음
적응	HIT	PCI 예정 환자	HIT (신부전 환자도 가능)	수술후 DVT 예방 AF에서 혈전색전 예방

* ECT, ecarin clotting time; ACT, activated clotting time

■ <u>NOAC (new **oral** anticoagulant)</u> : warfarin 이상으로 효과적이고 부작용/약물상호작용은 적음

- oral direct thrombin inhibitor (DTI) ; dabigatran
- oral direct Xa inhibitors ; rivaroxaban, apixaban, edoxaban
  (c.f., factor Xa inhibitors는 경구 제제만 있음)

	Dabigatran	Rivaroxaban	Apixaban	Edoxaban
기전	DTI	Xa 억제	Xa 억제	Xa 억제
Active drug	×	○	○	○
Bioavailability	6%	80%	50%	50%
작용시작 (시간)	0.5~2	2~4	3~4	1~3
반감기 (시간)	12~17	5~13	9~14	9~11
신장 배설률 (나머지는 주로 간)	80%	66%	25%	35%

- Dabigatran이 허가된 지도 10년이라.. NOAC 대신 non-VKA oral antagonists라고 부르기도 함
- 보통 고정된 용량으로 투여하며, INR monitoring 필요 없음

(5) oral anticoagulants (vitamin K antagonists, VKA)

- 약제 ; warfarin (= coumadin), dicumarol
- 기전 : liver microsome에서 vitamin K epoxide reductase를 억제하여
  vitamin K의 γ-carboxylation을 억제 (vitamin K antagonist)
  → vitamin K-dependent factors (II, VII, IX, X, protein C, S)의 activity 감소
- therapeutic effect를 위해서는 3~4일, 의미 있는 항응고 효과를 나타내기 위해서는 1주일 이상 복용 필요 (∵ activity가 억제된 새 인자들이 합성되어 기존 인자를 대치할 때까지 시간 소요)
  → 초반에는 heparin 등의 비경구적 항응고제와 병용 (5일 이상)
- PT로 monitoring : 대개 control의 1.5~2배 (INR 2.0~3.0) 유지
  (mechanical heart valve, recurrent MI 등의 고위험군은 INR 2.5~3.5)
- 부작용
  ① 출혈 : INR >3.0, 구조적 위장관질환, 항혈소판제 or 비경구항응고제 병용, 고혈압, 신장질환, 뇌혈관질환 등시 발생 위험 증가 (→ antidote : vitamin K + FFP)
  ② alopecia (출혈 이외의 m/c Cx)
  ③ skin necrosis, purple-toe syndrome (∵ protein C or S↓ → thrombosis)
  ④ 태반을 통과하여 기형, 사산, 태아사망 등을 유발 가능 (→ 임신 중 금기), 임신 6~12주가 가장 위험함 (c.f., 모유에는 존재 안함 → 출산 이후에는 안전)
- warfarin 효과에 영향을 미치는 약물/요인

Warfarin 효과↑ (PT↑) → 출혈경향↑	Warfarin 효과↓ (PT↓)
AAP, Acarbose, Allopurinol, Amiodarone, Anabolic steroids, ASA (고용량), Celecoxib, Colchicine, Danazol, Delavirdine, Disopyramide, Fenofibrate, Gemfibrozil, Glyburide, Lactulose, Leflunomide, Levothyroxine, Orlistat, Phenylbutazone, Phenytoin (장기간 사용시 INR↓), Propafenone, Propoxyphene, Quetiapine, Quinidine, Ropinirole, Sulfinpyrazone, Tamoxifen, Ticlopidine, Tramadol EM/Azithromycin/Clarithromycin, Ciprofloxacin/Levofloxacin/Moxifloxacin Fluconazole/Itraconazole/Ketoconazole/Miconazole/Voriconazole Cloxacillin, TC/DC, TMP-SMX, Metronidazole, Isoniazid Fluvastatin/Lovastatin/Rosuvastatin/Simvastatin PPI (e.g., Lansoprazole, Omeprazole), Cimetidine, Ranitidine PI (Atazanavir, Fosamprenavir, Saquinavir), Etravirine	Adrenal glucocorticoids, Azathioprine, Barbiturates, Bosentan, Carbamazepine, CholestyramineEfavirenz, Griseofulvin, Isotretinoin, Mesalamine, Methimazole, Nevirapine, Penicillin, Phenobarbital, Propylthiouracil, Raloxifene, Ribavirin, Rifampin, Sucralfate, Sulfasalazine, Trazodone PI ; Lopinavir/ritonavir, Darunavir
고령, 발열, 간담도계질환, 갑상선기능항진증, 흡수장애, 영양실조, CHF, 악성종양 ... Fish oil, 당귀, 대추, 마늘, 생강, 양파, 영지버섯, 은행잎 추출물 ...	Vitamin K 과잉 섭취, 갑상선기능저하증, NS, Inherited warfarin resistance ... 녹색채소류, 녹차, 양배추, 오이, 콩류(두부, 청국장), 인삼 ...

- 광범위항생제 : normal flora 감소 (→ vitamin K 합성↓)에 의해 warfarin 효과를 증대시킬 것으로 예상되지만, 대부분의 환자에서는 임상적으로 문제 안 됨 (영양결핍이나 흡수장애 환자에서는 문제)
- Alcohol : 소량에서 중간 정도의 알코올을 비정기적으로 섭취하는 경우에는 warfarin 작용에 영향 없음 (알코올 중독은 warfarin의 반감기↑ & 간기능장애에 의해 출혈경향↑ 위험)

c.f.) 수술 전의 항응고제 관리

(a) thromboembolism 위험이 낮은 경우 (e.g., AF) → 수술 3~5일 전에 warfarin 중단
INR을 1.5 이하로 유지, 수술 뒤 다시 시작

(b) 최근 embolism 발생한 고위험군 → warfarin 중단, 수술 6시간 전까지는 heparin을 사용 후 중단, 수술 뒤 12시간 이내에 heparin 재투여
(vitamin K : INR을 낮추는 시간은 짧아지지만 수술 후 warfarin 사용에 문제)

(c) 가벼운 수술 (e.g., 백내장, 발치) → warfarin 계속 사용 가능, INR은 1.5 정도로 유지

3. 섬유소용해제 (fibrinolytic agents)

		1세대		2세대		3세대
		Streptokinase (SK)	Urokinase (UK)	Alteplase (t-PA)	Reteplase (r-PA)	Tenecteplase (TNK-t-PA)
Source		β-Hemolytic streptococci	human neonatal kidney cells	recombinant t-PA	recombinant t-PA	recombinant t-PA 변형
분자량		47,000	32,400	70,000	39,600	65,000
반감기(분)		10~25	7~20	4~6	11~16	15~24
Fibrin specificity		-	-	++	+	+++
Plasminogen 활성화		간접	직접	직접	직접	직접
항체 형성		+++	-	-	-	+/-
적응 (FDA 승인)	심근경색	○		○	○	○
	말초동맥 폐쇄	○				
	폐색전증	○	○	○		
	뇌경색			○		
	Catheter 폐쇄	○		○		

• 기전 : plasminogen을 활성화시켜 plasmin으로 변환시킴 (→ fibrin 및 fibrinogen 분해)
- SK : plasminogen과 complex를 이룬 뒤 구조변화를 일으켜 active site를 노출시킴
  → SK-plasminogen complex는 다른 plasminogen의 activator로 작용 (간접 활성화)
- UK, t-PA 제제들 : plasminogen을 직접 활성화시킴

• fibrin specificity : fibrin-bound plasminogen만 선택적으로 활성화시키는 것 (t-PA 제제들)
- fibrin specificity가 높을수록 thrombosis 부위의 fibrin만 국소적으로 분해하고,
  전신적인 fibrinogenolysis의 부작용(출혈 위험)이 적다
- alteplase는 fibrin 분해산물인 (DD)E와도 결합하여 plasmin을 생성 fibrinogenolysis를 일으킴
- tenecteplase는 (DD)E와의 결합이 적어 fibrinogenolysis가 덜함 (→ 출혈 부작용↓)

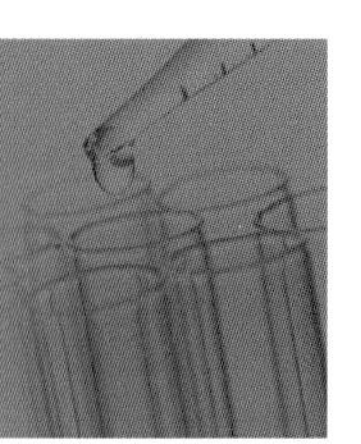

10 비장

비장/지라(spleen)의 기능

주요 lymphopoietic organ으로 체내 total lymphoid mass의 약 25% 차지

(1) RES (macrophages) : 노화되거나 결함이 있는 RBCs, 세포 찌꺼기, 미생물 등의 제거
(e.g., Ab-coated bacteria 및 Ab-coated cells 제거)

(2) 면역반응 : 혈중 organism의 opsonization (primary immune response),
alternative complement pathway 조절

(3) 혈구 비축 : platelets (전체의 약 1/3), marginated neutrophils
↳ 심한 splenomegaly에서는 ~90%까지 증가할 수도 (total platelet mass는 대개 정상)

(4) 조혈 : 태아기에 중요, 성인에서는 심한 빈혈 등의 혈액질환 때 extramedullary hematopoiesis

비장/지라비대(splenomegaly)

- splenomegaly : 300 g 이상 (정상 : 80~200 g, 평균 150 g)
- massive splenomegaly : 1000 g 이상 or 좌측 갈비뼈 아래로 8 cm 이상 촉진

Massive splenomegaly의 원인
1. Acute Malaria (*P. falciparum*) with splenic sequestration crisis Sickle cell anemia with splenic sequestation crisis
2. Chronic **종양** ; MPN, Lymphoma, CLL, Hairy cell leukemia, Diffuse splenic hemangiomatosis, 전이암 혈액질환 ; Thalassemia major, Autoimmune hemolytic anemia 염증/침윤 ; Gaucher's disease, Sarcoidosis, Felty's syndrome 울혈성 ; LC, heart failure (특히 Rt) 감염 ; Malaria, Kala-azar

비장/지라기능항진증(hypersplenism)

* Criteria
  ① 한 개 이상의 hematologic cell lines의 cytopenia
  ② compensatory reactive marrow hyperplasia
  ③ splenomegaly
  ④ splenectomy에 의해 abnormalities가 교정됨

비장/지라절제술(splenectomy)

1. 적응증

(1) autoimmune thrombocytopenia
- steroid에 반응이 없거나 의존적인 chronic ITP
- SLE에 동반된 thrombocytopenia (discoid lupus는 적응이 아님)

(2) hemolytic anemia
- chronic autoimmune HA (warm Ab) : steroid에 반응 없거나 의존적일 때
- hereditary spherocytosis (5세 이후에)

(3) hemoglobinopathies
- sickle cell dz., thalassemia major
- sequestration crisis 등 spleen에 의한 합병증이 심할 때 고려

(4) lymphoma/leukemia
- primary splenic lymphoma의 확진을 위해
- hairy cell leukemia, prolymphocytic leukemia : 2차 또는 3차 치료로 효과적
- CML, CLL : 내과적 치료에 반응 없을 때 증상 완화를 위해 고려
  (but, 수명 연장 효과는 없고, 수술로 인한 위험만 증가됨)

(5) storage dz.
- refractory Gaucher's dz. 등

(6) Felty's syndrome
- 정의 : neutropenia + splenomegaly + rheumatoid arthritis
- neutropenia and/or infection이 심하거나 지속적일 때 고려

(7) splenic abscess, cyst, thrombosis, infarction, rupture, trauma

* BM failure 존재시에는 splenectomy 금기
  (∵ spleen에서만 조혈이 이루어지고 있을 수 있음)

2. Post-splenectomy syndrome

(1) 혈액학적 변화

① PB ; anisocytosis, poikiocytosis (acanthocytes, target cells ...), Heinz body (denatured Hb), basophilic stippling, siderocytes, nucleated RBC ...

* Howell-Jolly body : RBC 내의 핵 잔유물 (DNA clusters), 비장 기능이 없음을 시사 (→ 비장절제가 완전한지 평가하는데 도움)

② leukocytosis (~25,000/μL)) : neutrophilia → lymphocytosis & monocytosis

③ thrombocytosis (~1×10^6/μL)

- MPN이나 PNH에서는 thromboembolism 위험 증가
  → splenectomy전에 CTx.로 platelet count를 떨어뜨려야
- leukocytosis와 thrombocytosis는 보통 2~3주 이내에 정상화됨

(2) 감염 (m/i)

① splenectomy 뒤 면역기능의 변화

- IgM level ↓
- complement-mediated opsonization 감소
- circulating Ag을 phagocytosis 할 수 있는 능력 저하

② 특히 소아에서 sepsis의 발생 위험 증가 (10년에 약 7%), 사망률 50~80%

③ 원인균 (특히 encapsulated bacteria)

- *Streptococcus pneumoniae* (m/c), *Haemophilus influenza* type b, 일부 Gram(-) 균 (e.g., *N. meningitidis, Salmonella*), *Capnocytophaga, Babesia microti ...*
- bloodborne parasites (e.g., malaria)
- viurs 감염의 위험은 증가하지 않음!

④ 감염의 예방

- 예방적 항생제 투여 (18세까지)
- pneumococcal vaccination ; splenectomy 시행 2주 전에 접종, 매 5년 마다 추가 접종
- elective splenectomy 예정 환자는 *N. meningitidis* 및 *H. influenza* vaccination도 시행
- splenectomy 이후 해외여행시는 감염 예방조치를 더욱 철저히 해야 됨

MEMO

11 수혈의학

혈액성분제제

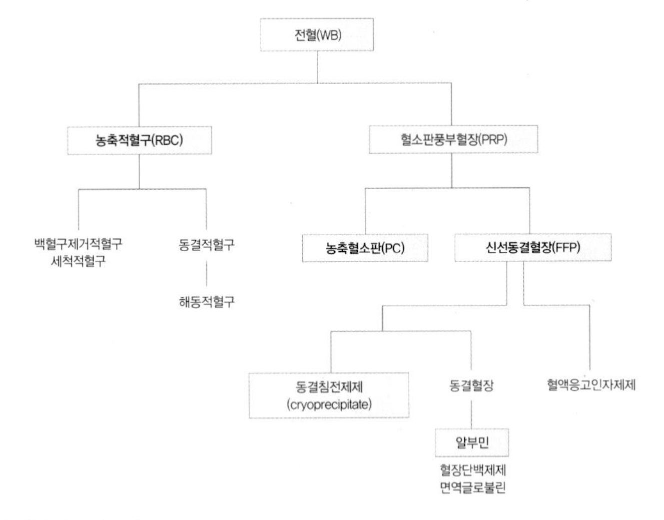

1. Whole blood (WB, 전혈)

- 1 unit = 456 mL = blood 400 mL + 항응고제(CPDA-1) 56 mL
- Ix : 산소운반능과 혈액량확장이 동시에 요구될 때 (급성 출혈 환자, 지속된 출혈에 의해 총 혈액량의 25% 이상의 출혈이 있는 경우) 예) 교환수혈, cardiac surgery, major trauma
  - but, 실제로는 대부분 packed RBC + crystalloid solution을 사용함
  - RBC의 보충만을 필요로하는 chronic anemia 환자에게는 전혈을 주면 안됨
- Hb 1 g/dL 상승 시킴
- 단점 : volume overload, WBC에 의한 부작용↑

* 저장 혈액의 변화

① coagulation factor 감소 : I, II, IV, V, VIII (특히 V, VIII은 몇 시간 내에 고갈)
② 2,3-DPG ↓→ 산소 친화력 ↑→ 산소운반능력(O_2 release) ↓
③ ATP ↓ → 산소운반능 ↓
④ RBC의 anaerobic glycolysis → lactic acid 생성 → pH ↓
⑤ glucose ↓ (∵ RBC에 의해 소모)
⑥ platelet, WBC 감소
⑦ hemolysis → free Hb ↑
⑧ K^+ ↑ (∵ RBC 내의 K^+이 밖으로 빠져나와)

2. Packed RBC (농축적혈구)

- 1 unit = 250 mL (Hct 약 70%) → Hb 1 g/dL (Hct 3%) 상승
- 출혈/빈혈시 가장 먼저 줌 (출혈성 shock도 crystalloid + RBC로 치료)
- 심폐질환이 없는 경우 Hb 7 g/dL까지는 tissue oxygenation 유지됨
- 수혈이 필요한 환자의 경우 대개 Hb 10 g/dL까지만 올리면 oxygenation 충분
- 요즘은 recombinant human erythropoietin 사용 증가
  예) chronic ESRD, cancer, AIDS, transfusion-dependent myelodysplasia

3. Leukocyte-reduced RBC/platelet (백혈구여과제거 적혈구/혈소판)

- 방법(filtration) ; 저장전 여과법(prestorage filtration) or 저장후 여과법(poststorage filtration)
  ↳ 발열반응 등 백혈구에 의한 이상반응 예방에 더 효과적!
- 적응증
  ① 발열반응(febrile nonhemolytic transfusion reactions) 예방
  ② HLA alloimmunization (→ 혈소판 수혈 불응증) 예방
  ③ 백혈구를 통한 감염전파 예방 ; CMV, HTLV-I, II 등
  ④ 신생아, 심혈관 수술환자

4. Gamma-irradiated RBC/platelet (방서선조사 적혈구/혈소판)

- 감마선원 ; cesium-137 (^{137}Cs), cobalt-60 (^{60}Co) (방사선 조사량은 최소 2500 cGy)
- 목적 ; 혈액제제 내의 생존 림프구를 불활성화 → transfusion-associated GVHD 예방!
- 방사선 조사 후 4주 간 사용 가능
- 방사선 조사 후 제제 내 K^+가 2배까지 상승되므로 K^+의 상승이 문제가 되거나(e.g., 신부전, 미숙아, ECMO priming), 대량 수혈 환자는 조사 후 24시간 이내에 사용하거나 세척한 제제를 수혈해야 됨
- 적응증
  ① 면역저하 환자 ; 선천성/후천선 면역결핍, HCT, 장기이식, 면역억제치료, CTx, RTx, 태아, 미숙아, 저체중아, 신생아 교환수혈 등
  ② 가족간 수혈, HLA one-way 적합 혈액 수혈, 채혈 3일 이내의 신선 혈액 수혈
  ③ allogenic HCT 공여 예정자
  ④ 심혈관 수술, PBSC 채집시 빈혈이 심해 성분채집기에 미리 RBC를 채우고 시행해야 할 때

5. Washed RBC/platelet (세척 적혈구/혈소판)

- RBC를 멸균 생리식염수로 세척하여 공여자의 혈장 성분을 제거한 것
- 세척 후에는 대략 적혈구는 20%, 혈소판은 33% 이상 감소됨
- Ix : 수혈로 인한 심한 아나필락시스 또는 알레르기 반응 예방, IgA 결핍 환자, 급속/대량 수혈시 hyperkalemia의 예방, 신생아 동종면역성 혈소판감소증 등

6. Platelet

- platelet concentrate (PC, 농축혈소판) 1 unit = 평균 50 mL (약 5×10^{10} 개의 platelets 함유)
  - 채혈후 6시간 이내의 전혈로부터 제조, 20~24℃ & agitator에서 보관
  - 환자의 platelet counts 5,000~10,000/μL 증가시킴
- apheresis platelet (AP, 성분채집혈소판)
  - 한명의 공혈자로부터 많은 양의 platelet을 얻음 (약 3×10^{11}개 이상)
  - PC 6~8 units에 해당, plasma 200~250 mL 포함
- 적응증 : platelet 감소나 기능장애시
  ① active bleeding 환자에서 platelet count가 50,000/μL 미만이거나, platelet dysfunction (→ BT 연장)이 있을 때
  ② 수술 전에 platelet count를 50,000/μL 이상으로 올리기 위해
  ③ invasive procedure (kidney나 liver biopsy 등) 전에도 platelet 50,000/μL 이상으로 올려야 됨
  ④ DIC에서 platelet이 감소되고 출혈 증상을 보일 때
  ⑤ ITP : life-threatening hemorrhage 이외에는 사용하지 않는다
  * TTP : 금기 (∵ 오히려 악화 → 사망)
- 가능하면 ABO와 Rh 혈액형이 동일한 것을 수혈
- 혈소판 수혈 불응증 (platelet transfusion refractoriness)
  - 혈소판 수혈 후에도 혈소판 수치가 상승하지 않는 경우
  - immune platelet refractoriness의 원인 ; anti-HLA Ab (m/c), platelet-specific Ab
  - nonimmune platelet refractoriness의 원인
    ; fever, infection, bleeding, DIC, splenomegaly, drugs (e.g., amphotericin)
- 동종면역(alloimmunization) : 주로 HLA 때문
  - 자주 platelet 수혈을 받는 환자는 림프구의 HLA Ag.에 대한 alloantibody 발생 (약 67%에서)
  - 소아보다 성인에서, acute leukemia보다 aplastic anemia에서 발생빈도 증가
  - 발생시 조치 ; HLA-matched platelet, HLA-compatible (Ag-negative) platelet, platelet cross-matching, 만약 HPA(human platelet Ag) Ab 존재시엔 HPA-compatible platelet
  - 예방 ; 성분채집혈소판(apheresis platelet) 수혈, WBC-reduced platelet 수혈, ABO-compatible 혈소판 수혈 (∵ 혈소판에도 소량의 A/B 항원 존재)
- 혈소판 수혈 1시간후의 교정 혈소판수 증가 (corrected count increment : CCI)
  - $$\text{CCI} = \frac{[\text{수혈후 혈소판}(/\mu L) - \text{수혈전 혈소판}(/\mu L)] \times \text{체표면적}(m^2)}{\text{수혈전 혈소판수}(10^{11})}$$
  - CCI 10,000/μL/m^2 이하면 동종면역으로 간주할 수 있음

7. Leukocyte

- 전혈 1 unit에서 얻는 양은 너무 적으므로, 대개 단일 공혈자로부터 leukapheresis를 이용하여 제조
  → granulocyte 1.0×10^{10}개 정도 함유, plasma 200~250 mL
- 적응증 ; BM hypoplasia, neutrophil <500/μL, 적절한 항생제 치료에도 2일 이상 열이 지속, 지속적인 진균 감염, inherited defects of granulocyte function (e.g., CGD), neonatal sepsis
- 유의사항 : leukocyte transfusion의 효과는 불확실 (→ 거의 사용 안함)
  - infection을 동반한 neutropenia 환자는 항생제 치료가 더 효과적
  - 골수기능 회복이 의심스러울 경우 임상경과를 호전시킬 수 없으며, 오히려 부작용(fever, chilling, hypersensitivity) 발생
  - 면역저하자에서는 GVHD 일으킬 수 있음

8. Fresh-frozen plasma (FFP, 신선동결혈장)

- 1 unit = 평균 약 160~180 mL, 모든 coagulation factors와 plasma proteins 함유
  - 전혈 1 unit에서 만들므로 Hct에 따라 만들어지는 FFP의 양은 다양
  - 영하 18℃ 이하에서 1년간 보존 가능
  - 환자의 coagulation factor level 2~3% 상승, fibrinogen 7~10 mg 증가
- ABO 혈액형이 동일한 것을 주어야 함
- 적응증
  ① coagulation factor deficiency (e.g., hemophilia B, dilutional coagulopathy)
  ② severe liver dz., vitamin K deficiency
  ③ warfarin-induced deficiency of vitamin K-dependent factors
  ④ TTP, DIC
- 부작용 ; 감염의 전파, anaphylaxis/allergic reaction, fluid overload
- IgA deficiency 환자는 anaphylaxis를 방지하기 위해 IgA deficiency 공여자의 FFP를 수혈해야 함

9. Cryoprecipitate (동결침전제제)

- FFP 1 unit에서 상층 plasma를 제거하여 제조, 1 unit = 평균 60 mL
- 분자량이 무거운 <u>fibrinogen</u>, <u>factor VIII</u>, factor XIII, <u>vWF</u> 등을 다량 함유하고 있음
  ↳ 1 unit/kg 투여시 약 50 mg 증가
- volume-sensitive 환자에게 fibrinogen, factor VIII 등을 공급할 때 유용
  (c.f., 같은 volume의 FFP에 비해 factor VIII 농도는 약 30배)
- 적응증 (적응 이외의 경우에는 사용하면 안 됨)
  ① hemophilia A (factor Ⅷ 제제가 없을 때)
  ② vWD (정제된 vWF/factor Ⅷ concentrate를 더 선호)
  ③ congenital/acquired fibrinogen deficiency
  ④ DIC, 산과적 합병증 등 fibrinogen 소모성 질환
  ⑤ factor XIII deficiency

성분 수혈의 일반적 적응 (일률적인 기준은 아니고, 환자 개개인의 상태에 따라 결정함)	
적혈구제제	Hb <7 g/dL ; 대부분 수혈 필요 Hb 7~10 g/dL ; 환자상태(e.g., 실혈 속도, 심폐질환)에 따라 결정
혈소판제제	출혈이 없는 안정 상태 ; 혈소판수 1~2만/μL 이상 유지 출혈은 없으나 불안정 상태 ; 혈소판수 2~5만/μL으로 유지 활동성 출혈 or 침습적 처치 예정* ; 혈소판수 5~10만/μL으로 유지
신선동결혈장제제	응고인자 부족에 의한 출혈이나 항응고제에 의한 심한 출혈 출혈 예방 목적 PT >참고치 중간값의 1.5배 (or INR 1.7), aPTT >참고치 상한의 1.5배, 응고인자 <30% 알려진 응고인자 결핍이 있으나 해당 농축제제가 없는 경우 섬유소원 결핍: <100 mg/dL V인자, XI인자를 포함하는 응고인자 결핍증에서 출혈이 있거나 침습적 처치 시행
동결침전제제	VIII 인자, vWF, 섬유소원, XIII 인자 등의 공급, 이상섬유소원혈증(dysfibrinogenemia)

* 골수검사 → 1~2만/μL, 중심정맥관 삽입 → 2~5만/μL, 기타 대부분의 수술/시술 → 5만/μL 이상,
8만/μL 이상 ; 경막외마취, 척추마취 등, 10만/μL 이상; 심각한 장기손상, 대수술, 미세혈관출혈 위험 등

수혈요법

1. 수혈의 기본 수칙

- 불출 혈액의 반납 ; 출고 받은 뒤 30분 이내에 수혈할 수 없는 경우
- 적혈구 제제의 폐기 ; 실온에서 30분 이상 방치 or 온도가 10℃ 이상 상승시
- 적혈구 1 unit의 수혈 ; 대개 2시간 이내에 완료 (최대 4시간까지 허용)
- 수혈시 사용되는 바늘 ; 18G 이상
- 혈액 필터 → large fibrin clots과 cellular debris 제거 목적
  - ① 표준 혈액 필터 (170 μm) ; WB or packed RBC 수혈시
  - ② 혈소판용 필터 (220~260 μm) ; PC
    (∵ 표면에 부착하는 성질이 있으므로 표준 보다 큰 구경을 사용)
  - ③ microaggregate filter (20~40 μm) ; 자가혈액 수혈시 사용(e.g., 심장수술), 백혈구도 90% 제거
  - * 백혈구 제거용 필터(leukocyte reduction filter, LRF) ; 백혈구 99.9% 이상 제거,
    적혈구 수혈시 6~25 μm, 혈소판 4~6 μL
- 혈액 주입 속도를 높이는 법
  - ① needle or filter의 상태 확인
  - ② 0.9% N/S으로 희석 (다른 수액은 금기!)
    - 5% dextrose (hypotonic) → RBC 팽창 → hemolysis 유발
    - Ringer's lactate 등의 전해질 용액 → Ca^{2+}에 의해 blood clot 생길 수
  - ③ 압력기 사용 or 혈액백의 높이↑
- 수혈과 같은 line으로 약을 투여해서는 안 된다

2. 수혈전 검사 (pretransfusion tests)

(1) ABO 및 Rh 혈액형 검사

(2) 비예기항체 선별검사 (alloAb의 screening)

: 주요 항원을 함유한 O형 RBCs와 환자의 혈청을 반응시켜 봄

(3) 교차시험(cross-matching) → 환자의 수혈 가능성이 높을 때 시행

: 수혈전 검사의 마지막 단계로 ABO 적합성 및 비예기항체의 존재 유무를 재확인 가능

3. 자가수혈 (autologous transfusion)

- AIDS가 퍼지면서 그 수요가 폭발적으로 증가 (구미 전체 수혈의 2~10% 차지)
- 장점 ; 수혈전파성 질환의 예방, 동종면역의 가능성 배제, 수혈부작용 방지
- 종류 ; 수술전 혈액예치, 수술중 혈액희석, 수술중 혈액회수, 수술후 혈액회수
- 자가혈액예치가 가능한 최저 혈색소치 : Hb ≥11.0 g/dL (Hct ≥34%)
- 철분제제를 투여하면서 주 1회 정도로 예치, 총 5~6 units까지 가능
- 마지막 예치는 수술 3일 이전으로

4. 지정수혈 (directed transfusion)

- 어떤 특정 환자에게 수혈할 목적으로 행하는 헌혈
- but, 수혈전파성 감염의 양성률은 대체로 일반인과 유사 or 약간 낮음
- 유용한 경우
  ① 신생아 동종면역성 혈소판감소증을 가진 아이에게 산모의 혈소판을 주는 경우
  ② 신장이식 환자에게 친족의 혈액을 수혈하는 경우
  ③ 혈소판 동종항체를 가진 환자에게 친족의 혈소판을 주는 경우
  ④ 적혈구 항체를 가진 환자에게 친족의 적혈구를 주는 경우
- 금기
  ① 임신가능 연령의 부인은 남편이나 남편 친족의 혈액을 수혈 받으면 안됨
  ② 골수이식 환자들도 친족의 혈액을 수혈 받으면 안됨
  ③ 신생아용혈성 질환을 가진 아이는 아버지의 혈액을 수혈 받으면 안됨

■ 참고: 적혈구 항체

IgG	IgM
Monomer, Ag-binding site 2개	Pentamer, Ag-binding site 10개
대개 온난항체, 면역(비예기)항체 (면역반응으로 생긴 뒤 오래 유지됨 ~30년)	대개 한랭항체, 자연(preformed) 항체 (면역반응으로 생기면 빨리 감소됨 ~1년)
유일하게 태반 통과 가능	보체를 조금 더 잘 활성화시킴
부유된 적혈구를 응집 잘 못 시킴 (적혈구 하나당 anti-D 120개 필요)	부유된 적혈구를 응집 잘 시킴! (적혈구 하나당 anti-A 50개 필요)
anti-D의 대부분 anti-A & anti-B의 일부 (O형은 주로 IgG임)	anti-A, anti-B의 대부분 (ㄴ 일부 IgG, IgA도 있음)

*대개 IgM은 한랭항체로 체내 반응성이 약하지만 Anti-A/B는 용혈반응을 일으킬 수 있으므로 임상적으로 m/i

수혈의 이상반응

수혈 이상반응*의 분류
1. 용혈 수혈반응 기존 적혈구 항체에 의한 급성 용혈반응 기왕반응(anamnestic response)에 의한 지연성 용혈반응 비면역성 (물리화학적) 용혈
2. 비용혈 수혈반응 비용혈 발열반응 (m/c) 알레르기 반응, 아나필락시스 수혈에 의한 GVHD 수혈관련 급성 폐손상(TRALI) 혈액량 과부하 혈철소증(hemosiderosis)
3. 수혈전파성 감염

* 부작용 → 이상반응(adverse reaction)으로 용어가 바뀌었음

1. Acute hemolytic transfusion reaction (AHTR)급성용혈수혈반응

- 적혈구 수혈 즉시~24시간 이내에 용혈반응이 발생
  - preformed Ab가 원인 (대부분 ABO 부적합 수혈 - 사무적 오류 때문) ; anti-A, anti-B
  - IgM Ab → complement 활성화 → 급격한 intravascular hemolysis 유발
  - 드물게 Rh (→ 혈관외 용혈), Kell, Duffy 항체에 의해서도 발생 가능, ABO보다는 경미함
- 임상양상 ; 매우 다양, 보통 수혈된 혈액량과 비례
  - Sx ; flushing, infusion site의 pain, chest/back pain, restlessness, A/N/V ...
  - sign ; fever (m/c), chills, jaundice, shock (hypotension, tachycardia), renal failure
  - 수술중이거나 의식이 없는 환자 (→ warning sign이 없어 위험!)
    ; hypotension, hemoglobinuria, generalized bleeding, oliguria
- lab ; plasma free Hb↑, methemalbumin, haptoglobin↓, bilirubin↑, hemoglobinuria
- 파괴된 RBCs에서 유리된 tissue factor가 DIC 유발 가능 ; PT↑, PTT↑, fibrinogen↓, D-dimer↑
- mortality : 5~10% (사망하려면 대개 200 mL 이상이 수혈되어야), 수혈 관련 사망 중 m/c
- 치료/조치
  ① 즉시 수혈을 중지하고 IV line은 유지한 채 N/S으로 대치 (∵ 저혈압 및 신손상 방지)
  ② hydration (N/S) → 혈압, 요량 유지
    - 보통 1 mL/kg/hr (or 100~200 mL/hr) 요량 유지를 위해 100~200 mL/hr IV 투여
    - circulatory overload 위험시에는 diuretics (furosemide) 투여 (혈압 적절할 때만)
    - severe hemoglobinuria에 대한 urine alkalinization의 효과는 불확실함
  ③ 호흡 및 순환 유지, DIC 발생하나 면밀히 관찰
  ④ 수혈 전/후 검체로 혈액형/교차반응 검사 재실시, Coombs test (DAT) 및 용혈빈혈 확인 검사 (e.g., LDH, haptoglobin, bilirubin, urine free Hb), 혈액응고 검사, 혈액배양 검사 등
  ⑤ 수혈이 계속 필요하면 O형 RBC, AB형 platelet/FFP를 사용 (universal donor)
  ⑥ 대량 수혈된 경우에는 해당 항원(-) 적혈구로의 교환수혈도 고려 가능

2. Delayed hemolytic transfusion reactions (DHTR)만성용혈수혈반응

- 이전에 RBC alloAg.에 감작되었지만, alloAb level이 낮아 alloAb. screening에서 음성인 경우 발생 가능 (대개 다음번 alloAb. screening에서는 발견됨)
- alloAg.에 재노출시 anamnestic response에 의해 alloAb.가 급격히 증가되어 용혈 유발
- alloAb.는 수혈 1~2주 뒤에 발견 가능
- 대부분 증상이 경미하여 특별한 치료는 필요 없음 / 향후 해당 alloAg. 없는 혈액으로 수혈

3. Febrile nonhemolytic transfusion reaction (FNHTR)비용혈 발열반응

- 체온이 상승될 다른 이유 없이 수혈과 관계되어 체온이 1℃ 이상 상승하는 것
- 혈구 성분제제의 수혈시 m/c 이상반응
- 원인/발생기전 ⇨ 수혈을 자주 받는 환자, 다산부에서 발생위험 증가
  ① 혈액제제의 보관 중 WBCs/platelets이 cytokines/chemokines 분비 (m/c)
    → washed 혈액제제 or 보관 전 백혈구제거를 시행한 WBC-reduced 혈액제제 필요
  ② 공여 혈액의 WBC 및 HLA Ag에 대한 수혈자의 Ab 존재시 → WBC-reduced 혈액제제 필요
- 임상양상 ; fever, chills, headache, N/V (다른 P/Ex과 lab.은 정상)
- 대부분 self-limited! (용혈이 아니기 때문에 Hb은 예상치 만큼 상승됨)
- 치료 ; 일단 수혈 중지 후 용혈반응이나 세균감염 R/O
  ⇨ acetaminophen, antihistamine, corticosteroid (심한 경우)
- 예방 ; pre-storage WBC-reduced 혈액제제 수혈 (but, 15%는 재발),
  AAP나 antihistamine의 전처치는 효과 없음

4. Allergic (urticarial) reaction

- 두드러기, 가려움증 정도의 가벼운 증상, 수혈자의 1~2%에서 발생
- 원인 : donor plasma proteins과 recipient IgE Ab의 상호작용으로 발생
- mild → 수혈 일시 중지 후 antihistamine으로 치료 (e.g., diphenhydramine), 호전되면 수혈 가능
- 예방 ; 반복적인 allergic reaction 발생 환자는 수혈 전 antihistamine 투여

5. Anaphylactic reaction

- 원인 ; donor plasma IgA (selective IgA deficiency [sIgAD] recipient에서 anti-IgA Ab 존재시), complement, drugs, 수용성 allergen 등
- 수혈 후 수분 이내에 발생
- 임상양상 ; dyspnea, cough, N/V, hypotension, shock, 의식소실, 호흡부전
- 치료 ; 수혈 중단, epinephrine, antihistamine, steroid, 호흡유지
- 예방 ; washed RBC or platelet 수혈
  (심한 IgA 결핍 환자 → IgA 결핍 혈장 or washed 혈액제제만 투여)

c.f.) sIgAD ; 선천적(유전양상은 불확실), 서양에선 매우 흔하나(0.1~1%), 동양에선 드문 편
  ↳ 이 중 일부 severe sIgAD 환자에서만 anti-IgA Ab (IgG and/or IgE) 가 생성됨
    → IgA 함유 혈액제제 수혈시 심한 anaphylactic reaction 발생 위험

6. Transfusion-associated Graft-versus-host disease (Ta-GVHD)이식편대숙주병

- 매우 드물지만(∵ donor lymphocytes 대부분은 recipient 면역체계에 의해 파괴됨) 심각함 (사망률 >90%)
- donor T lymphocytes가 recipient HLA Ag을 인식, 상피세포 등을 공격하여 발생하는 면역반응
- 임상양상 ; 발열, 피부발진, 장염, 설사, 간기능 이상, BM aplasia & pancytopenia
- 수혈 4~30일 (주로 8~10일) 뒤 증상 발생, 3~4주 뒤 대부분 사망
- 면역억제치료(e.g., steroid, cyclosporine, ATG)에 반응 안함!
- 발생 위험군(risk factor) ⇨ 예방이 중요 ; **irradiated blood** 사용 (WBC-reduced는 안됨!)
  ① recipient의 면역 결핍 ; 면역저하자, lymphoma 환자, HCT를 받은 환자, 태아의 자궁내 수혈시
  ② 면역 정상이라도 donor와 recipient의 HLA가 부분 일치시 (∵ donor lymphocytes를 인식×)
  ↳ 가족간 수혈 ; HLA one-way mismatching (→ 가족간 수혈은 가능한 금기임)

7. Transfusion-related acute lung injury (TRALI)수혈관련급성폐손상

- 수혈에 의해 발생된 non-cardiogenic pul. edema
- donor (대개 multiparous women) 혈장 내 high-titer anti-HLA or neutrophil-specific Ab.가 수혈자의 WBC와 반응하여 응집 → 폐의 미세혈관 폐쇄
- plasma를 포함한 제제를 투여한 후 4시간 (대개 1~2시간) 이내에 발생
- 임상양상 ; severe dyspnea, cyanosis, blood-tinged sputum, hypoxemia, fever
- pul. edema와 비슷하거나, 혈역학적 검사에서 noncardiogenic 양상을 나타낸다
- 치료 : respiratory support, mechanical ventilation (steroid는 도움 안됨)
  - PCWP가 낮고 hypotension이 발생하면 fluid replacement도
- 대개는 48시간 이내에 후유증 없이 회복됨, 사망률 5~14% (수혈 관련 사망 중 3rd m/c)

8. Post-transfusion purpura

- platelet transfusion 7~10일 뒤 발생한 delayed thrombocytopenia, 주로 여성에서 발생
- 원인 : 공여 혈액의 platelet-specific Ab (주로 GP IIIa receptor의 HPA-1a에 대한)
- 치료 : IV Ig (Ab 중화) or plasmapheresis (Ab 제거)
- 추가적인 platelet transfusion은 thrombocytopenia을 악화시키므로 금기

9. Massive transfusion (MT, 대량수혈)

- 정의 : 성인에서 24시간 이내에 8~10 units의 적혈구제제가 수혈되거나, 1시간 내에 4~5 units의 적혈구제제가 수혈되는 경우 or 분당 150 mL 이상의 출혈이 있는 경우
- MTP (MT protocol) ; 전혈과 유사하게 RBC, FFP, platelet을 1:1:1로 수혈하는 것이 권장됨
- 수혈전 검사 ; 혈액형 검사와 1단계 교차시험만 시행 / 환자 채혈이 불가능한 초응급 때는 다 생략 가능 → universal blood : RhD(-) O형 RBC, AB형 platelet/FFP (우리나라는 RhD (+)도 가능)
- 부작용
  ① CHF, pulmonary edema, ARDS, ATN (ARF)
  ② sepsis, DIC, fibrinolysis
  ③ dilutional coagulopathy / thrombocytopenia, platelet 기능 장애

④ hypothermia (→ O_2에 대한 Hb affinity↑), 2,3-DPG↓
⑤ hyperkalemia, metabolic acidosis (대량의 FFP 수혈시엔 metabolic alkalosis)
⑥ citrate anticoagulant intoxication → hypocalcemia (→ 응고이상 등)
⑦ factor Ⅴ, Ⅷ deficiency (→ PT, aPTT 연장)

10. 수혈전파성 감염

(1) 바이러스

① hepatitis : HBV > HCV > HAV
② retroviral infection : HIV (AIDS), HTLV-Ⅰ·Ⅱ
③ CMV : 수혈되는 혈구(WBC) 성분 내의 CMV가 수혈된 뒤 재활성화됨
- 우리나라 anti-CMV Ab 양성률 95.2~98.6%
  (anti-CMV Ab가 있어도 면역이 되었다고 볼 수는 없다)
- 10% 이하에서 수혈 3~6주 후 mononucleosis-like syndrome을 보일 수 있음
- 면역저하자 및 신생아에서는 치명적일 수도 있음
  → 예방 : WBC-reduced 혈액 수혈, CMV Ab (-) 혈액 수혈

④ 기타 : EBV, parvovirus B19, WNV (west nile virus, 미국에서는 헌혈혈액검사에 포함)

(2) 세균 ; syphilis (*T. pallidum*), brucellosis (*Brucella abortus*), Lyme dz. (*Borrelia burgdoferi*), *Yersinia, Pseudomonas, Serratia, Acinetobacter, E. coli* ...
(실온 보관하는 혈소판의 경우는 CoNS 같은 Gram 양성균도 감염 위험)

(3) 기생충/기타 ; malaria (*P. malariae, P. vivax*), Chagas' dz. (*Trypanosoma cruzi*), babesiosis (*Babesia microti*), *Bartonella, Toxoplasma gondii*, vCJD ...

* coagulation factor concentrate가 감염의 위험 가장 높다
  (∵ 여러 사람의 blood를 모아서 제조하므로)
  → 요즘은 infectious agents를 제거하는 처리를 받은 factor concentrate 나 recombinant coagulation proteins의 사용으로 FFP나 cryoprecipitate보다 전염 위험성이 감소되었음

* albumin이나 γ-globulin 등은 감염의 위험이 없다

헌혈

1. 헌혈 금지의 범위

(1) 공통 기준

• 체중 : 남자 <50 kg, 여자 <45 kg
• 체온 ≥37.5℃
• 고혈압 (≥180/100 mmHg), 저혈압(systolic BP <90 mmHg)
• 임신부 or 분만후 6개월 이내, 외과수술후 6개월 이내, 수혈후 1년 이내 ..
• 전염병 환자 및 기타 내과적 질환자

(2) 개별 기준

	연령	체중	혈액비중	혈액검사	혈청단백	채혈간격
400 mL 전혈	<17세 ≥70세	<50 kg	<1.053	Hb <12.5 g/dL	-	전혈 2개월 이내 성분혈 14일 이내 1년내 전혈 5회 이상
500 mL 혈장성분	<17세 ≥70세	-	<1.052	Hb <12.0 g/dL	<6.0 g/dL	전혈 2개월 이내 성분혈 14일 이내
400 mL 혈소판성분	<17세 ≥60세	-	<1.052	Hb <12.0 g/dL PLT <150,000/μL	<6.0 g/dL	전혈 2개월 이내 성분혈 3일 이내

2. 헌혈 혈액의 검사

① 혈액형 : ABO, Rh(D), 아형검사
② HBsAg, HBV DNA (NAT)
③ anti-HCV, HCV RNA (NAT)
④ anti-HIV, HIV RNA (NAT)
⑤ anti-HTLV-1/2 (2009. 4월부터 시행)
⑥ 매독항체검사 (TPPA)
⑦ ALT (폐기 기준: 65 U/L)
⑧ 비예기항체 선별검사(Ab screening test)
⑨ 말라리아 항체 검사 : 한강 이북의 서울, 경기, 강원 지역 헌혈자에서 시행

* 2005년부터 HCV와 HIV에 대해서는 핵산증폭검사(NAT) 시행
  - NAT (nucleic acid amplification test) ; PCR, TMA, bDNA 법 등
  - 이전의 EIA 법에 비해 window period 감소
    - HIV : EIA 22일 → NAT 11일
    - HCV : EIA 80일 → NAT 23일
* 2012년 7월부터 HBV에 대한 핵산증폭검사(NAT)도 시행

치료적 성분채집술 (Therapeutic apheresis)

1. 이론적 배경

① 혈장에 존재하는 pathologic substances의 제거 (e.g., Ab, immune complex, paraprotein, toxin)
② 부족한 성분의 보충
③ Ag-to-Ab ratio 변화
④ inflammatory or immunologic mediators 감소

- IgG보다 IgM이 더 효과적으로 제거됨 (∵ IgG는 혈관 밖에도 많음, IgM은 주로 혈관 내에 존재)

2. 적응증(예)

Therapeutic plasma exchange (TPE)	Red cell exchange
ABO-incompatible organ or marrow transplant (recipient) Acute liver failure ⇨ TPE-HV (high volume TPE) Chronic inflammatory demyelinating polyneuropathy Cold agglutinin disease, Cryoglobulinemia Demyelinating polyneuropathy with IgG/IgA Drug overdose & poisoning (protein bound) Eaton-Lambert syndrome Goodpasture's syndrome Granulomatosis with polyangiitis (Wegener's granulomatosis) Guillain-Barre syndrome Hypercholesterolemia Hyperviscosity syndrome Myasthenia gravis Post-transfusion purpura Quinine/quinidine thrombocytopenia Rapidly progressive glomerulonephritis (RPGN) Refsum's disease (phytanic acid) TTP, HUS, SLE, 응고인자에 대한 inhibitors Wilson dz. (fulminant)	Hyperparasitemia (falciparum malaria) Sickle cell syndromes (prophylactic use in pregnancy) Hereditary hemochromatosis Polycythemia vera (very severe) **Cytoreduction** Leukemia with hyperleukocytosis syndrome Thrombocytosis (symptomatic)

3. Replacement fluids

	장점	단점
Albumin	Iso-oncotic Inflammatory mediators 없음 Virus 전염 위험 없음	비쌈 응고인자 없음 Ig 없음
Plasma (FFP)	정상 level의 Ig, complement, antithrombin 등의 단백질을 함유	Virus 전염 위험 Citrate load ABO incompatibility 위험 Allergic reactions Sensitization

- TTP, HUS (→ FFP) 등 일부를 제외하고는 대부분 4~5% albumin을 선호
- TPE를 1 PV (plasma volume) 만큼 시행하면 혈장성분의 63.2%, 1.5 PV 만큼 시행하면 77.7%, 2 PV 만큼 시행하면 86.5%가 제거됨 (일반적으로 1회에 1~1.5 PV 교환)
- 대개 2주 동안 6~8회 정도 시행

12
조혈모세포이식(HCT)

개요

- hematopoietic stem cell transplantation (**HCT**, HSCT, SCT) : 공여자의 골수, 말초혈액, 제대혈 등에서 조혈모세포(CD34+)를 채취하여 환자에게 주입(이식)하는 것
- 다른 장기 이식과 다른점
  ① cell transplantation (… injection 만 해주면 됨)
  ② donor의 loss가 없음
  ③ 자가이식도 가능 (∵ 냉동 보관 & 해동해도 손상 없음)
  ④ HLA 적합성이 중요함 (많이 일치할수록 성적 우수)
  ⑤ ABO 혈액형은 맞지 않아도 됨 (∵ hematopoiesis는 donor origin)
  ⑥ rejection보다 GVHD가 문제
  ⑦ 면역학적 내성(immunologic tolerance)이 유도되므로, cyclosporin A 등의 면역억제제를 장기간 투여할 필요가 없다! (6~12개월만)
- 보통 allogenic HCT는 50~55세 이하에서, autologous HCT는 65~70세 이하에서 시행

적응증

(1) AML : first remission 때 시행
(2) ALL : 소아는 second remission (first relapse) 때, 성인 및 고위험군은 first remission 때 시행
↳ 6장 백혈병 편 참조
(3) CML : TKI 1차 & 2차 치료에 실패시 3rd-line으로 (고위험군은 2nd-line, BP는 1st-line)
(4) MDS : 저위험군은 주로 약물치료 시행, 고위험군/고령은 이식 사망률이 높아 시행 적음
(5) severe aplastic anemia : 가능한 빨리
(∵ 수혈 받은 횟수가 많을수록 GVHD나 graft rejection의 빈도가 증가)
→ 가급적 수혈을 제한해야 됨 (가족으로부터의 수혈은 금기)
(6) high-dose chemotherapy + autologous SCT (HDT/ASCT)
┌ multiple myeloma (m/c, 1st-line Tx), lymphoma (1st-line CTx. 실패시 효과적)
└ ovary/testis ca, neuroblastoma, Wilm's tumir 등 / breast ca.는 생존율 향상×

(7) 기타 ; thalassemia, severe combined immunodeficiency, malignant osteopetrosis, storage dz. (e.g., Gaucher's dz., Hurler's syndrome, Hunter's syndrome)

┌ alloHCT ⇨ AML, ALL, CML, MDS, CLL, AA, 일부 lymphoma, 기타 비악성질환
└ autoHCT ⇨ multiple myeloma, 대부분의 lymphoma, 다른 종양

종류

1. allogenic HCT (alloHCT)동종 조혈모세포이식

(1) 공여자의 종류

- HLA-matched sibling (형제) : TOC!
  - 형제간 HLA가 일치할 확률 = 1 - $(0.75)^n$ (n: 형제의 수)
  - graft rejection 1~3%, severe acute GVHD 15% 발생
- one-locus mismatched family (··· 부모는 HLA 검사할 필요 없음)
- MUD (matched unrelated donor, 비혈연) : 요즘 증가 추세

(2) 과정

① 전처치(conditioning) : high-dose CTx., TBI
  ↳ 목적 ; 종양 세포 박멸, 면역억제를 통한 rejection 예방, donor stem cells을 위한 공간 확보

② stem cells collection & processing

③ stem cell infusion (central vein으로)
  * homing mechanism : stem cells이 BM의 stromal cells에 가서 결합됨
    ↳ 기전 ; stromal cells의 CXCL12 (stromal cell-derived factor 1, SDF1)와 stem cells의 α-chemokine receptor CXCR4 (CD184)의 상호작용, endothelial cells의 selectins과 stem cells의 integrins (e.g., VLA-4) ligands의 상호작용

④ preengraftment period : pancytopenia 기간, 충분한 성분수혈 필수

⑤ postengraftment period

■ **생착(engraftment)** : absolute neutrophil이 지속적으로 >500/μL로 되는 날

- 대개 이식 2~4주 뒤에 이루어짐
- 생착 속도 ; PBSCT (2주) > BMT (3주) > cord blood transplantation (4주)
- allogenic HCT 이후 생착의 확인 방법
  - 공여자와 환자의 성이 다른 경우 → sex chromosomes의 FISH
  - 공여자와 환자의 HLA가 다른 경우 → HLA typing
  - 공여자와 환자의 혈액형이 다른 경우 → ABO typing
  - 성, 혈액형, HLA 등이 일치하는 경우 → STR (short tandem repeat) polymorphisms or VNTR (variable number of tandem repeat) ; DNA fingerprinting
    (→ RFLP, PCR, targeted NGS 등으로 검사)

(3) NST (non-myeloablative SCT) or mini-BMT : 비골수제거 조혈모세포이식

- 전처치(CTx)를 약하게 하여 환자의 BM를 완전히 파괴시키지 않고, 공여자의 lymphocyte에 의한 graft-vs-tumor (GVT) effect를 이용하는 방법
- 이식 후 donor lymphocyte infusion (DLI) 등의 booster therapy 가능
- 장점 ; 회복 속도가 빠르고, 전처치 독성 등의 부작용이 적어 고령에서도 시행 가능
- 단점 ; GVHD 위험↑, 생착 실패 또는 거부반응의 빈도↑
- CML, low-grade lymphoma 등과 같이 느리게 자라 GVT effect에 민감한 질환에서 효과적

c.f.) 이식편대종양효과(GVT effect)에 대한 질환별 민감도

민감도 높음	민감도 중간	민감도 낮음
CML Low-grade lymphoma Mantle cell lymphoma CLL	AML Moderate-grade lymphoma Multiple myeloma Hodgkin lymphoma	ALL High-grade lymphoma

* allogenic SCT 이후에 재발한 leukemia 및 일부 indolent lymphoma 환자는 때때로 같은 donor의 T lymphocyte infusion (DLI)으로 치료하기 함 (∵ GVT effect)

2. autologous SCT (ASCT)자가 조혈모세포이식

- 보통 high-dose CTx.를 위해 시행
- 환자의 stem cells 채집 (대개 PBSCT 이용) → high-dose myeloablative therapy (항암치료 효과의 극대화) → stem cells 재주입
- 장점 ; GVHD or graft rejection 없음, 생착 빠름, 이식 이후 면역억제제 쓸 필요 없음
- 단점 ; 종양세포의 오염으로 인한 재발 가능, GVT (graft-vs-tumor effect) 無

3. PBSCT (말초혈액 조혈모세포이식)

- G-CSF 등의 전처치 필요 (4~5일) → stem cell mobilization↑ → apheresis로 stem cells 채취
  - colony-forming units or CD34 expression으로 hematopoietic progenitor cells 양 확인
  - CD34+ cells 양이 부족하면 (G-CSF response↓) → plerixafor (CXCR4 inhibitor) 추가
- 장점 ; 생착 빠름 (→ 빠른 조혈/면역기능 회복), donor에 non-invasive
- 단점 ; chronic GVHD 발생률 높음! (∵ 말초혈액이 골수보다 T cells 많음) (acute GVHD는 BMT와 비슷함)
- survival의 차이는 거의 없음!

4. umbilical cord blood transplantation (제대혈이식)

- 제대혈은 성인에 비하여 증식력이 뛰어난 조혈모세포를 고농도로 가지고 있음
- 생착률 85% (but, 느림), 생존율/재발률은 BMT와 비슷
- 장점 ; 얻기 쉬움, donor에 해가 없음, 전염성 감염의 위험이 낮음, HLA가 1~2자리 달라도 이식 가능, 급성/만성 GVHD 발생률 낮음!
- 단점 ; 성인에 이식하기에는 stem cells 양이 적음, immune reconstruction이 늦어 이식 후 감염↑

HCT 이후의 부작용

Eearly Complication	Late Complication
Regimen-related toxicity	Regimen-related toxicity
Hemorrhagic cystitis	Cataracts
Mucositis	Neurologic toxicity
Pulmonary Cx (e.g., idiopathic pneumonia)	Gonadal toxicity (→ infertility)
Renal toxicity (e.g., HUS)	Endocrine toxicity
Neurologic toxicity	성장 및 발달 장애
Hepatic sinusoidal obstruction syndrome (SOS)	Immunodeficiency
Graft failure	Infections
Infections	Chronic GVHD
Immunodeficiency	Primary tumor의 재발
Acute GVHD	Secondary malignancy
Bleeding	

(1) 이식 ~ 생착(engraftment)

- oral mucositis, hemorrhagic cystitis, 혈전증(hepatic SOS), pancytopenia
- 감염 ; 세균(정상균주, 잠재균주), *Candida*, HSV

(2) 생착 ~ 생착후 100일

- acute GVHD
- 감염 ; fungi (*Aspergillus*), CMV, adenovirus, 세균

(3) 생착 100일 이후

- chronic GVHD
- 감염 ; VZV, 세균(encapsulated) … cGVHD만 발생하지 않는 다면 감염 위험은 매우 낮아짐

1. 감염

- early (생착 이전) ; 세균 감염이 주 (∵ neutropenia), central venous catheter와 흔히 관련,
  ⇨ coagulase-negative *Staphylococci* (m/c), *E. coli*, *Klebsiella*, *Pseudomonas* ...
- late (opportunistic infection) ; 바이러스 감염이 주 (CMV가 m/c),
  cGVHD에 의한 면역억제 시에는 encapsulated bacteria 감염도 호발
- prophylaxis
  - 세균 ⇨ fluoroquinolone (e.g., levofloxacin) : 초기의 neutropenia 기간
    ↳ G(+) 대응 항생제 추가는 권장 안 되지만, quinolone 내성균 발생 여부는 감시해야
    * penicillin [encapsulated bacteria] : cGVHD에 의한 면역억제치료 기간
      (↳ *S. pneumoniae, H. influenzae, N. meningitidis* 등)
  - fungus ⇨ fluconazole : 75일까지
  - *P. jiroveci* 폐렴 ⇨ TMP-SMX : 6개월까지 (or 면역억제치료 중단시까지)
  - HSV ⇨ acyclovir : 30일까지 (acyclovir 내성시 foscarnet)
    (예방요법을 시행 안하면 seropositive 환자의 80%에서 발병)
  - CMV ⇨ ganciclovir : 생착~100일까지 예방적으로 투여 or
    CMV Ag/PCR 검사로 감시하다가 선제요법(ganciclovir) 시행

- VZV ⇨ acyclovir : 1년까지
- EBV ⇨ 고위험군에서 주기적 EBV 재활성화 검사로 감시하다가 선제요법 시행
- chronic GVHD만 안 생기면, 이식 3개월 이후에는 감염의 위험이 크게 감소됨 (↳ 계속 면역억제치료 필요)
- SCT 이후의 예방접종
  - 1년 후 ; diphtheria, tetanus, *H. influenzae* type b, HBV, HAV, pneumococcus, inactivated poliovirus, inactivated influenza virus 등 (유행 지역에서는 meningococcus도)
  - 생백신(e.g., MMR)은 2년 이후 cGVHD가 없고 면역억제치료 중이 아닐 때에만 접종!
  - 가족들도 influenza virus 등 일반적인 예방접종
  - oral poliovirus 접종한 소아와는 1달 동안 접촉 금지

2. 전처치(CTx/RTx)에 의한 초기 부작용

- N/V, mild skin erythema, hair loss (5~6일 이후), pancytopenia (1주일 뒤 최대) ...
- **hemorrhagic cystitis** ; ifosfamide, high-dose cyclophosphamide가 원인
  ⇨ 예방 ; bladder irrigation, sulfhydryl compound mercaptoethanesulfonate (MESNA)
- **oral mucositis** (이식후 5~7일째) ; 궤양, 염증, 출혈, 통증 → 심하면 음식 섭취 어려움
  ⇨ topical & IV analgesics, palifermin (keratinocytegrowth factor)의 예방적 투여, 필요시 TPN (c.f., HCT 환자의 에너지 요구량 : 25~30 kcal/kg의 130~150%)
- **간의 굴모양혈관폐쇄증후군**(hepatic sinusoidal obstruction synd.[SOS], **과거** veno-occlusive dz.[VOD])
  - 병인 ; hepatic-venular & sinusoidal endothelium의 direct cytotoxic injury (acinus zone 3의 endothelial cells과 hepatocytes 손상)
    → fibrin 침착, local hypercoagulable state → veins & sinusoids 폐쇄, 확장
  - 대개 이식 후 1개월 이내에 발생 (16일째 peak), 3~10%에서 발생
  - 발생 위험인자 ; 강력한 conditioning regimens, 과거에 강력한 CTx 병력, 기저 간질환 (e.g., viral hepatitis), ABO-부적합 혈소판 수혈, autologous보다는 allogenic HCT에서 호발
  - 영상검사(US, CT, MRI)로는 진단 어려움, biopsy는 거의 필요 없음
  - 임상양상
    - 서서히 portal HTN이 발생하는 것이 특징
    - 체중증가, 황달(bilirubin ↑) → 간비대, 복통(RUQ), 복수, encephalopathy → hepatic failure

Hepatic SOS의 진단기준 (HCT 21일 이내에)

modified Seattle criteria (2개 이상)	Baltimore criteria
Total bilirubin >2 mg/dL Hepatomegaly or RUQ pain 체액저류로 인한 체중증가(>2%)	Bilirubin >2 mg/dL & 다음 중 2개 이상 ; Hepatomegaly, Ascites, 체중증가(>5%)

  - 치료 ; 특별히 효과적인 치료법 없음, supportive care가 주(e.g., fluid balance 유지), 심한 경우 defibrotide (→ thrombin 생성 억제, fibrinolysis 유발) 추가하면 사망률 감소
  - 예후 ; mild~moderate SOS는 supportive care로도 예후 좋음 (회복되면 간 후유증 없음), severe SOS (25~30%)는 예후 나쁨 (사망률 ~30%, 다발성장기부전으로 되면 거의 다 사망)

- idiopathic pneumonia syndrome (IPS) ; 이식 4개월 이내에 (median 19일) ~10%에서 발생 가능
  - 강력한 conditioning regimens (CTx)의 direct toxicity로 인해 발생
  - diffuse interstitial pneumonia 양상 ; BAL에서 alveolar hemorrhage (감염의 증거는 없어야), biopsy에서 diffuse alveolar damage
  - 치료 ; high-dose steroid + TNF-α inhibitor (e.g., etanercept, infliximab)
  - 예후 나쁨 (사망률 70~80% 이상), diffuse alveolar hemorrhage (DAH)는 예후 더 나쁨

3. 전처치(CTx/RTx)에 의한 후기 부작용

- 소아에서 성장 및 발달 장애 (e.g., 2차 성징 발생 지연)
- 불임(azospermia, ovarian failure), 갑상선 기능장애
- cataract (10~20%) ; TBI 또는 GVHD에 대한 steroid 치료뒤 호발
- 대퇴골두의 aseptic necrosis (10%) : 특히 장기간의 steroid 치료시 호발

4. acute GVHD (graft-versus-host dz.)급성 이식편대숙주질환

(1) 개요

- donor lymphocytes가 host cells을 foreign으로 인식하여 면역반응 발생
  → donor의 T cells이 activation/proliferation되어 host tissue를 공격
- 대개 이식 2개월 이내에 발생 (2~4주에 m/c), 10~60%에서
- 생명을 위협하는 심각한 GVHD 발생률 ; HLA-matched 형제에서는 10~30% (∵ major HLA가 모두 일치해도 minor HLA mismatch에 의해 발생), 비혈연 공여자에서는 ~60%
- 발생 위험인자 ; HLA mismatch or unrelated donor, 공여자와 수혜자의 성(sex) 불일치, 강력한 conditioning regimens전처치 (→ recipient antigen-presenting cells[APCs] 활성화↑), 수혜자의 기저질환(e.g., 심장, 폐, 간, 신장) severity↑, 충분한 예방 처치를 받지 못한 경우 공여자가 여성(특히 다산), 고령, CMV(+), EBV(+) 등인 경우

(2) 임상양상

① skin ; dermatitis, erythematous maculopapular **rash** (first sign)
② GI (enterocolitis) : **diarrhea** and/or anorexia → abdominal pain, ileus
③ liver (hepatitis) : jaundice (**bilirubin**↑), AST-ALT↑, ALP↑

Overall Clinical Grade (Ⅰ~Ⅳ)

Stage	1	2	3	4
Skin	Ⅰ	Ⅰ	Ⅱ	Ⅳ
Liver	Ⅱ	Ⅲ	Ⅲ	Ⅳ
GI	Ⅱ	Ⅲ	Ⅲ	Ⅳ

Stage	1	2	3	4
Skin	발진 <25%	발진 25~50%	전신의 홍반	박리 수포
Liver (bilirubin)	2~3	3~6	6~15	>15
GI (L/day)	설사 0.5~1	설사 1~1.5	설사 >1.5	ileus

(3) 진단 ; skin, liver, or endoscopic biopsy (endothelial damage & lymphocyte infiltration)

c.f.) aGVHD severity의 biomarker ; ST2, TNF R1, REG3α (regenerating islet-derived 3-α)

(4) 예방

① immunosuppressive therapy (to donor T cells) : 대개 조혈모세포 주입 직전에 시작

┌ myeloablative alloHCT ⇨ methotrexate + calcineurin inhibitor (cyclosporin, tacrolimus)
└ reduced-intensity alloHCT ⇨ mycophenolate mofetil (MMF) + calcineurin inhibitor

- antithymocyte globulin (ATG) 추가 권장 → cGVHD↓(→ 삶의 질↑), survival 향상은 없음

② T-cell depleted stem cells 이식 (but, 이식 실패 및 종양 재발률이 크게 높아지는 단점!)

③ 가능한 aGVHD 발생 위험인자를 피하여 공여자-수혜자 선정

(5) 치료

- grade Ⅰ (skin dz. only) ⇨ topical steroids 만 (예방치료는 계속 하면서..)
- grade Ⅱ 이상부터 systemic Tx. 필요
  - high-dose systemic steroid (e.g., methylprednisolone)가 DOC
  - GI 침범시 ⇨ systemic steroid + oral nonabsorbable steroid (e.g., beclomethasone)
    ↳ 대부분 영양 보충도 필요함, octerotide는 설사를 감소시킴
- steroid에 실패한 경우 (2nd-line, 치료 어려움) ; MMF, TNF-α inhibitor (e.g., etanercept), pentostatin, α-1 antitrypsin (AAT), mTOR inhibitors (e.g., sirolimus, everolimus), ruxolitinib (JAK 1/2 inhibitor), ATG, IL-2 receptor (CD25) Ab (e.g., daclizumab, basiliximab), brentuximab vedotin (BV), alemtuzumab (anti-CD52), tocilizumab (anti-IL-6R), extracorporeal photopheresis (ECP), mesenchymal stromal cells (MSCs) 등

5. chronic GVHD (만성 이식편대숙주질환)

(1) 개요

- allogenic SCT 약 100일 이후에 발생한 GVHD (보통 4~6개월 이후에 발생)
- 20~50%에서 발생
- risk factors

┌ host ; 고령, 비혈연 이식, acute GVHD 병력, DLI 병력, splenectomy, CMV+
└ donor ; HLA or sex 불일치, 고령, PBSCT, alloimmunization (e.g., 임신, 수혈), EBV+

(2) 임상양상 (autoimmune dz.와 비슷)

- aGVHD보다 훨씬 다양한 임상양상 ; 피부(m/c), 간, 폐, GI tract 등을 주로 침범
- skin rash (malar rash), sclerodermatitis, alopecia
- hepatic dysfunction (ALP↑, bilirubin↑), bile duct degeneration & cholestasis
- oral lichenoid lesions, arthritis, sicca syndrome (dry eye & mouth), GI motility d/o
- obliterative bronchiolitis, thrombocytopenia, polymyositis ...

(3) 예후

- opportunistic infections이 가장 문제 (→ 예방적 항생제 치료 권장)
- limited/mild cGVHD는 치료 안해도 예후 좋지만, moderate~severe는 예후 나쁨
  → 치료 관련 사망률↑ & OS↓
- poor Px. ; multiorgan 침범시, poor performance status, thrombocytopenia, bilirubin↑, 진단시 광범위한 피부 병변, aGVHD에서 진행된 경우

(4) 진단 : NIH consensus criteria

⇨ 1 diagnostic finding *or* "1 distinctive finding + biopsy/test confirmation"

	Diagnostic Finding	Distinctive finding
피부	Poikiloderma, Lichen-planus, Sclerosis, Morphea, Lichen sclerosis	Depigmentation
손발톱		Dystrophy, Longitudinal ridging, splitting, or brittle features, Onycholysis, Pterygium unguis, Nail loss
머리카락,체모		Scarring, Nonscarring scalp alopecia, Scaling, Papulosquamous lesions
입	Lichen-planus, Hyperkeratotic plaques, Sclerosis로 인한 개구 제한	Xerostomia, Mucocele, Mucosal atrophy, Pseudomembranes, Ulcers
눈		Dry/gritty/painful eyes, Cicatricial conjunctivitis, Keratoconjunctivitis sicca, punctate keratopathy
생식기	Lichen planus, Vaginal scarring/stenosis	Erosions, Fissures, Ulcers
위장관	Esophageal web, stricture/stenosis	
폐		Bronchiolitis obliterans
근육,근막,관절	Fasciitis, Joint stiffness/contracture	Myositis or polymyositis

(5) 치료

- limited/mild (i.e., 국소피부침범, 간기능이상) ⇨ 경과관찰 or 국소치료(e.g., steroid, PUVA)
- advanced/moderate~severe는 systemic immunosuppressive therapy (1~3년간 필요)
  - ① 1st-line : oral prednisone ± calcineurin inhibitor (e.g., cyclosporine, tacrolimus)
  - ② steroid에 실패한 경우 (2nd-line) ; MMF, sirolimus (rapamycin), ruxolitinib (JAK 1/2 inhibitor), ibrutinib (BTK inhibitor), rituximab, TKI (e.g., imatinib), UDCA, IL-2, pentostatin, thalidomide, extracorporeal photopheresis (ECP), psoralen ultraviolet irradiation (PUVA) 등

6. graft failure (1~3%)

(1) autologous HCT에서의 원인

- stem cells 양 부족
- ex vivo 처리 or 보관 중 stem cells의 손상
- 이식 이후에 myelotoxic agents의 사용
- 감염 ; CMV, HHV type 6

(2) allogenic HCT에서의 원인

- host cells에 의한 immunologic rejection ("graft rejection")
- 확인 ; host origin의 lymphocytes의 존재, RFLP or PCR (STR, VNTR)
- 위험인자 ; 전처치(면역억제) 부족, T-cell 제거 이식, HLA-mismatch 정도 ,cord blood donor (c.f., 특정 HLA Ag에 따른 이식 성적의 차이는 나라/연구마다 다양함)

* HLA-haploidentical HCT는 preexisting donor-specific Ab (DSA) to HLA도 주요 위험인자임 (임신, 수혈 등으로 감작된 경우 DSA to HLA 발생)

(3) 대책

① 모든 myelotoxic agents의 중단

② myeloid growth factor의 단기간 사용 ③ donor stem cells의 reinfusion

7. 원발 종양의 재발

- 이식 후기 합병증에 의한 사망 중 m/c (약 20~35%) /aplastic anemia에서는 GVHD가 m/c 사인
  (c.f., 기타 GVHD, infections, organ failure 등이 10~15% 정도씩으로 비슷비슷함)
- 일반적으로 cGVHD 발생한 환자가 원발 종양의 재발률은 낮음 (∵ graft-versus-tumor effect)
  (but, 최근 연구 결과 후기 재발은 CML에서만 낮고, AML/ALL/MDS에서는 관련 없음)
- leukemia는 alloHCT가 autoHCT보다 안전함 (autoHCT시는 PBSCT가 BMT보다 안전)
- autologous HCT 이후의 재발 (더 흔함) → 2nd-line drugs, 일부는 allogenic HCT도 가능
- allogenic HCT 이후의 재발 (치료 어려움) → 2nd-line drugs, 2nd alloHCT, DLI 등
  c.f.) DLI (donor lymphocyte infusion)에 반응 좋지만, 단독으로는 부족함
  - CR rate ; CML ~75% (사실은 TKI 때문), MDS 40%, AML 25%, MM 15%
  - Cx ; transient myelosuppression (aplasia), GVHD

■ 이차종양(2ndary malignancy) ; 이식 후기 사망의 <5~10% 차지

① post-transplant lymphoproliferative disorders (PTLD) ; uncontrolled EBV 감염이 원인,
  거의 다 alloHCT에서, 대부분 이식 초기에 발생(1년 이내 >80%), 1~2%, 예후 나쁨
  → 위험인자 ; T-cells 제거 이식, ATG or alemtuzumab 치료

② hematologic malignancies ; 2ndary AML or MDS, autoHCT 이후 5~15%에서 발생
  (alloHCT 이후엔 매우 드묾), 대개 2~5년 뒤 발생, 예후 매우 나쁨
  → 위험인자 ; 고령, 이식전 CTx (특히 alkylating agents), 방사선(TBI)

③ solid cancers ; 피부암, 갑상선암, 두경부 SSC, 뼈 육종 등, 대개 HCT 3~5년 뒤 발생
  → 위험인자 ; 10세 미만, TBI, chronic GVHD

13 종양학 서론

개요

1. Cancer의 특성

① clonality : single cell의 유전적인 변화로부터 기원하며, 이것이 증식하여 malignant cells의 clone을 형성
② autonomy : 정상적인 신체의 여러 조절신호에 의해 성장이 조절되지 않고, 자기 나름대로 성장/증식/분화를 함
③ anaplasia : 정상적인 세포 분화의 결여로 미분화 및 미성숙한 조직학적 소견을 보임
④ invasion & metastasis : cancer는 discontinuous growth와 신체의 다른 부위로 침범하거나 퍼져나갈 수 있는 능력이 있음
(①, ②는 benign neoplasm도 보일 수 있음)

2. Metastasis

① 림프성 전이 : carcinoma의 m/c 전이 경로
② 혈행성 전이 : sarcoma의 전형적인 전이 경로
(but, 대부분의 cancer는 두가지 경로로 모두 전이 가능)
③ 파종성 전이 : 체내의 cavity를 관통하였을 때 발생
; 복막강(m/c), 흉막강, 심낭, 지주막하, 관절 간격 등
④ 이식성 전이 (드묾) : 수술/시술 중 기계적 조작에 의해 옮겨진 것

3. Angiogenesis

① endogenous angiogenesis stimulators
- acidic fibroblast growth factor (aFGF), basic FGF (bFGF)
- vascular endothelia growth factor (VEGF) / vascular permeability factor (VPF)
- angiopoietin-1, endothelin
- 기타 ; angiogenin, TGF-α, TGF-β, TNF-α, PDGF, G-CSF, placental grwoth factor, IL-8, hepatocyte growth factor, proliferin, leptin, copper

② endogenous angiogenesis inhibitors ; IFN-α, platelet factor 4, thrombospondin-1, IL-12, angiostatin, endostatin, angiogenic antithrombin Ⅲ ...

원인

1. Genetic factor

(1) multi-staged carcinogenesis

① initiation : 정상세포 → 암전구세포 (단기간, irreversible)

② promotion : 암전구세포 → 암세포 (장기간, reversible)

③ progression

(2) oncogene, proto-oncogene의 활성화

: 정상세포에서는 증식 및 분화를 조절하나, 변이(mutation)가 되거나 발현에 이상이 생겨 활성화(activation)되면 암을 유발

- point mutation ; 주로 *RAS* genes (*HRAS, KRAS, NRAS*)
- DNA amplification (→ gene transcription 증가) ; *MYC* genes, *ERBB2*
- chromosomal translocation ; lymphoma, leukemia

Oncogenes 변화의 예		
Point mutation	*BRAF*	Melanoma, Lung, Colorectal, Thyroid Papillary Carcinoma
	CTNNB1	Colon, Prostate, Melanoma, Skin
	ERBB2	Breast, Ovary, Stomach, Neuroblastoma
	MET	Osteocarcinoma
	HRAS	Colon, Lung, Pancreas
	KRAS	Melanoma, Colorectal, AML, Prostate
	NRAS	다양, Melanoma
Amplification	*AKT1*	Stomach
	AKT2	Ovary, Breast, Pancreas
	MYB	AML, CML, Colorectal, Melanoma
	C-MYC	Breast, Colon, Stomach, Lung
	L-MYC	Lung, Bladder
	N-MYC	Neutroblastoma, Lung
	WNT1	Retinoblastoma
Overexpression	*FOS*	Osteosarcomas
	JUN	Lung
Rearrangement	*REL*	Lymphomas

Chromosomal translocations의 예	
t(9;22) (*BCR-ABL*) → CML	t(12;22) (*ATF1-EWS*) → Melanoma
t(15;17) (*PML-RARα*) → AML-M3	t(11;22) (*FLI1-EWS*) → Ewing's sarcoma
t(8;21) (*AML1-ETO*) → AML-M2	t(2;13) (*PAX3-FKHR/ALV*), t(1;13) (*PAX7-KHR/ALV*) → Alveolar rhabdomyosarcoma
t(8;14) (*MYC*-IgH) → Burkitt's lymphoma, B-ALL	t(10;17) (*RET-PKAR1A*) → Thyroid ca.
t(14;18) (*BCL2*-IgH) → Follicular lymphoma	Inv(1) (*TRK-TPM3*) → Colon ca.
t(11;14) (*BCL1*-IgH) → Mantle cell lymphoma	t(11;22) (*WT1-EWS*) → Desmoplastic small round cell tumor
t(1;17) (*LCK-TCRB*) → T-ALL	
Inv(2) (*REL-NRG*) → NHL	
t(1;3) (*TAL1-TCTA*) → T-ALL	

(3) tumor suppressor gene or antioncogene의 mutation/depletion

: 정상적으로 세포 증식을 억제하나, 결손되거나 불활성화되면 세포 증식을 억제하지 못해 암 유발

- *TP53* (17p) [p53] : Li-Fraumeni syndrome (breast ca., sarcomas, adrenal, brain), colon ca.
  - 정상적으로는 DNA damage시 cell cycle block, DNA repair, apoptosis 등을 일으킴 (genomic policeman)
- *RB1* (13q) : hereditary retinoblastoma, osteosarcoma, SCLC
- *BRCA1* (17q), *BRCA2* (13q) : familial breast/ovarian ca., familial breast ca.
- *DCC* (deleted in colon carcinoma)
- *APC* (adenomatous polyposis coli, 5q) : familial polyposis coli (colon ca.)
- *WT1* (11p) : familial Wilms' tumor
- *NF1* (17q), *NF2* (22q) : neurofibromatosis, acoustic neuroma
- *TSC2* (16p) : tuberous sclerosis
- *VHL* (3p) : von Hippel-Lindau, RCC

2. Radiation

⇨ 급성 백혈병, 갑상선암, 피부암, 유방암, 폐암 등

노출의 종류	발생 종양
1. 자궁내 노출, 원폭	Leukemia
2. 영아기의 경부 방사선조사	Thyroid carcinoma
3. 출산후 유방염에 대한 방사선치료	Breast cancer
4. 두부 방사선조사	CNS tumors
5. 기타 악성종양에 대한 방사선치료	Thyroid ca., breast ca., gastric ca., lung ca., melanoma, sarcoma
6. 우라늄 광산	Lung cancer

* 자외선(UV) → 피부암 (melanoma, SCC)

3. Air pollution

⇨ 폐암

4. Smoking

- 흡연과 관련된 암 ; 폐암(10~20배 증가), 후두암, 구강암, 식도암, 췌장암, 신장암, 방광암, 위암, 자궁경부암, 골수성 백혈병 등
- 담배내의 carcinogen ; polycyclic hydrocarbons, cyclic *N*-nitrosamines, nicotine ...
- alcohol 섭취는 담배의 발암효과를 증가시킴 예) 폐암, 위암, 식도암 ...
- 금연 후 10~15년이 지나야 비흡연인과 폐암의 발생률이 거의 같아짐
- passive smoking의 경우 risk 1.5배 더 높다
- 여성 흡연은 남성보다 risk 1.5배 더 높다

5. Alcohol

⇨ 구강암, 비인두암, 식도암, 후두암, 폐암, 위암, 간암, 대장암, 직장암, 췌장암, 난소암 등

6. Infections

- hepatitis virus (HBV, HCV) → 간암
- HTLV-I → adult T cell leukemia/lymphoma
- human papilloma virus (HPV) → 자궁경부암, penis, vagina, anus, oropharynx 등의 암
- EBV → Burkitt's lymphoma, nasopharyngeal carcinoma, nasal T-cell lymphoma
- HIV → squamous cell ca., Kaposi's sarcoma, NHL
- *H. pylori* → 위선암, MALT lymphoma
- 간흡충증(*C. sinensis*) → cholangiocarcinoma
- 주혈흡충증(schistosomiasis) → 방광암(SCC)

7. Occupational carcinogen

원인물질	종양
알루미늄 공장, Bischloromethyl ether, 크롬 화합물, 라돈, 석탄가스, 코크스	Lung
Nitrogen mustard gas (독가스)	Lung, head & neck, nasal sinus
니켈 화합물	Lung, nasal sinus
검댕, 타르, 기름 (polycyclic hydrocarbons), 비소	Lung, skin
석면	Lung, pleura, peritoneum
Erionite	Pleura
Auramine 제조, Benzidine, β-Naphthylamine, Magenta 제조, 4-Aminobiphenyl	Bladder
신발/구두 제조업	Bladder, nasal sinus
Isopropyl alcohol 제조, 나무 가루 (가구공장)	Nasal sinuses
석유	Skin, other
Vinyl chloride	Liver (angiosarcoma)
벤젠	Leukemia

8. Drugs

약물	종양
Phenacetin-containing analgesics	Renal pelvis, bladder
Estrogens-conjugated	Endometrium
Estrogens-synthetic (DES)	Vagina, cervix
Estrogens-steroid 피임약	Benign liver tumors
Androgens	Prostate
Methoxsalen + UV-A therapy (PUVA)	Skin
Azathioprine	Lymphoma, skin, soft tissue sarcoma
1,4-Butanediol dimethanesulfonate (Mylearan)	Leukemia
Lymphoma에 대한 CTx. (MOPP등)	Leukemia
Chlorambucil, Melphalan, Treosulfan	Leukemia
Cyclophosphamide	Leukemia, lymphoma, bladder
Chlornaphazine	Bladder

9. Diet & Nutrition

(1) 암을 일으키는 요인

- 식도암 ← *N*-nitroso compound (e.g., nitrosamine) ; 흡연과 음주를 동시에 하면 위험↑
- 위암 ← *N*-nitroso compound, polycyclic aromatic hydrocarbon ; 짜고, 절인 음식, 훈제음식
- 대장암 ← *N*-nitroso compound, 동물성 지방, 포화지방, 알코올
  (but, 폐경 여성의 무작위대조군연구에서는 low-fat diet가 대장암을 감소시키지 못했음)
- 간암 ← aflatoxin (*Aspergillus*가 만든 독소)
- 유방암 ← 지방, 육류, 당분, 총에너지↑, 비만
- 비뇨기계암 ← 사카린 / 갑상선암 ← 요오드 결핍 및 과잉

* 포화지방 → 유방암, 전립선암, 대장암, 자궁내막암
* 비만 → 대장암, 유방암(폐경후), 자궁내막암, 신장암, 식도암

(2) 암 발생 억제

- β-carotene (vitamin A의 전구체) : 1차 또는 2차 악성종양 예방 효과 없음
- vitamin C, E → *N*-nitroso compound (e.g., nitrosamine) 형성 억제
- 마늘, 양파 : 위암 및 대장암 위험 감소
- 과일 및 비전분성 채소 : 구강, 식도, 위암 위험 감소 가능 (과일은 폐암도)
- 고섬유질 식이 : 역학연구에서는 대장암 감소, 무작위대조군연구에서는 차이가 없기도 함

(3) 암을 예방하는 식이

① 고열량 식품은 적게 섭취, 붉은 고기는 500 g/week 미만으로 제한
② 과일과 비전분 야채를 충분히 섭취함
③ 절인 음식, 훈제 음식, 가공된 고기, 패스트푸드, 설탕 음료 등은 가능한 피함
④ 술은 마시지 않거나 줄임
⑤ 식이보충제(dietary supplement)는 권장 안됨

역학

1. 발생자수 (2016)

- 전체 ; <u>위암</u> > <u>대장암</u> > <u>갑상선암</u> > 폐암 > 유방암 > 간암 > 전립선암 > 담낭/담도암
  > 췌장암 > 자궁암 > 신장암 > NHL > 방광암 > 난소암 > 식도암 > AML ...
- 남자 ; 위암 > 폐암 > 대장암 > 전립선암 > 간암 > 갑상선암 > 담낭/담도암 ...
- 여자 ; 유방암 > 갑상선암 > <u>대장암</u> > 위암 > 폐암 > 간암 > 자궁경부암 ...
  ㄴ 최근 남성대비 증가 추세를 보여 주의 요망
- 최근 폐암, 유방암, 전립선암 등이 증가 추세임!
  - 위암, 대장암은 계속 증가하다가 최근 몇 년은 약간 감소/정체지만 아직 가장 흔한 암종임
  - 갑상선암은 초음파 도입, 낮은 수가, 건강검진 확대 등으로 진단이 급격히 증가하다가,
    (과잉 진단?) 진료지침 변경 뒤 (FNA 권장: ≥1 cm) 낮아지는 중

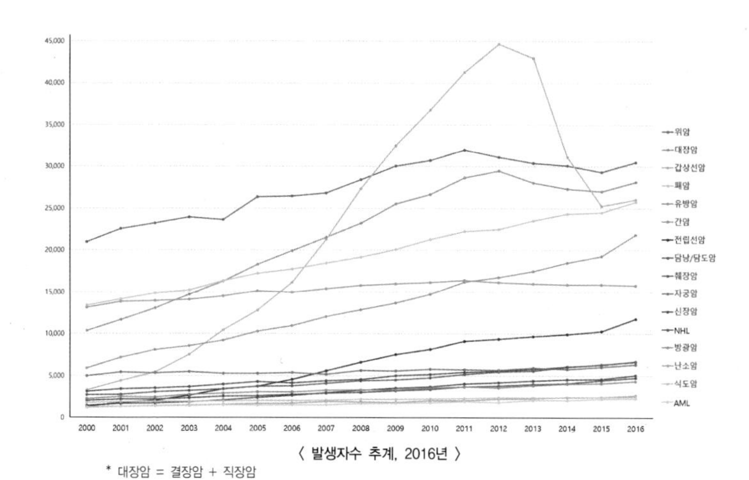

〈 발생자수 추계, 2016년 〉

* 대장암 = 결장암 + 직장암

2. 암으로 인한 사망자수 (2017)

- 전체 ; <u>폐암</u> > 간암 > 대장암 > 위암 > 췌장암 > 담낭/담도암 > NHL > 백혈병 ...
- 남자 ; 폐암 > 간암 > 위암 > 대장암 > 췌장암 > 담낭/담도암 > 전립선암 > 식도암 ...
- 여자 ; 폐암 > 대장암 > 위암 > 췌장암 > 간암 > 유방암 > 담낭/담도암 > 난소암 ...

c.f.) 전체 사망원인 ; 암 > 심장질환 > 뇌혈관질환 > 폐렴 > 자살 > 당뇨병 > 간질환 ...

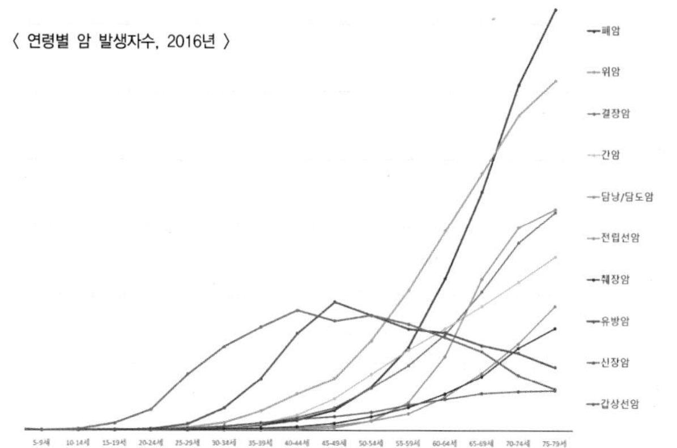

3. 주요 암의 5년 생존율(5YSR) 변화

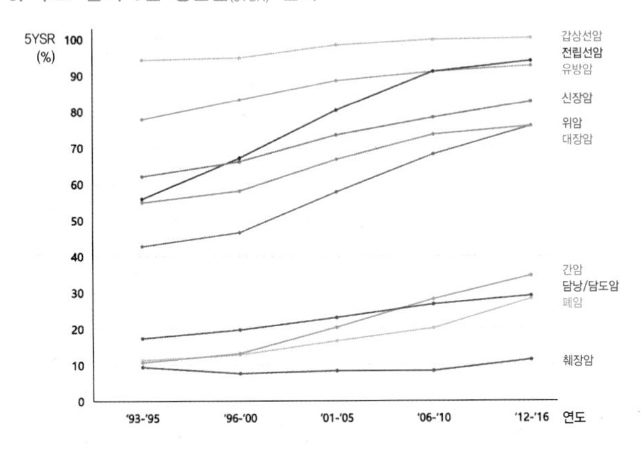

진단과 병기 판정

1. Screening

- 선별검사(screening) : 증상이 없는 사람 (표준 위험군)에서 질병을 조기에 발견하여 이환율과 사망률을 줄이는 것 (선별검사에서 양성인 경우 다시 확진을 위한 과정을 거침)
- early detection의 효과 (사망률 감소)가 증명된 선별검사
  - ① 유방암 ; mammography, clincial breast exam.
    (유방자가검사 : 사망률 감소 효과는 증명되지 않았지만, 권장됨)
  - ② 자궁경부암 ; Pap smear ③ 대장암 ; 대변잠혈검사(FOBT), colonoscopy
  - ④ 전립선암 ; PSA (논란이 있지만, 50세 이상의 남성에서 권장)
- 참고: American Caner Society (ACS)의 권장 선별검사

	대상	주기	방법
유방암	40~44세 여성은 원하는 경우 45~54세 여성 55세 이상 여성	1년 1년 1~2년	유방촬영술(mammography)
자궁경부암*	21~29세 이상 여성 30~65세 여성	3년 3년	자궁경부세포검사(Pap test) Pap test + HPV 검사
대장암	45~75세 76~85세	1년 선택적	대변검사 (or 5~10년 마다 대장내시경)
폐암	30갑년 이상의 흡연력이 있는 55~74세 고위험군	1년	저선량 흉부 CT
전립선암	50세 이상 남성에서 선택적으로 권장 : PSA ± 직장수지검사(DRE) (검진 주기는 환자의 PSA level에 따라 다름)		

• 우리나라의 7대암 검진 권고안 (국가암정보센터) ★

	대상	주기	방법
위암	40~74세	2년	위내시경 (or 위장조영술)
간암	40세 이상 HBV, HCV 보유자 연령과 관계없이 간경화증	6개월	간초음파검사 + 혈청 AFP
대장암	45~80세	1~2년	분변잠혈검사 (or 대장내시경)
유방암	40~90세 여성	2년	유방촬영술(mammography)
자궁경부암	20세 이상 여성	3년	자궁경부세포검사 (± HPV 검사)
폐암	30갑년 이상의 흡연력이 있는 55~74세 고위험군 (금연 후 15년 경과했으면 제외)	1년	저선량 흉부 CT
갑상선암	갑상선초음파는 근거가 부족하여 일상적인 선별검사로는 권장 안됨!		

2. staging

• 목적

① 적합한 치료법 선택

② 조기 전이 여부 확진 (→ 필요 없는 수술 방지)

③ 예후 판정

④ 치료성적의 비교/분석, 정보 교환, 새로운 치료법의 개발

• 종류

① 임상적 병기(clinical staging) : 영상검사등 비침습적 검사를 종합하여 판정하는 병기

② 해부학적 병기(pathologic/anatomical staging) : 수술에 의해 적출된 모든 조직의 병리검사를 마친 후 판정하는 병기

3. Tumor markers

* 임상적인 중요성

① 새로운 원발 종양의 screening 예) AFP, PSA

② 종양의 (감별)진단 예) AFP, CEA, CA19-9

③ 병기판정(staging) 예) 전립선암(PSA), 고환암(AFP, hCG, LDH), MM (β_2-microglobulin)

④ 치료방법 선택 예) ER, PR, HER-2/neu

⑤ 예후 예측 예) CEA, PSA, CA19-9, multigene assay

⑥ 치료 경과의 monitoring 예) CEA

⑦ 재발의 조기 발견 예) 거의 대부분

⑧ 전이 부위의 면역학적 발견 예) CEA-radioisotope

	Tumor marker	종양
종양관련단백	PSA	Prostate cancer
	Monoclonal immunoglobulin	Myeloma
	CA 125	Ovarian cancer, 일부 lymphomas
	CA 19-9	Colon, pancreatic, breast ca.
	CD30	Hodgkin lymphoma, anaplastic large cell lymphoma
	CD25	Hairy cell leukemia, adult T-cell leukemia/lymphoma
	uPA, PAI-1	Breast cancer
Oncofetal Ag	AFP	HCC, gonadal germ cell tumor
	CEA	Colon, pancreas, lung, breast, ovary 의 adenocarcinomas
효소	Prostatic acid phosphatase	Prostate cancer
	NSE (Neuron-specific enolase)	SCLC, neuroblastoma
	LDH	Lymphoma, Ewing's sarcoma, testicular ca.
호르몬	HCG	GTD (gestational trophoblastic disease), gonadal germ cell tumor
	Calcitonin	Medullary thyroid ca. (MTC)
	Catecholamines	Phechromocytoma
Receptors	ER, PR, HER-2/neu	Breast cancer

Tumor	Marker(s)	Utility of Markers			
		Screening	Prognosis	Monitoring	Recurrence
Colorectal	CEA	×	○	○	○
Ovary	CA 125	×	×	○	○
	HE4	×	○	○	○
Testicle	hCG, AFP, LDH	×	○	○	○
Prostate	PSA	○	○	○	○
Breast	CA 15-3, CEA	×	×	○	○
	ER, PR, HER2, uPA, PAI-1	×	○	×	×
NHL	LDH, β_2-microglobulin	×	○	○	○
Multiple myeloma	β_2-microglobulin M-protein	×	○	○	○
Hepatoma	AFP	○	○	○	○
Pancreas	CA 19-9	×	○	○	○
Choriocarcinoma	hCG	○	○	○	○

예방

1. 1차 예방 (Primary prevention)

- 정의 : 암의 원인이 되는 유전적, 생물학적, 환경적 요인을 찾아 교정하는 것
  (암에 걸리지 않도록 하는 것)

- 예 ; 금연, 식이요법, 자외선 노출 감소, chemoprevention

■ cancer chemoprevention

- 두경부암/폐암
  - 완치된 폐, 식도, 구강, 두경부암 환자에서 upper GI의 2nd primary ca. 발생 예방
    - 금연 : 큰 효과 없음 (∵ 흡연은 carcinogenesis의 초기에만 관여)
    - isotretinoin : tolerable dose에서는 두경부암 예방 효과 없음
  - oral leukoplakia (premalignant lesion) : 고용량 isotretinoin 치료시 regression
  - 폐암 : 밝혀진 것 없음, β-carotene은 오히려 폐암 위험 약간 증가
- 대장암/선종
  - aspirin, NSAIDs, COX-2 inhibitors : 대장암/선종 20~40% 발생 감소 효과 (but, COX-2 inhibitor는 심혈관 위험 증가로 적합하지 않음)
  - 고 칼슘 식이 (e.g., 유제품) : 역학연구에서는 대장암 위험 감소, 무작위 대조연구에서는 adenomatous polyp 발생 감소 → 대장암 예방을 위해 권장됨
  - 비타민D : 결핍시 대장암 증가되는 역학연구는 있으나, 대조연구에서는 대장암 감소 효과×
  - stains : 대장암 위험 감소 효과는 논란, 메타분석에서는 암 발생률/사망률과 관련 없음
  - 폐경 여성에서 estrogen + progestin : 대장암 위험 감소 (but, VTE 및 유방암 증가)
- 유방암
  - tamoxifen : 고위험군에서 유방암 발생을 49% 감소시킴, 고위험군에서 예방 목적 FDA 승인 (골절 위험도 감소 / but, 자궁내막암, 뇌졸중, 폐색전, DVT 등은 약간 증가)
  - aromatase inhibitor : tamoxifen보다 유방암 예방 효과 더 좋을 것으로 기대됨, 아직 연구 無
- 전립선암
  - 5α-reductase inhibitor (e.g., finasteride, dutasteride) : 전립선암 발생 감소 효과
  - selenium and/or α-tocopherol (vitamin E) : 효과 없음 (α-tocopherol 단독은 오히려 증가)
- vaccines ; HBV (간암), HPV (자궁경부암, 두경부암), *H. pylori* (위암)
  - * HPV 4가(6, 11, 16, 18) or 2가(16, 18) 백신 → 9~26세 여성에서 권장, 자궁경부암 70% 이상 감소 (HPV 16/18 - 자궁경부암, HPV 6/11 - genital papilloma와 관련)

■ surgical procedures

- severe cervial dysplasia → conization or hysterectomy
- familial polyposis, UC → colectomy
- *BRCA1* & *BRCA2* mutations → bilateral mastectomy

2. 2차 예방 (Secondary prevention)

- 정의 : 증상이 없는 암 환자를 조기에 발견하여 치료하는 것
- cancer screening

14 종양의 치료원칙

화학요법 (Chemotherapy)

1. 개요

(1) 암세포의 성장

- 임상적으로 감지할 수 있는 암의 최소 크기 : 1 cm (세포수 약 10^9개)
- 암세포의 분획(compartment)
  - A compartment : actively proliferating cells
  - B compartment : temporarily non-proliferating cells (G_0)
  - C compartment : permanently non-proliferating cells
- Gompertzian growth : 종양의 성장 초기에는 growth fraction이 높고 doubling time이 짧아 기하급수적인(exponential) 성장을 보이지만, 시간이 지남에 따라 growth fraction이 감소하고 doubling time이 길어져 결국 성장 속도가 느려지는 현상, 임상적으로 발견되기 전에 최고치 (c.f., 종양을 치료하여 크기를 줄이게 되면 종양의 성장 속도는 다시 빨라짐)

(2) 항암화학요법의 kinetic basis

① fractional kill hypothesis (log cell kill model) : 항암제의 작용은 first order kinetics를 따라 1~3 log 정도의 암세포를 파괴함, 즉 처음 암세포의 양에 관계없이 일정한 비율(%)의 암세포를 파괴

② heterogeneity : 암세포의 성장중 돌연변이가 발생하면 진행된 암종에서는 여러 종류의 유전자형을 가진 세포군들로 구성되어, 각각 서로 다른 생화학적/형태학적 특징을 갖고 치료에 대한 감수성에도 차이를 보임

(3) 항암화학요법의 종류

① 보조화학요법(adjuvant CTx.) : 수술후 residual malignant dz.의 증거가 없는 환자에게 undetectable micrometastatic dz.를 제거할 목적으로 시행하는 CTx.
→ 재발 감소, disease-free interval 증가, 난치성 종양에서는 증상 개선과 survival 증가

② 선행보조화학요법(neoadjuvant CTx.) : 수술 or RTx 전에 종양 크기를 줄이고 미세전이 병소를 소멸시켜 치료 효과를 극대화하기 위한 CTx., 항암제에 대한 종양의 감수성 파악에도 도움
예) head & neck ca., breast ca., bladder ca., lung ca., esophageal ca.

* locally advanced cancer에서 neoadjuvant CTx.로 organ preservation 가능
예) laryngeal ca., breast ca., anal ca., osteosarcoma

Chemotherapy에 대한 종양의 반응 ★★

1 CTx.로 완치 가능

급성 백혈병, 호지킨 림프종(HL), NHL (일부), SCLC, 난소암,
생식세포종양 ; 배아암종, 기형암종, 고환종, 미분화세포종$_{Dysgerminoma}$, 융모막암종
임신융모종양
소아암 ; Wilms 종양, 배아형횡문근육종, Ewing 육종, 말초 신경상피종, 신경모세포종

2 CTx.가 중요한 역할을 함

(1) *CTx. + RTx.로 완치 가능*
두경부 편평세포암, 항문 편평세포암, 유방암, 자궁경부암, NSCLC (stage Ⅲ), SCLC

(2) *Adjuvant CTx. (수술 + CTx.)로 완치 가능*
유방암, 대장암 (직장암은 RTx 추가), 골육종, 연부조직육종

(3) *High-dose CTx. & SCT (HDT-SCT)로 완치 가능*
다발성 골수종, 재발한 혈액암(백혈병, 림프종), CML

(4) *CTx.로 완치는 불가능하지만 장기생존(palliation)은 가능*
CML, CLL, Hairy cell leukemia, 림프종(일부), 다발성 골수종,
방광암, 자궁경부암, 자궁내막암, 연부조직육종, 두경부암, 위암, 대장암, 유방암,
신장암, 부신피질암, 섬세포$_{(Islet\ cell)}$종양

3 CTx.에 반응이 안 좋음

췌장암, 담도암, 간암, 갑상선암, 전립선암, 질암, 흑색종(일부), NSCLC, 타액선암

(4) 항암화학요법의 원칙들

• 근치(가능한 모든 암세포의 제거)를 위한 항암제의 조건
① 암세포들이 항암제에 감수성이 있어야 한다
② 항암제의 대사물질이 암세포에 도달되어야 한다
③ cell cycle-specific한 항암제의 경우, 항암제에 대한 노출 시간을 증가시켜 (여러번 투여하거나 지속 정주) 항암효과를 극대화 시킴
④ 약제 내성이 발현되기 전에 암세포를 파괴해야 한다

• 복합화학요법(combination CTx)의 원칙
① 각 약물은 서로 독립적인 활성을 가져야 한다 (최소한 한 약은 cure도 가능)
② 각 약물은 서로 다른 작용기전을 가져야 한다
③ 약물간의 교차내성이 없어야 한다
④ 각 약물은 서로 다른 dose-limiting toxicity를 가져야 한다

• 항암제 선택시 고려해야할 사항
① 생존기간 연장 (m/i)
② 높은 반응률
③ 치료지수(therapeutic index)↑ : toxic dose와 therapeutic dose의 차이
④ 짧은 치료 주기
⑤ 경구 투여 가능

2. 환자의 선택 기준

- 병리학적으로 cancer가 증명
- 15 < age < 70
- expected survival의 기간 >3개월
- 정상 BM 기능 ; WBC >4000/μL, platelet >100,000/μL
- 정상 신장 기능 ; serum Cr <1.5 mg/dL, CCr >60 mL/min
- 정상 간 기능 ; AST·ALT <정상의 2배, bilirubin <1.5 mg/dL
- infection, serious cardiac/pulmoary dysfunction 없어야
- pregnancy 아니어야
- informed consent

* Performance status ⇨ 보통 Karnofsky Index 60 이상, ECOG PS 0~2 환자에서 CTx 권장

Karnofsky Performance Index
100 : 정상 건강 상태, 증상/징후 전혀 없음
90 : 정상 활동 가능, 가벼운 증상/징후만 있음
80 : 좀 힘들지만 정상 활동 가능, 약간의 증상/징후
70 : 일상 생활은 가능하나, 정상 활동이나 활동적인 일은 불가능
60 : 일상 생활에도 남의 도움이 필요
50 : 다른 사람의 의학적 도움이 있어야만 일상 생활 가능
40 : 특별한 도움과 의학적 치료가 요구되는 상태
30 : 심한 무력 상태, 입원 필요
20 : 적극적인 생명 보조요법이 필요한 상태
10 : 사망 직전, 급격히 사망으로 진행

ECOG Performance status (PS)
Grade 0 : 증상 없음
Grade 1 : 증상은 있으나, 일상 생활에는 지장 없음
Grade 2 : 하루중 50% 이하로 bed rest 필요
Grade 3 : 하루중 50% 이상 bed rest 필요
Grade 4 : 100% bed ridden

* ECOG : Eastern Cooperative Oncology Group

3. 신약의 임상시험 (clinical trial)

(1) 제1상 임상시험(phase Ⅰ)

- 신약의 동물실험 후 사람에게 처음 투여하는 단계
- 목적 : 안정성(drug toxicity)을 확인하여 MTD (maximal tolerable dose)최대허용용량를 결정하는 것
  ↳ 1/3 이하의 환자가 DLT를 경험하는 용량

Toxicity grade
Grade 1 : 치료 필요 없음
Grade 2 : 대증 치료 필요 (생명 위협 없음)
Grade 3 : 치료하지 않으면 생명 위협 가능성 있음
Grade 4 : 생명 위협하는 부작용
Grade 5 : 사망

* Dose-limiting toxicity (DLT, 용량제한독성)
  : 더 이상 용량의 증가를 불가능하게 하는 독성반응
  ⇨ grade 3 독성 (neutropenia와 탈모는 제외),
  일부 irreversible grade 2 (e.g., 신경, 심장, 눈 독성)
  및 prolonged grade 2 독성도 포함될 수 있음

(실제로는 약물상호작용, 음식, 간/신기능, 나이/성별 영향 등 더 광범위한 목적으로 진행됨)
- 대상 : 소수의 건강인 (20~80명) or 진행 암으로 더 이상의 치료가 불가능한 소수의 환자
- initial dose : 동물실험에서 reversible toxicity를 보인 용량의 1/6~1/10 정도로 시작한 뒤 증량
- 보통 MTD보다 한 단계 낮은 용량으로 제2상 임상시험 진행
- 치료 효과가 없어도 phase Ⅱ로 넘어갈 수 있음

(2) 제2상 임상시험(phase II)
- 목적 : target 종양 환자(수백명)를 대상으로 신약의 효능(response)을 평가
- 유효성, 용량-반응, 안전성 등에 대한 좀 더 자세한 정보를 얻음
- response가 20% 이하인 경우에는 연구를 중단함
- 모든 단계 중 가장 실패율이 높음 (약 25%만 제3상으로 진행됨)

(3) 제3상 임상시험(phase III)
- 기존의 표준화된 치료(or placebo)와 비교하는 **randomized**, two arm study (대조군 연구)
- 치료 효과(effectiveness) 확증 : overall survival 평가
- 대상 : 많은 수(수백~수천명)의 이전에 치료를 받지 않은 환자, 가장 규모가 큼
- 시판하려는 제형으로, 향후 사용하게 되는 진료환경과 비슷한 환경(병원)에서 시행
- 1/2상에서는 관찰되지 않았던 특정 부작용(특히 면역반응)이 나타나기도 함

(4) 제4상 임상시험(phase IV)
- 대규모의 시판 후 안정성에 대한 조사, 부작용 보완
- 새로운 적응증 탐색 (c.f., 비용이 많이 드는 1~3상 시험을 피하여 새로운 허가 가능)

4. 항암제의 종류

Chemotherapeutic agents와 tumor cell cycle과의 관계

Cell Cycle-Specific (CCS) Agents	Cell Cycle-Nonspecific (CCNS) Agents
S-phase : Antimetabolites (cytarabine, fluorouracil, methotrexate, 6-mercaptopurine, hydroxyurea), etoposide, doxorubicin G_2-phase : Bleomycin, irinotecan, etoposide M-phase : Plant alkaloids (vincristine, vinblastine, paclitaxel, docetaxel) G_1-phase : Asparaginase [nonspecific]	Alkylating agents (busulfan, cyclophosphamide, mechlorethamine, melphalan, thiotepa, chlorambucil) Antibiotics (dactinomycin, daunorubicin, mitomycin) Platinum compounds (cisplatin, carboplatin) Nitrosoureas (BCNU, CCNU) Dacarbazine Mitoxantrone

(c.f., cell cycle : G_1 → S [DNA synthesis] → G_2 → M [mitosis])

(1) Alkylating agents

Drug	Indications
Mechlorethamine (Chlormethine, Nitrogen mustard)	Hodgkin lymphoma (HL), mycosis fungoides (topical), malignant effusions (intracavitary)
Bendamustine	CLL, Multiple myelona (MM), NHL
Melphalan	MM, Breast ca., Oarian ca.
Chlorambucil	CLL, Lymphoma, MPN, Ovarian ca.
Busulfan	CML (→ imatinib으로 대치)
Cyclophosphamide	Breast ca., Ovarian ca., Lymphoma, ALL, CLL, Bladder ca., Lung ca., Osteogenic sarcoma
Ifosfamide	Germ cell tumors, NHL, Sarcomas, Lung ca.
Nitrosoureas	
┌ Carmustine (BCNU) └ Lomustine (CCNU)	Brain tumors, Lymphoma (유일하게 BBB 통과)
Streptozocin	Pancreatic islet cell ca., Carcinoid tumors
Procarbazine	HL, Brain tumors
Dacarbazine (DTIC)	Melanoma, Hodgkin lymphoma, Sarcomas
Temozolomide	Melanoma, Brain tumors
Platinum compound	
Cisplatin Carboplatin	Ovarian ca., Testicular ca. Bladder ca., Esophageal ca., Lung ca., 두경부암, Osteogenic sarcoma,
Oxaliplatin	CRC에 매우 효과적

- 핵산과 공유결합을 형성하여 DNA 합성을 억제 (세포주기에 비특이적)
- 공통적인 부작용 ; myelosuppression, alopecia, gonadal dysfunction, mucositis, pul. fibrosis ...
- secondary MDS or leukemia를 잘 일으킴 (대부분 AML, 치료 어려움)
- melphalan, chlorambucil, busulfan → prolonged BM hypoplasia
- **cyclophosphamide** → 말초조직에서 대사되어 분해
  - ┌ phosphoramide mustard → 항암작용, 강력한 골수/면역억제
  - └ acrolein → hemorrhagic cystitis
- **ifosfamide** (cyclophosphamide analogue) : cyclophosphamide에 비해 골수 억제는 적으나 urotoxicity는 더 심하고 (반드시 mesna와 병용), CNS 부작용도 있을 수 있음
- **cisplatin** : 다른 alkylating agents보다 골수억제는 덜함, 신장 질환이 있는 경우 권장×
  - nephrotoxicity (AKI) 흔함 ; hydration with forced diuresis 필요, 그래도 일부는 발생 (amifostine 같은 chemopreventive agents는 예방 효과 없음)
  - 심한 N/V ⇨ serotonin (5-HT_3) antagonist + NK_1R antagonist (aprepitant, fosaprepitant), + dexamethasone + olanzapine(항정신병제) 예방투여 권장
  - ototoxicity (~50%에서 청력 감소), stocking & glove sensorimotor "neuropathy"도 흔함 (치료 중단시 대부분 호전되나 일부는 안 될 수 있음)
- **carboplatin** : cisplatin보다 다른 독성은 약하지만, BM 억제는 더 흔함
- **oxaliplatin** (대장암의 대표적 항암제) : neurotoxicity가 m/i
  - ┌ acute neurotoxicity ; 손/발/입주위/인후두의 감각이상 (추위에 의해 발생/악화!)
  - └ chronic neurotoxicity ; cisplatin과 비슷한 stocking & glove sensory neuropathy
    - 상지에서 더 심하지만, 치료 중단 후 회복은 상지가 더 빠름
    - 보통 수개월~수년 지나야 회복됨, 완전히 회복이 안 될 수도 있음

■ **출혈성 방광염(hemorrhagic cystitis, HC)**

- 원인 : ifosfamide, high-dose cyclophosphamide (주로 HCT 전처치에서)
  → 대사산물인 acrolein이 소변으로 배설되며 강력한 irritant로 작용
- Sx : bladder에서 massive hemorrhage → hematuria
- 예방 & 치료
  ① 충분한 hydration (high urine output 유지), 적당한 항암제 용량
  ② bladder protectant : mesna (sodium 2-mercaptoethane sulfonate) 투여
  → urinary tract에서 toxic metabolites를 inactivation 시킴
  ③ *N*-acetylcysteine or formalin 용액으로 bladder irrigation, PG (carboprost)
  ④ 출혈이 매우 심각하면 수술 : ligation of hypogastric artery, urinary diversion, cystectomy

(2) Topoisomerase inhibitors

- topoisomerase : DNA의 복제를 위해 이중나선 구조를 풀어주고 연결하는 효소

Drugs	Indications
Topoisomerase I inhibitor	
Topotecan	Ovarian ca., SCLC
Irinotecan (CPT-11)	CRC, SCLC
Topoisomerase II inhibitor	
Podophyllotoxins	
Etoposide (VP-16)	AML, Lung ca., Lymphoma, Ovarian ca., Testicular ca.
Teniposide (VM-26)	ALL, NHL
Anthracycline antibiotics	
Doxorubicin (Adriamycin)	Lymphoma, Breast ca., Bladder ca., Gastric ca., HCC, Lung ca., Osteogenic sarcomas, Soft tissue sarcoma
Daunorubicin	Acute leukemia, NHL
Idarubicin	Acute leukemia
Mitoxantrone (synthetic)	Acute leukemia, NHL, Breast ca., Prostate ca.

- irinotecan (CPT-11) → neutropenia, secretary diarrhea (→ loperamide or octreotide로 치료)
  - 간에서 active form인 SN-38로 대사되고, SN-38은 UGTs (uridine diphosphate glucuronosyltransferase)에 의해 접합되어 해독됨
  - UGTs, 특히 UGT1A1 polymorphism이 irinotecan의 독성(e.g., neutropenia)과 밀접한 관련
- etoposide → 2ndary leukemia, rapid IV시엔 hypersensitivity
- anthracycline (e.g., doxorubicin, daunorubicin, idarubicin) → cardiotoxicity (irreversible cardiomyopathy : DCMP)가 가장 큰 문제 → 순환기내과 8장 참조
  - 위험↑ ; cyclophosphamide, etoposide 등의 심독성 약제와 병용, 고령, 기저 심질환
  - 심독성(심부전) 발생시에는 약제를 중단하고 심부전에 준하는 치료
  - dexrazoxane (Cardioxane®) : iron-chelating agent, antidote, 심독성 치료에 도움
  → Ix ; cyclophosphamide or etoposide 병용, 전이성 유방암, 고령, CHF 등 심질환 병력, 심장을 포함한 종격동 RTx. 병력, anthracycline extravasation

(3) Antitumor antibiotics

Drugs	Indications
Mitomycin C	GI malignancies, Lung ca., 두경부암
Actinomycin D (Dactinomycin)	Choriocarcinoma, Wilms'tumor, Ewing's sarcoma, Rhabdmyosarcoma
Bleomycin (G_2-phase dependent)	Lymphoma, Testicular ca., 두경부암
Plicamycin (Mithramycin)	Testicular ca.

- mitomycin C (alkylating agent)
  - delayed BM suppression (4~5주 뒤에)
  - HUS (치료 잘 안됨, 사망률 25~50%)
  - cardiomyopathy (이전에 RTx 받았던 환자에서)
- bleomycin ; pulmonary toxicity (interstitial fibrosis), 과민반응 (→ 투여 전에 skin test 시행)

(4) Antimetabolites

- 세포의 기능과 복제에 필요한 정상적인 대사물질들의 구조적 유사체로, 세포내 효소들과 상호작용으로 항암효과를 나타냄 (∵ 암세포는 정상 세포보다 대사과정이 매우 높음)
  → 세포주기 중 S-phase에 특이적으로 작용하여 핵산 합성을 간접적으로 억제함

Drugs	Indications
Folic acid antagonists	
Methotrexate (MTX)	Breast ca., Lung ca., 두경부암, Choriocarcinoma, ALL, 일부 NHL, Bladder ca., Osteosarcoma (testicular ca.는 아님)
Pemetrexed	Mesothelioma, non-squamous NSCLC, Breast ca.
Pralatrexate	PTCL, ALCL 등의 T-cell lymphoma
Purine analogues	
6-Mercaptopurine (6-MP)	ALL, CD/UC
6-Thioguanine (6-TG)	Acute leukemia, CML, UC
Cladribine (2-Chlorodeoxyadenosine)	Hairy cell leukemia, B-CLL, R/R Multiple sclerosis (MS)
Fludarabine	CLL, indolent NHL (e.g., FL)
Pentostatin	Hairy cell leukemia, CLL, cGVHD
Pyrimidine analogues	
5-Fluorouracil (5-FU)	GI ca., Breast ca., Bladder ca., 두경부암
Capecitabine	Breast ca., CRC
Cytarabine (Ara-C, Cytosine arabinoside)	Acute leukemia, NHL
Gemcitabine	NSCLC, Lymphoma
Floxuridine (5-Fluorodeoxyuridine)	전이성 간암의 TACE
기타	
Asparaginase	Acute leukemia, HNL
Hydroxyurea (Hydroxycarbamide)	MPN (PV, ET, CML), Sickle cell anemia

- 공통적인 부작용 ; stomatitis, diarrhea, myelosuppression (2ndary malignancy는 안 일으킴)

- methotrexate (MTX)
  - 작용기전 : dihydrofolate reductase (DHFR)를 억제하여 reduced folate를 감소시킴
  - Cx ; 심한 mucositis (e.g., 구내염), BM suppression (7~14일째 최대), hepatotoxicity (high-dose MTX^HDMTX 사용시 neurotoxicity, nephrotoxicity 발생 가능)
  - neurotoxicity ; aseptic meningitis, transverse myelopathy, encephalopathy → 잘 호전됨 (leukoencephalopathy : 수개월~수년 뒤 인지장애~치매 발생, 경과는 다양)
  - cytotoxicity (BM & GI toxicity)의 예방
    ; folate analogue (reduced folate) 투여 ; leucovorin (folinic acid) : "leucovorin rescue"
  - nephrotoxicity의 예방 ; hydration, urine alkalinization (bicarbonate)
  - mucositis의 예방 ; leucovorin이나 folate의 효과는 불확실함 (치유는 빠르게 할 수 있음)
  - MTX의 신배설을 억제하므로 같이 사용하면 안 되는 drugs
    ; aspirin, NSAIDs, penicillins, sulfoamides, probenecid
- pemetrexed (Alimta®)
  - 작용기전 ; thymidylate synthase (TS), dihydrofolate reductase (DHFR), glycinamide ribonucleotide formyltransferase (GARFT) 등을 억제하여
    purine & pyrimidine 핵산전구체 합성을 감소시킴
  - 정상 조직의 독성 방지를 위해 반드시 low-dose folate & vitamin B_{12} 보충
- 5-fluorouracil (5-FU)
  - 작용기전 : 세포 내에서 대사된 뒤 작용
    ① fluorodeoxyuridine monophosphate (FdUMP)로 활성화되어 DNA 합성에 필요한 thymidylate synthase를 억제 (FdUMP의 작용때 reduced folate 필요)
    ② fluorodeoxyuridine triphosphate (FdUTP) : DNA block
    ③ fluorouridine triphosphate (FUTP) : RNA 억제
  - leucovorin (reduced folate) : methotrexate와 달리 toxicity를 줄이는 것이 아니라 항암효과를 높이기 위해서 사용됨
  - Cx ; BM suppression, GI toxicity, myocardial ischemia, acute cerebellar syndrome
- capecitabine : 5-FU의 prodrug (oral) / Cx ; diarrhea, hand-foot syndrome
- cytarabine (ara-C) : high-dose시 10~25%에서 acute cerebellar syndrome 발생
- asparaginase : 항암제로 사용되는 유일한 효소제, bacterial enzyme (→ hypersensitivity 위험)
  - 기전 : 세포의 단백질 합성에 필요한 aspraragine (암세포는 정상보다 훨씬 많이 필요함)을 분해 (세포주기에는 보통 비특이적이나 G_1/S phase를 차단 가능)
  - 부작용 : anaphylaxis (→ 투여전 반드시 skin test!), hepatotoxicity, acute pancreatitis, bleeding, thrombosis ...
- hydroxyurea : ribonucleotide reductase를 억제하여 deoxyribonucleotides 합성↓
  → 세포주기가 G_1/S phase에서 멈춤, DNA repair 방해
  - 부작용 : 습진, MCV↑, mild GI toxicity (N/V/D) / 신부전시 감량
  - sickle cell anemia 환자에서는 RBC HbF↑ → HbS 중합, sickling, vaso-occlusion 감소

c.f.) intrathecal injection 가능한 약제 ; MTX, ara-C, steroid, thiotepa (vesicants들은 안됨!)
(부작용으로 aseptic meningitis ↵ ↳ transverse myelopathy가 흔함)

(5) Antimitotic agents : tubulin-binding drugs (TBD)

• 세포 내의 microtubules을 억제하여 염색체 분리를 방해 → M-phase에서 세포분열을 억제함

- vinca alkaloids : tubulin dimers에 결합하여 microtubules로 중합되는 것을 방해 (불안정화)
- taxanes : microtubules과 결합하여 안정화(depolymerization 억제)하여 정상 기능을 못하게 함

Drugs	Indications
Vinca alkaloids	
Vincristine	ALL, lymphoma, Neuroblastoma, Ewing's sarcoma
Vinblastine	Testicular ca., Breast ca., Bladder ca., Lymphoma
Vinorelbine	NSCLC, Breast ca.
Taxanes	
Paclitaxel (Taxol®)	Ovarian ca., Breast ca., Lung ca., Esophageal ca., 두경부암
Docetaxel (Taxotere®)	
기타	
Ixabepilone	Breast ca.
Eribulin	Breast ca. (다른 TBD에 실패한 경우에도 효과적)

• **vincristine**
- peripheral neurotoxicity ; glove & stocking 이상감각(hyperesthesia), 손/발 처짐, DTR↓
- autonomic neuropathy ; 복통, 변비, paralytic ileus, urinary retention ...
  (→ mild한 neuropathy는 약제 용량을 감량하면 회복됨, 대개 3개월 이내에)
- SIADH, hyponatremia
- BM toxicity (suppression)는 없음!

• **vinblastine** : vincristine에 비해 BM toxicity가 흔하고, neurotoxicity는 경미함

• **taxanes** ; paclitaxel, docetaxel
- 과민반응 … infusion reactions ; dyspnea, facial flushing, urticaria, hypotension 등
  ⇨ 예방을 위해 steroid 전처치 필요, paclitaxel은 antihistamine과 PPI도 필요
  (e.g., dexamethasone(12 & 6시간전) + diphenhydramine(30분전) + cimetidine(30분전))
- 단백-결합 제제인 nab-paclitaxel은 과민반응 적음
- BM suppression, arrhythmias
- peripheral neuropathy ; glove & stocking, 타는 듯한 이상감각, 반사 소실, 운동마비 등
  (→ 치료 지연 or 용량 감량으로 대부분 회복됨, 일부는 1년 이상 지속될 수도 있음)

• **ixabepilone** ; epothilone B의 반합성 유도체, microtubule-stabilizing agent (taxanes 비슷)
- taxanes + anthracyclines (doxorubicin)에 실패한 유방암에 효과적
- 부작용 ; BM suppression, peripheral sensory neuropathy

• **eribulin** ; 가장 최신의 TBD
- microtubules의 (+)end에만 선택적으로 작용하여 microtubules의 중합 및 re-modeling을 억제
- antimitotic effect 외에 tumor vasculature remodeling, epithelial mesenchymal transition 억제, 암세포의 이동 및 침습 억제 등 다른 기전도 있음
- 기존의 antimitotic agents에 실패한 경우에도 효과적

(6) Molecular targeted therapy ★★

Drugs (targets)	Indications	부작용 예
Tyrosine kinase (TK) inhibitors [~nib]		
Imatinib, Nilotinib, Dasatinib, Bosutinib, Ponatinib (→ BCR-**ABL**, c-kit, PDGFR 등의 multiple kinases)	CML, Ph(+) ALL, GIST (Ponatinib: T315I mutation CML)	오심, 골수억제 (imatinib ; 눈주위부종) (nilotinib ; QT 연장, 고혈당) (dasatinib ; 폐고혈압, 수분저류) (ponatinib ; 동맥혈전증)
Ruxolitinib (→ JAK-1, 2)	PV, PMF, Ph-like ALL	골수억제, 감염
Erlotinib, Gefitinib (→ EGFR의 TK)	NSCLC, Pancreatic ca.	발진, 설사, ILD
Afatinib (→ EGFR의 TK$_{2세대}$)	NSCLC	설사, 골수억제, 발진, 가려움
Osimertinib (→ EGFR의 TK$_{3세대}$)	NSCLC T790M mutation	발진, 설사, ILD, 심근병, QT↑
Lapatinib (→ EGFR + HER2/neu)	HER2/neu(+) breast ca.	설사, hand-foot syndrome
Vemurafenib, Dabrafenib (→ *BRAF*)	Melanoma	발진, A/N
Trametinib, Cobimetinib (→ MEK)	Melanoma	N/V/D, 발진, 피부독성
Crizotinib, Ceritinib, Alectinib (→ **ALK** & ROS1 kinase)	ALK(+)/ROS1(+) NSCLC, ALK(+) ALCL	간독성, 부종, pneumonitis
Sorafenib, Sunitinib (→ VEGFR, PDGFR 등의 multiple kinases) : angiogenesis inhibitors이기도 함	RCC, GIST, HCC	설사, hand-foot syndrome, 발진 (Sunitinib ; 출혈, 고혈압, CHF, QT↑, neutropenia)
Pazopanib (→ multiple kinases)	RCC, Soft tissue sarcoma	N/V/D, 고혈압, 혈전증, QT↑
Lenvatinib (→ multiple kinases)	Thyroid ca., RCC, HCC	고혈압, 설사, A/N, 혈소판↓
Regorafenib (→ multiple kinases)	Metastatic CRC, GIST, HCC	간독성, 출혈/혈전, 혈압↑, GI 천공
Axitinib (→ VEGFR 등의 multiple k.)	RCC	설사, 고혈압, hand-foot syndrome
Vandetanib (→ multiple kinases)	MTC (medullary thyroid cancer)	감염, A/N/V/D, QT 연장, 혈압↑
Cabozantinib (→ multiple kinases)	MTC, RCC	GI 천공/누공, 출혈, 혈압↑, 골괴사
Proteasome inhibitor [~zomib]		
Bortezomib	MM, DLBCL, MCL	신경병증, 골수억제
Carfilzomib, Ixazomib	MM (multiple myeloma)	심장독성, 폐독성, 주입반응, TLS
mTOR (mammalian target of rapamycin) inhibitors [~rolimus]		
Temsirolimus, Everolimus	RCC (renal cell carcinoma)	구내염, 피곤, ILD
Angiogenesis inhibitors		
Bevacizumab (anti-VEGF-A)	Metastatic CRC, NSCLC, Breast ca.	출혈, 혈압↑, 단백뇨, 위장관천공
Ramucirumab (anti-VEGFR)	Gastric ca., CRC, lung ca.	설사, hyponatraemia, 혈압↑
Aflibercept (anti-VEGFA/B, PLGF)	CRC (colorectal cancer)	골수억제, 복통, 설사, 혈압↑
Thalidomide (TNF-α 억제 등)*	MM, MDS, PMF	기형, 진정, 변비, 말초신경병증
Lenalidomide (apoptosis 유도 등)*	MM, MDS, PMF, CLL, B-lymphoma	골수억제, 설사, 소양증, 발진
기타		
Ibrutinib (BTK inhibitor)	**CLL/SLL**, DLBCL, MCL, WM	감염(폐렴), 골수억제, 발진, 출혈
Idelalisib (PI3K inhibitor)	CLL/SLL, FL	간독성, 설사, 폐렴, 장파열
Venetoclax (→ BCL-2)	CLL/SLL, AML, MCL, MM	골수억제, 감염, TLS, 남성불임
ATRA (→ PML-RARA)	APL (APL cells의 분화와 성숙 유도)	Differentiation syndrome (DS), QT↑
Arsenic trioxide (As_2O_3, ATO)	APL (APL cells의 apoptosis 유도)	DS, 출혈, QT 연장
Palbociclib, Ribociclib, Abemaciclib (→ CDK4 & CDK6)	Breast ca.	N/V/D, 골수억제, 폐색전증, ILD
Vismodegib (→ Hedgehog pathway smoothened receptor)	Metastatic basal cell ca. (skin)	N/V/D/C, 근육경련, 탈모

* immunomodulatory agents로 불림 : 다양한 기전이 있지만, 정확히 어떤 기전으로 효과가 있는지는 불확실함 (BM의 aberrant angiogenesis 억제, stromal cells 기능 변화로 BM에서 악성세포의 성장 저해 등)

** Histone deacetylase (HDAC) inhibitor, hypomethylating agent (HMA), PARP inhibitor 등은 뒷부분에 있음

- angiogenesis inhibitor (VEGF-R 등의 여러 혈관성장 관련 경로를 억제)
  - 장기간 투여해야 효과 있음, 유지요법 필요 (∵ 중간에 중단시 microvessels이 regrow)
  - 내성발생이 매우 적거나 없다
    (∵ vascular endothelial cells은 유전적으로 안정되어 mutation rate가 낮음)
  - 부작용이 적거나 거의 없다

Agents	Targets	Indications	부작용 예
Monoclonal antibodies (mAb) [~mab]			
Rituximab, Ofatumumab, Obinutuzumab	CD20	B-cell lymphoma/leukemia, RA CLL, WM	과민반응(주입반응), 감염 재활성화(특히 간염)
Daratumumab	CD38	MM	주입반응, 골수억제, 통증, 비예기항체 검사 위양성
Elotuzumab	SLAMF7 (CS1, CD319)	MM	말초신경독성, A/N/V
Alemtuzumab	CD52	CLL, T-PLL, PTCL, MDS, HES	주입/과민반응, 면역억제
Blinatumomab	CD19 & CD3 (dual)	R/R ALL	CRS, 신경독성
Trastuzumab, Pertuzumab	HER2/neu (ERBB2)	HER2/neu (+) Breast ca.	주입반응, 심장독성
Cetuximab Panitumumab Necitumumab	EGFR	CRC, 두경부 SCC CRC Squamous NSCLC (현재는 권장×)	주입반응, 발진, 설사
Denosumab	Rank ligand (RANKL)	Osteoporosis, Bone metastases	관절/근육통, 감염
Dinutuximab	Glycolipid GD2	Neuroblastoma	주입반응, 신경독성
Olaratumab	PDGFRα	Soft tissue sarcoma	호중구↓, 근골격통증
앞의 표 참조	VEGF, VEGFR		
Nivolumab, Pembrolizumab	PD-1	NSCLC, Melanoma, 두경부암, HL, Urothelial ca, RCC, HCC, gastric ca	대장, 간, 뇌하수체, 갑상선 등의 면역매개독성
Atezolizumab, Durvalumab Avelumab	PD-L1	NSCLC, Urothelial ca. Merkel-cell ca.	피곤, 식욕부진, UTI 면역반응, 주입반응
Ipilimumab	CTLA-4*	Melanoma, RCC, NSCLC	간, 피부, 뇌하수체, 위장관 등의 면역매개독성
mAb + CTx conjugates			
Gemtuzumab ozogamicin	anti-CD33 + calicheamicin	AML, APL	발열, N/V, 골수억제
Brentuximab vedotin (BV)	anti-CD30 + cytotoxic MMAE	HL (Hodgkin lymphoma), ATLL, CTCL, PTCL	말초신경병, 골수억제
Trastuzumab emtansine	anti-HER2 + cytotoxic DM1	Breast ca.	간독성, 심장기능↓, ILD
CAR-T cells therapy [~leucel]			
Tisagenlecleucel, Axicabtagene ciloleucel	CD19 + 4-1BB CD19 + CD28	ALL, DLBCL	cytokine release syndrome (CRS), 신경독성

* CTLA-4 (Cytotoxic T Lymphocyte-associated Antigen-4) : inhibitor of cytotoxic T cell activation
⇨ anti-CTLA-4와 anti-PD-1/PD-L1은 **면역관문억제제(immune checkpoint inhibitors)**로 분류됨
(T세포의 면역반응을 회피하게 하는 암세포의 면역관문을 억제하여 T세포의 활성화를 촉진함)

- oncogenic addiction : 다양한 유전자 이상 중에서 1~2개 유전자 이상에 의한 비정상적인 신호 전달경로의 활성화가 암 발생/증식에 핵심적인 역할 → 이 유전자를 불활성화시켜 암 치료
- synthetic lethality : 2개 이상의 유전자를 각각 하나만 억제하면 암세포가 사멸하지 않으나 모두 다 억제하면 암세포가 사멸되는 것

> DNA repair pathway (정상 세포는 여러 경로에 의해 손상된 DNA가 복구됨)
> 1. Single-strand break (SSB) repair
>   ; BER (base excision repair), MMR (mismatch repair), NER (Nucleotide excision repair) 등
> 2. Double-strand break (DSB) repair
>   ; HR (homologous recombination), NHEJ (Non-homologous end joining) 등
>
> 예) BRCA1 or BRCA2 mutations에 의한 암세포는 DSB repair 장애가 발생해도 다른 경로들에 의해 보완되어 사멸하지 않음
> (↳ HR pathway에 관여)
> Poly ADP ribose polymerase (PARP) enzyme을 추가로 억제하면 암세포는 사멸됨
> (↳ BER pathway에 관여, SSB repair에 중요)

예) PARP inhibitors ; **olaparib** (Lynparza®), rucaparib (Rubraca®), niraparib (Zejula®)
- SSB repair 차단 → DSB repair 장애 발생 암세포의 repair를 완전히 차단하여 사멸시킴
- *BRCA1* or *BRCA2* mutations을 동반한 난소암, 유방암, 전립선암에 사용

(7) Epigenetic modulators

- 후성유전학(epigenetics) : DNA 염기서열의 변화 없이 유전자 조절/발현이 변화하는 것
- 기전 ; DNA methylation, histone 변형(e.g., acetylation, dimethylation, phosphorylation) 및 chromatin remodeling, micro RNA (miRNA, mRNA의 untranslated regions에 결합해 억제/분해)

> 예) 종양억제유전자가 있는 CpG 부위에서 hypermethylation or HDAC activity 증가시 염색체는 압축됨(silenced, turned off) → 종양억제유전자 발현↓ → 종양 발생

- Epigenetic modulators의 예
  ① ATRA (retinoic acid) ; APL cells의 PML-RARα 단백(→ 여러 epigenetic modifiers와 결합하여 granulocytes의 분화를 억제함) → 여기에 ATRA가 결합하면 정상 분화 기능이 회복됨
  ② DNA hypomethylating agent (HMA) [DNA methyltransferase (DNMT) inhibitors]
  ; azacitidine (체내에서 decitabine으로 대사되어 작용함), decitabine, guadecitabine (2세대, 반감기 긺) → MDS, AML (low-intensity Tx)
  ③ histone deacetylase (HDAC) inhibitor
  - vorinostat (SAHA), romidepsin, belinostat → CTCL, PTCL, ALCL, AML 등
  - panobinostat → MM
  ④ IDH1 inhibitor (ivosidenib), IDH2 inhibitor (enasidenib) → AML
  ⑤ DOT1L inhibitor (pinometostat), BET-bromodomain inhibitor ...

5. 부작용

(1) 항암제에 의한 조직괴사

- 원인 (severe vesicants) ; anthracycline계 약제 (doxorubicin, daunorubicin, mitoxantrone), vinca alkaloids (vincristine, vinblastine), actinomycin D, mitomycin C, nitrogen mustard ...
- 주사 중 extravasation시 local tissue necrosis 유발
- 중심정맥을 통하여 항암제를 투여하는 것이 가장 추천
  (중심정맥 확보가 어려울 때는 상완의 전박에 하는 것이 좋다)

• 치료
① IV catheter를 빼지 말고, 잔여약제와 혈액(5 cc)을 뽑아냄
② 가는 주사침으로 주위의 피하로부터 약제를 흡인
③ catheter를 뽑는다
④ corticosteroids 피하주사 (효과는 증명 안 됨)
⑤ 해독제(antidote) 주사 예)anthracycline 계 → sodium bicarbonate
nitrogen mustard → sodium thiosulfate / vinca alkaloids → hyaluronidase
⑥ ice pack / warm pack (vinca alkaloid)
⑦ occlusive dressing
⑧ debridement with excision, 피부 이식

(2) 위장관 독성

• 점막염(mucositis), stomatitis (oral mucositis)
- 원인 ; cytarabine, doxorubicin, MTX, 5-FU, cisplatin, bleomycin, etoposide, melphalan ...
(sunitinib, sorafenib, lenvatinib, regorafenib 등의 mAb에서도 흔함)
- 위험인자 ; 구강 위생 불량, 치아우식증, 치주질환, RTx. 병용 등
(특히 high-dose CTx + HCT, RTx. 때 심한 oral mucositis 발생 위험)
- 통증을 동반한 궤양, 입술~항문까지 GI 전체에 발생 가능 (특히 구강, 항문)
- 예방 ; 구강 관리, 경구 냉동요법(얼음 조작을 입에 물고 있기)
┌ palifermin (recombinant keratinocyte growth factor) … HDT-HCT 시행시 권장
└ 기타 ; low-level laser therapy, glutamine, dexamethasone (or allopurinol) mouthwash

• 설사 ; 5-FU, capecitabine, irinotecan, MTX, Ara-C ...
- grade 3~4 (grade 1~2 complicated diarrhea 포함) 환자는 입원하여 IV fluid 치료
(grade 2 이상이면 항암제 투여는 중단 → 설사 멈추고 2일 뒤에 재투여)
- loperamide (심하면 high-dose) → 반응 없으면 octreotide (somatostatin analogue)
- 예방적 지사제 투여는 권장 안됨 (설사 발생 이후에만 사용)
• emesis (N/V) → 뒷부분 참조

(3) 신장 독성

• cisplatin, MTX, etoposide, hydroxyurea, bleomycin, mithramycin, cyclophosphamide, ifosfamide, nitrosourea ...
• HUS (thrombotic microangiopathy) ; calcineurin inhibitors (e.g., tacrolimus, cyclosporine), cytotoxic drugs (e.g., mitomycin, cisplatin, bleomycin), gemcitabine, anti-VEGF (bevacizumab, sunitinib), ponatinib (TKI저분자), sirolimus (면역억제제) ...

(4) 폐 독성

• bleomycin이 가장 문제 ⇨ subacute pul. fibrosis, hypersensitivity pneumonitis, chronic IPF
- 약물 투여량과 밀접한 관계 (총투여량 400 U↑ → 발생 크게 증가)
- 치료 ; 증상이 없어도 DL_{CO} 25% 이상 감소하면 bleomycin 중단 (재투여 권장×),
증상 발생시 systemic steroid 투여 (c.f, chronic IPF에는 steroid 권장×)
• 기타 ; busulfan, chlorambucil, fludarabine, MTX, mitomycin 등도 폐섬유화를 일으킬 수 있음
(Ara-C는 폐부종 유발 가능)

(5) 심장 독성

- 원인 (anthracyclines) ; doxorubicin (adriamycin), daunorubicin
- acute (대부분 일과성) ; myocarditis-pericarditis, SVT
- chronic (수주~수개월 후에 발생, 가장 심각) ; irreversible cardiomyopathy
  - dose-dependent, total cumulative dose 500~550 mg/m2 초과시 risk↑
  - risk↑ ; 70세 이상, HTN, 기저 심질환, 종격동 방사선조사, cyclophosphamide 병용
- 예방/치료
  - dexrazoxane : cardiotoxicity 예방
  - liposomal anthracycline 제형 사용 (효과는 동일하면서, 심독성↓)

(6) 간 독성

- 간효소 상승 ; L-asparaginase (응고인자도 감소), Ara-C, hydroxyurea, 6-MP, dacarbazine (간세포괴사, 간정맥혈전도), nitrosoureas, mithramcyin (picamyicn), MTX (문맥주위 섬유화, 총용량 1.5 g 이상이면 LC)
- 정맥폐쇄질환 ; azathioprine, busulfan, carboplatin, cyclophosphamide, Ara-C, 6-MP, nitrosoureas, thioguanine ... (high-dose CTx & SCT or RTx 후 발생 가능)

(7) 골수 억제

- 심한 BM suppression (보통 10일) ; cyclophosphamide 등의 alkylating agents, MTX 등의 antimetabolites, doxorubicin
- delayed BM suppression (6주 이후) ; nitrosoureas (BCNU, CCNU), procarbazine, dacarbazine (DTIC), mitomycin C, busulfan
- BM suppression 안 하는 항암제 ; vincristine, bleomycin, L-asparaginase (dexamethasone도 BM suppression은 거의 없음 [0.08%])

(8) 과민반응

; L-asparaginase, cisplatin, bleomycin, etoposide, paclitaxel, docetaxel, monoclonal Ab ...

(9) peripheral neuropathy

; vincristine, vinblastine, paclitaxel, docetaxel, cisplatin, oxaliplatin, ara-C, procarbazine, IFN ...
(c.f., chemo brain : adjuvant CTx 받은 유방암 환자에서 신경인지기능 감퇴 현상, 예방/치료×)

(10) 피부독성

- 수족증후군(hand-foot syndrome) : 건조, 통증, 발적, 색소침착
  ; 5-FU, capecitabine, liposomal doxorubicin, hydroxyurea, MTX
- 발진 ; carmustine (BCNU), Ara-C, gencitabine, asparaginase, procarbazine ...
- 탈모(alopecia) ; anthracyclines, alkylating agents, topoisomerase inhibitors
- photosensitivity ; mitomycin, 5-FU, MTX, vinblastin, dacarbazine (DTIC)
- 손톱의 변화
  - cyclophosphamide, doxorubicin, 5-FU → 색소변화
  - bleomycin, taxanes → 쉽게 부서지며 소실
- 색소침착 ; busulfan, bleomycin, thiotepa, 5-FU, MTX

(11) 성선기능장애 및 임신

- 성선기능장애 (무정자증, 난소부전) ; alkylating agents, topoisomerase inhibitors
- 임신 중 진단되고 CTx하게 되는 암 ; 유방암(m/c), lymphoma, 난소암, 자궁암, 갑상선암 등
- 대부분의 항암제는 category D로 임신 초기(1st trimester)에는 기형 유발 위험으로 금기임 (procarbazine과 methotrexate는 임신 전 기간 중 금기!)
- 임신 중/후기(2nd/3rd trimester)에는 대부분 안전한 편임 (e.g., AML/ALL의 induction CTx, NHL의 CHOP, HL의 ABVD)
- mAb는 정보가 부족하지만 bevacizumab은 금기, trastuzumab은 권장×, rituximab은 안전한 편

호르몬 치료

제제	적응	부작용 (A=Acute, D=Delayed)
Glucocorticoids[1] Prednisone Dexamethasone	Leukemia, Lymphoma Multiple myeloma Brain metastases Spinal cord metastases	A ; Fluid retention, hyperglycemia, euphoria, depression, hypokalemia D ; Osteoporosis, immunosuppression, infections, peptic ulcers, Cushing syndrome, cataracts
High-dose estrogens Diethylstilbestrol (DES) Ethynyl estradiol	Prostate ca. Breast ca. (폐경후)	A ; N/V, fluid retention, hypercalcemia, uterine bleeding D ; Feminization, CAD 악화
Antiestrogens (SERM)[2] Tamoxifen Toremifene Raloxifene	Breast ca.	A (드물고 경미) ; Nausea, fluid retention, hot flashes, hypercalcemia D ; 심혈관계(혈전색전증), 자궁내막암
ER antagonist Fulvestrant[3]	Breast ca.	
Aromatase inhibitors (AI)[4] 가역적: Anastrozole, Letrozole 비가역적: Exemestane	Breast ca. (폐경후) Prostate ca.	A ; Dizziness D ; Rash (일시적), osteoporosis
Progestins Megestrol acetate Medroxyprogesterone acetate	Breast ca., Prostate ca., Endometrial ca.	거의 없음
Androgen Fluoxymesterone (Halotestin®)	Breast ca.	A ; Cholestatic jaundice (with oral drug) D ; Virilization
LHRH analogues[5] Leuprolide Goserelin	Prostate ca. Breast ca.	A ; Transient flare of symptoms
Antiandrogen (AR blockers) Flutamide, Nilutamide Bicalutamide Enzalutamide	Prostate ca.	D ; Gynecomastia
CYP 17 inhibitor Abiraterone acetate	Prostate ca.	A ; Fluid retention, K^+↓, BP↑ D ; Osteoporosis

1. 백혈병/림프종 세포의 apoptosis 유도
2. SERM (selective estrogen receptor modulator) : 유방에서 ER에 대해 estrogen과 경쟁적으로 결합하여 estrogen antagonist 역할을 함. 혈관과 자궁내막에 대한 agonist 작용으로 부작용 가능
3. Fulvestrant : estrogen 유사 작용이 없는 ER (estrogen receptor) 순수 antagonist, ER의 분해 촉진
4. AI : 유방, 난소, 지방 등에 존재하는 aromatase를 억제하여 estrogen 생산↓ (부신피질 steroid 합성에는 영향 없음) 폐경전 유방암 환자는 난소 기능이 활발하여 AI로는 효과적인 estrogen 생산 억제가 어려움
5. LHRH analogue : LHRH receptor를 자극하여 뇌하수체의 정삭적인 신호를 방해 → LH 분비↓ → 난소 기능 억제 (여) / androgen 합성 억제 (남)

생물학적 치료

1. Cell-mediated immunity

- T-cell이 tumor cells을 foreign으로 인식하여 공격 (graft-versus-tumor effect)
  ① allogenic T-cell transfer ; alloSCT, donor lymphocyte transfusion
  ② autologous T-cell infusion ; 체외에서 증식, 종양항원에 특이성을 갖게하거나 활성화시킴
  ③ tumor vaccines ; boosting T-cell immunity
- HPV에 의한 cervical ca., lymphoma, melanoma 등에서 효과적

2. Monoclonal antibodies (targeted therapy)

- 종양 특이항원에 반응하는 항체로 대장암, 폐암, 췌장암, melanoma, leukemia, lymphoma 등에서 이용 (대개는 CTx.와 병용시 더 효과적) → 앞부분 표 참조
- Rituximab : B-cell neoplasms의 CD20에 대한 mAb
- Trastuzumab (Herceptin®) : 유방암의 Her-2/neu receptor에 대한 mAb
- 독소물질, 동위원소, 약물 등에 결합되어 사용되기도 함
  - ibritumomab tiuxetan : anti-CD20 + ^{90}Y → follicular lymphoma
  - gemtuzumab ozogamicin : anti-CD33 + calicheamicin → CD33(+) AML

3. Cytokines

- IFN-α ; 항암 효과는 용량과 비례, 종양을 완치시키지는 못하고 일부에서 partial response만 가능 (e.g., follicular lymphoma, hairy cell leukemia, CML, Kaposi's sarcoma, melanoma)
- IFN-β ; relapsed, remitting multiple sclerosis
- IFN-γ ; GVHD 발생 예방, chronic granulomatous dz., idiopathic pul. fibrosis
- TNF-α ; 전신적으로 투여하면 독성 심함, sarcoma or melanoma에서 isolated limb perfusion
- IL-2 ; 면역기능 강화(T cells, NK cells 활성화)를 통해 간접적으로 항암효과를 나타냄 (e.g., RCC, melanoma, lymphoma, AML에서 BMT 뒤 graft-versus-tumor effect 향상), 2~5%에서는 장기 CR도 가능
- IL-11 ; CTx-induced thrombocytopenia

4. Growth factors

- early-acting factors (multiple lineage에 작용) ; IL-1, IL-3, SCF
- late-acting lineage-specific factors ; G-CSF, GM-CSF, erythropoietin (EPO), thrombopoietin (TPO), IL-6, IL-11 ...

- G-CSF ; PBSCT에서 stem cell mobilization, high-dose CTx에서 febrile neutropenia 발생 위험이 40% 이상일 때, chronic neutropenia (특히 cyclic neutropenia, Kostmann syndrome, Shwachman-Diamond syndrome), AIDS
- GM-CSF ; G-CSF보다 부작용↑, autologous BMT 이후에만 사용
- G-CSF or GM-CSF의 사용
  - G-CSF : 5 μg/kg/day subcut. (c.f., filgrastim : G-CSF analog)
  - GM-CSF : 250 μg/m^2/day subcut.
  - 적응이 되면 CTx 후 1~3일 뒤에 투여 시작

예방적 사용	치료적 사용
1. 일차 투여 (1st CTx cycle 때 투여) Febrile neutropenia 발생 위험 20% 이상 CTx 전에 이미 neutropenia or 감염 존재시 65세 이상에서 lymphoma에 대한 CTx Poor performance status 이전에 강력한 CTx 병력 등 2. 이차 투여 (1st 이후의 CTx cycle 때 투여) 이전의 CTx에서 febrile neutropenia 발생시 Neutropenia가 지속되어 CTx 지연시	1. Febrile neutropenia ; 패혈증, 폐렴, 심한 진균감염, profound neutropenia (<100/μL), 65세 이상 등을 동반시 권장 (but, 효과는 불확실함) 2. SCT 환자에서 빠른 골수기능 회복위해 3. MDS 환자에서 neutropenia & 반복되는 감염시 - 발열이 없는 neutropenia 환자에서는 도움 안됨! - AML 환자에서 G-CSF는 거의 도움 안되고, GM-CSF는 도움 안되거나 오히려 해로움

  - absolute neutrophil count (ANC)가 10,000/μL이 될 때까지 투여 지속
  - CTx or RTx와의 동시 사용은 금기!
- SCF (stem cell factor) ; PBSCT 때 stem cells mobilization시 G-CSF와 병용하면 효과 증가 (apheresis 횟수↓)
- EPO (erythropoietin) ; 빈혈이 있는 CKD, MDS, PMF 환자에서 사용
- TPO mimetics (e.g., eltrombopag) ; severe AA 환자에 사용

방사선 치료 (RTx)

1. 방사선의 생물학적 효과

- 방사선(radiation)의 biologic effect
  ① DNA의 double-strand 구조 파괴 (→ cell death)
  ② 세포내 water에 작용하여 free radical 생성 (세포 손상은 대부분 hydroxyl radical 때문임)
  ③ 염색체 파괴 (→ neoplasm 발생 위험↑)
    - 세포주기 중 G_1 phase에서 주로 발생
    - 말초혈액 림프구의 염색체이상 분석 : 체내 총 방사선조사량과 비례

④ growth factors와 cytokines 유도 (e.g., TNF, IL-1)
- TNF : 정상 조혈세포에는 radioprotection 작용, 종양세포에는 radiosensitization 작용
- bFGF (basic fibroblast GF), PDGF : 혈관에 대한 후기 효과와 관련

정상조직의 RTx.에 대한 tolerance

조직	용량(cGy)	부작용
Skin	5500	Dermatitis, sclerosis
Brain	5000	Necrosis, infection
Spinal cord	4500	Myelitis, necrosis
Heart	4500	Pericarditis, myocardial damage
Intestine	4500	Stenosis, perforation, ulceration
Liver	2500	Hepatitis, hepatic vein thrombosis
Kidney	2000	Nephropathy, renal failure
Lung	1500	Pneumonitis, fibrosis
Bone marrow	250	Aplasia

• 방사선 노출 이후의 대응과정 (4 R's)
① repair : 효소에 의한 세포내 손상의 복구 기전
② reoxygenation : 살아남은 세포에 산소와 영양분을 더 공급
③ repopulation : 세포 분열을 통해 죽은 세포들을 대체
④ redistribution : 세포주기에 따른 방사선 감수성의 차이

2. 치료적 방사선 효과

RTx.에 대한 종양의 감수성

Sensitivity	Tumor type
Very high	Lymphoma, Small-cell cancers, Seminoma, Neuroblastoma, Retinoblastoma
Medium	Head & neck cancer, Breast cancer, Lung cancer, GI malignancy, Gynecologic malignancy, Prostate cancer
Low	Glioblastoma, Sarcoma, Renal cell ca., HCC, Melanoma

RTx.의 임상적 이용

치료	종양
Definitive RTx.	Hodgkin lymphoma, early-stage NHL gliomas, cervix, head & neck, lung, bladder, anal, esophagus, prostate, pancreas, skin, pituitary
Organ-sparing (conservative) surgery 이후의 RTx.	Breast, sarcoma, rectum
Radical surgery 이후의 RTx. (local control 향상)	Breast, rectum, lung, head & neck, endometrium, most margin-positive resections at many tumor sites (e.g., cervix, low-grade CNS tumors)
Palliation	All tumor types

* RTx. & CTx. combination therapy의 장점
  ① 공간적인 협조(spatial cooperation)에 의한 상호보완적 작용
  ② 암세포 파괴의 상승효과(synergistic effect)
  ③ 항암제에 의한 방사선 감수성(sensitivity) 증가
  ④ 서로 다른 내성 기전 (non-cross resistance)
  ⑤ 서로 부작용이 중복되지 않음, 부작용 감소 효과
  ⑥ 정상 조직의 보존

수술의 역할

1. 예방

- premalignant lesions ; skin, colon, cervix 등
- 암 발생 고위험군 ; UC에서 대장 전체를 침범시
- 유전성 종양 ; familial polyposis, MEN-2, familial breast or ovarian ca.
- developmental anomaly ; undescended testis

2. 진단

- 조직검사 : 가능한 많은 양의 검체를 얻는 것이 원칙
- excisional Bx. > incisional Bx. > core-needle Bx. > FNA

3. 병기판정 (staging)

- pathologic/anatomic staging
- 치료방침 결정에 결정적 도움이 되는 경우 ; breast ca.의 axillary LN sampling, lymphoma 및 기타 복강내 종양에서 개복술을 이용한 LN sampling, melanoma

4. 치료

- 수술은 가장 효과적인 암 치료법 (but, 약 40%에서만 완치 가능)
- 수술만으로 완치가 어려운 종양에서 수술의 이점
  ① 종양의 국소적인 조절
  ② 장기 기능의 보존
  ③ 크기를 감소시켜 이후 치료법의 효과를 높임
  ④ 병기 판정에 도움
- metastatic cancer에서 전이 병소의 수술이 도움이 되는 경우 (⇨ survival ↑)
  ① osteosarcoma ; lung metastasis
  ② colorectal ca. ; liver, lung metastasis

- 한 lobe에 국한된 5개 미만의 간 전이는 수술(±ablation)하면 약 25%에서 수명 연장!
  (간 이외의 전이는 없을 때)
- 수술 이후 잔여 간 20% 이상 및 절제면 (-)를 얻을 수 있으면(1 cm margin) 수술 가능
- neoadjuvant CTx로 수술 불가능한 환자의 약 15%도 수술 가능하게 될 수도 있음
- 간 수술 이후 재발 위험이 높은 경우 ; 3개 이상의 전이, 전이 종양 크기 >5cm, satellite nodules, 간 실질의 50% 이상 침범, CEA↑(>30 ng/mL), 수술 중 수혈(>2 units), hilar LN 침범, 원발 종양의 수술 이후 간 전이 발견까지 disease-free interval 1년 미만
- 완전 절제 가능한 폐 전이도 수술하면 수명 연장됨 (절제 가능한 폐외 전이 동반시도 가능)

③ melanoma ; 모든 전이 병소를 수술로 절제 가능하다면 수명 연장 가능 (but, 극히 일부)

④ breast ca. ; 원발 종양을 완전히 치료해야 수명 연장 가능 (∵ 남은 원발 종양에서 재전이)
→ systemic therapy (endocrine, CTx)가 주 치료임
- 50% 이상에서 간 전이가 있지만, 간에만 전이가 국한된 경우는 5% 미만
- 극히 일부의 good Px 환자군(e.g., young, ER+, 간 이외 전이 無)에서만 간 전이에 대한 수술(±ablation)이 예후 향상에 도움 됨

• metastasis의 존재 하에 원발 종양의 수술적 제거시 효과
  ① 전이 병소의 성장 가속화 … 대부분
    (∵ angiogenesis inhibitors 및 growth regulators의 소실 때문)
  ② 전이 병소의 감소 (abscopal effect) (∵ growth or angiogenic factors의 소실 때문)
  - 드물게 일부 신장암에서 관찰됨
  - 일부 lymphoma에서 splenectomy시에도 가능

• systemic antitumor effects (hormone-responsive tumors)
  - oophorectomy and/or adrenalectomy → estrogen↓
  - orchiectomy → androgen↓

  → metastatic tumors의 성장 감소

5. 완화 (palliation)

• 보존적 치료 → 환자의 삶의 질 (quality of life) 향상이 목적
• 예 ; 통증의 해소, 위장관 출혈/폐쇄/협착의 치료, 신경장애의 호전, splenectomy

6. 재건술 및 재활치료

• 기능 및 미용상의 장애를 교정
• 예 ; mastectomy 뒤의 유방재건술, 근골격계 수술 뒤의 사지 재건술

치료에 대한 반응 평가

* 암 병소의 크기 측정 (WHO criteria, 1979)
  - superficial tumor mass를 촉진하거나, internal lesion을 imaging으로 측정
  - 크기(2차원) = 장축 × '장축에 수직인 가장 큰 길이' (↔ RECIST : 장축만 평가, 1차원)

- CR (complete remission) : 측정 가능한 암 병소가 완전히 소멸되고,
  환자는 암의 모든 증상이 없는 경우 (최소한 4주 이상)
- PR (partial remission) : 모든 암 병소의 크기의 합이 50% 이상 감소한 경우 (최소한 4주 이상)
- SD (stable disease) : 50~100%의 병변이 남아 있을 때
- PD (progressive disease) : 암 병소의 크기가 25% 이상 증가하거나, 새로운 병소가 생긴 경우

반응군(response) = CR, PR
비반응군(no response, NR) = SD, PD

■ RECIST (Response Evaluation Criteria in Solid Tumors) criteria

	RECIST (2000)	RECIST 1.1 (2009) ★
Tumor burden 측정 범위	Target lesion 1~10개 (~5개/organ)	Target lesion 1~5개 (~2개/organ)
측정	Uni-Dimensional (장축)	Uni-Dimensional (장축) *LN는 단축(short axis)으로 측정
Target lesion의 최소 크기 ★	≥10 mm (spiral CT) ≥20 mm (nonspiral CT, clinical)	≥10 mm (CT/MRI, clinical) ≥20 mm (chest X-ray) LN는 단축 ≥15 mm (10~15 mm는 Non-target lesion, <10 mm는 Non-pathological)
PD의 정의	직경의 총합 20% 증가	총합 20% 증가 & 절대 값 5 mm 이상 증가
CR 및 PR의 확인	최소한 4주 이상	반응속도가 primary end-point일 때만 필요
PET	–	New lesion (처음에 음성 → F/U시 양성) 확인 등에 이용 가능
Bone lesion	–	Lytic bone lesion은 target lesion에 포함

Response Criteria

	RECIST 1.1 ★	WHO
CR (Complete Response)	모든 target lesions 소멸 모든 LN의 단축 <10 mm	측정 가능한 암 병소 완전 소멸 (최소 4주 이상)
PR (Partial Response)	Target lesions 직경의 합 30% 이상 감소	암 병소의 합이 50% 이상 감소 (최소 4주 이상)
SD (Stable Disease)*	PR~PD 사이 (↓30% ~ ↑20%)	PR~PD 사이 (↓50% ~ ↑25%)
PD (Progressive Disease)	Target lesions 직경의 합 20% 이상 & 5 mm 이상 증가 or 새로운 병소 발생	암 병소의 합이 25% 이상 증가 or 새로운 병소 발생

RECIST 1.1의 Overall Response 평가

Target lesions	Non-target lesions	New lesions	Overall response
CR	CR	–	CR
CR	Non-CR/non-PD	–	PR
CR	평가×	–	PR
PR	Non-PD or 모두 평가×	–	PR
SD	Non-PD or 모두 평가×	–	SD
모두 평가×	Non-PD	–	NE (평가불능)
PD	Any	+/–	PD
Any	PD	+/–	PD
Any	Any	+	PD

* ORR (overall response rate) : 정의된 기간 동안 종양이 특정 크기 이상으로 줄어든 환자의 비율 (PR + CR)
OS (overall survival)전체생존 : 진단/치료 이후 사망까지의 기간 (다른 원인에 의한 사망도 포함)
DFS (disease-free survival)무병생존 : 치료 이후 재발/전이/진행/사망까지의 기간
PFS (progression-free survival)무진행생존 : 치료 이후 진행(PD) or 사망까지의 기간

보존적 치료

1. Pain control

- 숫자통증등급(numeric rating scale, NRS) : 통증 없음 (0), 경도 (1~3), 중등도 (4~6) 심함 (7~10)
  ⇨ 목표 NRS는 1~4점
  - 입원 환자에게 마약성 진통제 투여 시 IV 15분 후 or 경구 속효성 투여 1시간 후에 통증 재평가
  - 외래 환자의 경우 통증 정도에 따라 수일~수주마다(예: 1~4주) 재평가
- 진단/치료에 연연하지 말고 적극적으로 pain control!
- WHO 3 step analgesic drug therapy
  ① mild pain : non-opioid ± adjuvants
    - non-opioid (비마약성 진통제) ; acetaminophen (paracetamol), NSAIDs
    - adjuvants ; sedatives, antidepressant, anticonvulsant, steroid, antihistamine

  ② moderate pain : mild opioid ± non-opioid ± adjuvants
    - weak opioid (마약성 진통제) ; codeine, oxycodone, hydrocodone, propoxyphene

  ③ severe pain : strong opioid ± non-opioid ± adjuvants
    - strong opioid : morphine (가장 강력), hydromorphine, MS contin (morphine의 서방정), meperidine (Demerol), methadone, fentanyl (Durogesic patch), levorphanol, oxymorphone (좌약) ...
- 진통제 사용의 원칙
  ① 일정한 간격으로 규칙적으로 투여 (PRN으로 투여 안함)
  ② 예방적 투여 ③ 가능한 경구 약제를 사용
  ④ 보조 진통제가 종종 필요함
  ⑤ 불면증 (통증 악화의 가장 주된 원인)은 적극적으로 조절

• 마약성 진통제(opioid)의 사용

분류	약제	비고
순수 작용제	Morphine, Oxycodone, Hydromorphone Hydrocodone, Fentanyl, Codeine, Tramadol	Pethidine: 암성 통증에 사용 금지
부분 작용제	Buprenorphine	
혼합형 작용-길항제	Pentazocine, Butorphanol, Nalbuphine	암성 통증 치료에 사용 금지*

- Morphine, hydromorphone : 간에서 1상 대사 반응을 거치지 않아 약물상호작용 적음
- 이외의 약제 : 간기능 저하 시 주의 및 약물 상호작용 주의
  - 병용시 마약성 진통제 부작용 증가 : azole계, macrolide, omeprazole, antiviral agent, TKI, grapefruit juice
  - 병용시 마약성 진통제 효과 감소 : corticosteroid, carbamazepine, phenytoin
- Codeine, oxycodone, hydrocodone ⇨ uoxetine, haloperidol, cimetidine과 병용 시 진통 효과 감소에 주의

* 작용제를 사용하고 있는 환자에게 작용-길항제를 투여하면 작용제에 대하여 길항제로 작용하여 금단증상을 초래하고 통증을 악화시키므로 사용해서는 안됨!

- 심한 pain이면 다 써야!, 천정효과(ceiling effect)가 없으므로 용량의 제한 없이 증량 가능 (의사들이 범하는 가장 흔한 실수는 inadequate dose)
- 부작용 ; 변비(m/c), N/V, urinary retention, CNS (sedation, 인지장애), respiratory depression (→ naloxone으로 치료) ...
- opioid의 교차내성은 불완전하므로 반응이 없으면, 다른 opioid로 바꿔보거나 투여 경로를 바꿔봄
- 심한 통증 → short-acting 제제를 사용하면서 용량을 결정한 뒤 extended-release 제제로 전환함
- 신경병증성 통증이나 골 전이에 의한 통증에는 효과 없음!!
- meperidine은 toxic metabolite인 normeperidine을 만들어 CNS 부작용 (경련, 심한 흥분 등)을 일으킬 수 있음 (naloxone에 의해 호전 안됨) → 암 통증 같은 만성 통증에는 사용하지 않음!

• opioid overdose (부작용)
- 변비, N/V, 진정/졸림, 의식장애, 배뇨장애 ...
- 호흡억제 : 빠르게 IV 할 때 발생 가능 → opioid IV 중단, 기도 확보, naloxone (~10 mg) 투여

• 보조 진통제(adjuvant)
- **신경병증 통증(neuropathic pain)** : 중추/말초신경계 이상에 의한 통증으로, 손상된 신경의 지배 영역의 감각이상, 통증을 유발하지 않는 자극에도 통증을 느끼는 이질통(allodynia) 등의 신경학적 이상 증상 ⇨
  ① 항우울제 (진통효과↑) ; amitriptyline, nortriptyline, duloxetine … 지속성 통증
  ② 항경련제 ; gabapentin, pregabalin, carbamazepine … 전격성 통증
  ③ ketamine : 마약성 진통제 불응성 통증 및 암성 신경병증통증에 투여 가능
  ④ 국소 진통제 (gel/patch/cream) ; lidocaine, Capsaicin, NSAID … 신경병증 통증 부위에
- 골 전이에 의한 통증 ⇨ NSAIDs, steroid, bisphosphonate, calcitonin, RTx.
- 간 전이로 인한 간 피막의 팽창으로 인한 통증 ⇨ steroid

c.f.) chronic pain
- multiple, unrelated site의 pain이 중요한 단서
- Tx ; antidepressants (특히 TCA), anticonvulsants, antiarrhythmics, opioid (마지막으로)

2. Emesis (N/V) control … Chemotherapy-Induced Nausea & Vomiting (CINV)

- nausea ± vomiting이 항암제(CTx.)의 m/c 부작용
- 항암제의 emetogenic potentials (단독으로 IV 투여했을 때)

High (>90%) ★	Moderate (30~90%)	Low (10~30%)		Minimal (<10%)
Cisplatin	Bendamustine	5-Fluorouracil	Mitomycin	Bleomycin
Mechlorethamine	Ifosfamide, Thiotepa	Docetaxel	Mitoxantrone	Busulfan
Streptozotocin	Cyclophosphamide (<1500 mg/m^2)	Paclitaxel	Ixabepilone	2-Chlorodeoxyadenosine
Dacarbazine (DTIC)	Carboplatin, Oxaliplatin	Etoposide	Gemcitabine	Cladribine, Fludarabine
Cyclophosphamide (고용량: >1500 mg/m^2)	Cytarabine (>1 mg/m^2)	Asparaginase	Temsirolimus	Vincristine
Mechlorethamine (nitrogen mustard)	Irinotecan	Thiotepa	Bortezomib	Vinblastine
Nitrosoureas	Anthracyclines*	Topotecan	Cetuximab	Vinorelbine
CCNU (Lomustine)	Doxorubicin (adriamycin)	Pemetrexed	Pertuzumab	Bevacizumab
BCNU (Carmustine)	Daunorubicin	Methotrexate	Ipilimumab	Nivolumab
	Idarubicin, epirubicin	Doxorubicin	Carfilzomib	Ofatumumab
	Azacytidine	Aflibercept	Lapatinib	Pembrolizumab
		Cytarabine	Belinostat	Trastuzumab

* Anthracyclines은 Cyclophosphamide와 병합하면 High-risk로 분류됨!

- 항암제의 emetogenic potentials (단독으로 경구 투여했을 때)

High	Moderate	Low		Minimal
Hexamethylmelamine (Altretamine)	Cyclophosphamide	Capecitabine	Dabrafenib	Chlorambucil
Procarbazine	Etoposide	Tegafur uracil	Dasatinib, Ibrutinib	Hydroxyurea, Melphalan
	Vinorelbine	Etoposide	Idelalisib, Lapatinib	6-Thioguanine
	Temozolomide	Everolimus	Nilotinib, Ponatinib	Methotrexate
	Imatinib	Fludarabine	Regorafenib	Gefitinib, Erlotinib
	Bosutinib,	Thalidomide	Sunitinib	Ruxolitinib, Sorafenib
	Ceritinib	Lenalidomide	Vandetanib	Vemurafenib
	Crizotinib	Afatinib, Axitinib,	Vorinostat	Vismodegib

- antiemetics (항구토제) : combined or sequential 요법이 중요
  ① **serotonin (5-HT$_3$) antagonist** ; ondansetron (Zofran), granisetron (Kytril), dolasetron (Anzamet), tropisetron (Navoban), mirtazapine (Remeron), palonosetron (Aloxi) ...
    - 가장 강력한 구토억제 작용, 급성 구토(24시간 이내)에 이용, 1세대 약제들의 효과는 동일
    - 지연 구토(24시간 이후)에는 효과 없음!
    - 2세대(palonosetron) : 5-HT$_3$ receptor에 대한 반응도 100배, 반감기 약 40시간으로 길, 지연 구토의 예방에도 효과적!

  ② **neurokine-1 receptor (NK$_1$R) antagonists**
    - NK$_1$R : substance P (SP)의 주요 receptor, brain stem의 vomiting center에 주로 존재
    - aprepitant (Emend®, oral 3일 투여), fosaprepitant (prodrug of aprepitant, IV 1일 투여, 효과는 비슷)
    - 급성 및 지연 구토에 모두 효과적!, highly emetic IV CTx에 사용

  ③ high-dose corticosteroid ; dexamethasone
    - 다른 항구토제와 병용시 특히 효과적, 급성 및 지연 구토에 모두 효과적 (e.g., 5-HT$_3$ antagonist + NK$_1$R antagonist + dexamethasone)

  ④ dopamine antagonist ; metoclopramide (Reglan), prochlorperazine (Compazine), thiethylperazine (Torecan), haloperidol (Haldol) ...
    - 고용량으로 투여시 거의 모든 구토를 억제, extrapyramidal side effect가 발생하는 것이 문제

⑤ benzodiazepine ; lorazepam (Ativan), midazolam, alprazolam ...
 - anticipatory N/V에 가장 효과적

⑥ antihistamine ; cyclizine, diphenhydramine, dimenhydrinate, meclozine, promethazine, hydroxyzine ...

⑦ 2세대 antipsychotics ; olanzapine ($5\text{-}HT_{2A}$ serotonin receptors와 D_2 dopamine receptors 길항제)

Site	Receptor	Antiemetics
1. Brain cortex	Opioid?	Lorazepam
2. Chemoreceptor trigger zone (CTZ)	Dopamine, Serotonin	Metoclopropamide
3. Vomiting center (brain stem)	Histamine, Cholinergic, NK_1R	Diphenhydramine, NK_1R antagonist
4. Peripheral receptor (GI tract)	Serotonin	Ondansetron
5. Unknown		Dexamethasone

• 항구토제의 예방적 사용 guideline : 항암제 투여 1시간 전 ~직전에 투여

Emetic risk group	Acute emesis 예방	Delayted emesis 예방
High	$5\text{-}HT_3$ antagonist + NK_1R antagonist* + Dexamethasone + Olanzapine	NK_1R antagonist + Dexamethasone + Olanzapine
Anthracycline + Cyclophosphamide	$5\text{-}HT_3$ antagonist + NK_1R antagonist + Dexamethasone + Olanzapine	NK_1R antagonist + Olanzapine
Moderate (carboplatin 有)	$5\text{-}HT_3$ antagonist + NK_1R antagonist + Dexamethasone	
Moderate (carboplatin 無)	$5\text{-}HT_3$ antagonist + Dexamethasone	Dexamethasone
Low	Dexamethasone (or Prochlorperazine, $5\text{-}HT_3$ antagonist, or Metoclopramide)	-
Minimal	-	-

* NK_1R antagonist가 없는 지역에서는 대신 thalidomide를 사용 가능

• 예기구토(anticipatory emesis/vomiting) : 항암제 투여 이전에 생기는 오심/구토
 - 예전의 항암제 치료시 심한 구토를 경험한 환자에서 조건반사에 의해 발생, 젊은 환자가 더 민감
 - 이전의 CTx 때 효과적이었던 emesis 치료로 미리 예방하는 것이 m/g
 - 발생시에는 정신적지지/행동요법 ± benzodiazepine (e.g., alprazolam) 치료 고려

• 급성구토(acute vomiting) : 항암제 투여 24시간 이내에 발생하는 구토

• 지연구토(delayed vomiting) : 항암제 투여 24시간 이후에 생기는 구토
 (대개 cisplatin [60~90%], anthracycline + cyclophosphamide [20~30%]에서 발생, 예방조치 없을 때)
 → NK_1R antagonist, dexamethasone, $5\text{-}HT_3$ antagonist (palonosetron), olanzapine 등으로 예방

• breakthrough emesis : 적절한 예방적 항구토제를 사용했는데도 발생한 N/V
 ⇨ 다른 계열의 항구토제 투여, olanzapine, 대마, 아편성 진통제 등
  ↳ serotonin ($5\text{-}HT_3$) antagonists 간에는 불완전한 교차내성이 있으므로
  다른 종류의 $5\text{-}HT_3$ antagonists도 시도 가능

c.f.) 평형계(vestibular system)가 원인인 경우에는 antihistamines or anticholinergics 사용

MEMO

15
부종양 증후군

* 부종양 증후군(paraneoplastic syndrome, PNS)의 임상적인 중요성
① 암의 초기증상으로 나타나 조기 발견의 단서가 된다 (종양표지자로도 사용 가능)
② 원격전이에 의한 증상으로 오인될 수 있다
③ 치료 가능한 다른 증상이 paraneoplastic syndrome으로 오인 될 수 있다
④ 치료 후 재발을 나타내는 표시로 사용된다 (즉, 원발 종양의 호전시 PNS도 호전됨)
⑤ 항암 치료의 방향을 결정한다
⑥ paraneoplastic syndrome 자체가 환자를 더 위험하게 할 수 있다
⑦ paraneoplastic syndrome을 일으키는 단백 자체가 종양을 성장시킨다

내분비 증상

임상양상	분비되는 물질	원인 종양
Hypercalcemia (m/c)	PTHrP (m/c)	SCC (lung, 두경부, skin), GU, GI, Breast, Renal, Prostate, Neuroendocrine
	1,25-$(OH)_2D$ (calcitriol)	Lymphoma / Benign ; Sarcoidosis, Berylliosis, TB, 진균
	PTH (드묾)	Lung, Ovary
	PGE2 (드묾)	Renal, Lung
SIADH (hyponatremia)	Vasopressin (ADH)	Lung (SCLC, SCC), 두경부(SCC), GU, GI, Ovary
Cushing's syndrome	ACTH	NET (bronchial, thymic carcinoid), Lung (SCLC, NSCLC), Pancreatic & GI NET, MTC, Pheochromocytoma
	CRH (드묾)	Pancreatic islet, Carcinoid, Lung, Prostate
	GIP, LH, hCG 등 (드묾)	Macronodular adrenal hyperplasia
Non-islet cell tumor hypoglycemia	IGF-2	Mesenchymal tumors, Sarcomas, Adrenal, Renal, Liver, GI, Prostate
Gynecomastia (Male feminization)	hCG	Testis, Germinoma, Seminoma, Choriocarcinoma, Lung, Liver, Pancreatic islet
설사 또는 장운동 항진	Calcitonin	Lung, Colon, Breast, Medullary thyroid carcinoma
	VIP	Pancreas, Pheochromocytoma, Esophagus
Acromegaly	GHRH	Pancreatic islet, Carcinoid tumors
	GH	Lung, Pancreatic islet
Oncogenic osteomalacia	Phosphatonin (FGF23)	Mesenchymal tumors, Sarcomas, Prostate, Lung
Hyperthyroidism	TSH	Hydatidiform mole, Embryonal tumors, Struma ovarii
HTN	Renin	Juxtaglomerular tumors, Renal, Lung, Pancreas, Ovary

1. Hypercalcemia of malignancy (HOM)

: 전체 암 환자의 약 20%에서 HHM 발생 (m/c PNS)

(1) 원인

① HHM (humoral hypercalcemia of malignancy) : 80%
- 호르몬 생산이 원인 ; PTHrP (m/c), 1,25-$(OH)_2$ vitamin D (calcitriol), PTH 등
  (lymphoma : 1α-hydroxylase 발현↑ → vitamin D↑)
- 원인 종양 → 앞의 표 참조

② LOH (local osteolytic hypercalcemia) : 20%
- bone metastasis에 의한 hypercalcemia (but, HHM과의 구분이 불명확할 수도 있음)
- 기전 : local PTHrP or paracrine factors (e.g., TGF-α/β, IL-1, IL-6, PG, TNF) 생산
- 원인 종양 ; breast ca., multiple myeloma, lymphoma, leukemia
  (breast ca.의 1/2은 HHM, 1/2은 LOH)

(2) 임상양상

• malaise, fatigue, weakness, polyuria, nocturia, polydipsia, anorexia, N/V, 변비, 복통 ...
• lethargy, confusion, agitation, stupor, coma 등의 CNS Sx.
• EKG ; narrow QT, widened T, prolonged PR interval
⇨ 응급으로 calcium 농도 측정!

* primary hyperparathyroidism과의 차이
① 악성종양의 존재
② 최근에 갑자기 hypercalcemia 발생
③ 매우 높은 serum calcium level
④ metabolic alkalosis (↔ hyperparathyroidism은 hyperchloremic acidosis)
⑤ PTH↓, PTHrP↑ (or vitamin D↑)

(3) 치료

① hydration (N/S 200~500 mL/hr), furosemide (Lasix) 등의 loop diuretics,
  calcium 섭취 제한, oral phosphorus (serum Ph 3 mg/dL 이상이 될 때까지 투여)

② bisphosphonate (e.g., zoledronate, pamidronate, etidronate) IV
- osteoclastic bone resorption 억제
- 1~2일 이내에 serum Ca 감소 & Ca release를 몇 주 동안 억제
- 지속적인 치료가 필요하면 IV 반복 or oral bisphosphonate 사용

③ calcitonin (e.g., salmon calcitonin IM or SC, 12시간마다 /nasal calcitonin은 효과×)
- 안전하고 작용이 빠르지만 (4~6시간 이내에 serum Ca 1~2 mg/dL 감소),
  효과가 2일만 지속되고(∵ tachyphylaxis) 약한 편이라 bisphosphonate가 선호됨
- severe hypercalcemia를 빨리 교정해야할 때 사용 (이후엔 bisphosphonate)

④ steroids : LOH (e.g., lymphoma, multiple myeloma, leukemia)에서 효과적,
  chronic granulomatous dz. (e.g., sarcoidosis)에서도 calcitriol 생산을 억제하는 효과

⑤ 투석 : hydration & bisphosphonate 치료가 불가능하거나 효과가 적은 심한 경우에만 고려

⑥ anti-RANKL monoclonal Ab (denosumab, Dmab, 골전이용 Xgeva®, 골다공증용 Prolia®)

Denosumab = Den(Dense) + Os(Bone) + U(Human) + Mab(Monoclonal Ab)

- RANK receptor 억제 → osteoclasts의 분화/활성화 억제
- bisphosphonate에 반응이 없거나, 사용할 수 없을 때 고려 … 신기능 저하(e.g., MM)
  (bisphosphonate는 신장으로 배설되지만, denosumab은 신장으로 배설 안됨)

⑦ 궁극적으로는 underlying malignancy의 치료

2. SIADH

(1) 원인

• 종양 (vasopressin 분비) ; SCLC (m/c, 15%에서 발생), head & neck ca. (3%), NSCLC, olfactory neuroblastoma, carcinoids, GU ca., GI ca., ovary ca. ...
• 기타 ; CNS 장애, pul. infections, (+) pr. ventilation, pneumothorax, asthma
• drugs ; thiazide diuretics, carbamazepine, narcotics, nicotine, TCA, 항암제 (vincristine, vinblastine, cyclophosphamide, melphalan ...)

(2) 임상양상

• 의식장애, 혼돈, 기면(lethargy), psychotic behavior, seizure, coma
• 증상의 severity는 hyponatremia의 정도 및 발생속도와 관련

(3) 진단

① hyponatremia
② serum osmolality ↓ (<275 mOsm/kg)
③ urine osmolality ↑ (> serum osmolality)
④ urine Na^+ excretion ↑ (>25 mEq/L)

(4) 치료

① fluid restriction (<0.8 L/day)
② NaCL (salt tablet or IV saline) : volume depletion이 있어야 효과적
③ demeclocycline : collecting duct에서 vasopressin의 작용을 억제, 작용시작이 느림(1~2주)
④ vasopressin receptor antagonists (e.g., IV conivaptan, oral tolvaptan)
   ↳ 간독성 위험
- selective water diuresis를 일으켜 매우 효과적임
  (특히 euvolemic hyponatremia에서 수분제한과 함께 사용시)

⑤ hypertonic (3%) or normal saline infusion + furosemide
- severe hyponatremia (<115 mEq/L) or CNS Sx. 시에
- Na^+ 교정 속도는 천천히! : 0.5~1 mEq/L/hr (∵ central pontine myelinolysis 방지)

⇨ 내분비내과도 참조

3. Cushing's syndrome (CS)

(1) 원인

- ectopic ACTH production (ECS : 전체 Cushing's syndrome의 10~15% 차지)
  - 폐암 (28%, 대부분 SCLC, 드물게 NSCLC도 가능), 흉곽내 NET [bronchial carcinoid (25%), thymic carcinoid (10%)], pancreatic islet cell tumors (12%), MTC (5%), pheochromocytoma (3%) ... (c.f., 연구에 따라 bronchial carcinoid를 m/c으로 보기도 함)
  - proopiomelanocortin (POMC) gene의 overexpression 때문 (→ ACTH, MSH ↑)
- ectopic CRH↑ (매우 드묾) ; pancreatic islet tumors, SCLC, MTC, carcinoids, prostate ca.
- ACTH-independent ; macronodular adrenal hyperplasia (GIP receptor↑)

(2) 임상양상

- fluid retention, HTN, hypokalemia, metabolic alkalosis, hyperglycemia → fatigue 악화
- edema, fatigue, muscle weakness/atrophy, 우울증 or 성격변화, 상처치유의 지연, 감염 발생↑
  → 종양의 수술을 어렵게 하거나, 기회감염(e.g., *P. carinii*, 진균)에 의해 사망 위험
- glucocorticoid↑↑ → 심한 skin friability, easy bruising
- ectopic ACTH production : 체중증가 및 central obesity가 현저하지 않음
  (∵ steroid 노출 기간↓, cachexia)
- ACTH가 매우 높으면 MSH 증가에 의한 pigmentation도 흔함!
- venous thromboembolism (∵ 종양 자체 + steroid에 의한 hypercoagulability)

(3) 진단

① plasma ACTH >100 pg/mL
② 24-hr urine cortisol >100 μg/day
③ dexamethasone에 의해 suppression되지 않음

(4) 치료

① 원발 종양의 제거 (but, 대부분 cortisol은 정상화 안됨 … 수술이 어렵거나 전이 多)
② steroid의 합성/작용 억제제(adrenal enzyme inhibitor) → 대부분 잘 조절됨
  ; ketoconazole, metyrapone, etomidate
③ 원발 종양의 완전 제거가 어렵고 비교적 예후가 좋을 때 (e.g., carcinoids)
  ⇨ bilateral surgical adrenalectomy, mitotane (medical adrenalectomy)
④ 기타 ; mifepristone (glucocorticoid antagonist), octreotide (ectopic ACTH 분비 억제)

* ectopic CRH secretion : ectopic ACTH와 치료/예후 동일

신경 증상 (Paraneoplastic neurologic disorders, PNDs)

PND의 예	흔한 증상	원인 종양	관련 항체	진단
Limbic (변연계) encephalitis	기분 변화, 환각, 기억상실, 발작, hypothalamic syndromes	SCLC (m/c) Testicular germ cell Breast Thymoma Teratoma Hodgkin lymphoma	Anti-Hu, Anti-Ma2 Anti-CRMP5 (CV2) Anti-amphiphysin Anti-Caspr2 Anti-$GABA_BR$ Anti-AMPAR	EEG Brain MRI (temporal lobe의 hyperintensity) CSF analysis
Subacute cerebellar degeneration	운동장애, 연하곤란, 복시, 발음장애, 현기증, N/V	SCLC Gynecologic Hodgkin lymphoma Breast	Anti-Yo, Anti-Hu Anti-CRMP5 (CV2) Anti-Ma, Anti-Tr Anti-Ri, Anti-VGCC Anti-MGluR1	Brain MRI (cerebellar atrophy)
Lambert-Eaton myasthenia syndrome (LEMS)	하지 근위부 근력약화, 피곤, 횡격막 약화, Bulbar Sx., 자율신경 Sx.	SCLC (m/c) Prostate Cervical Lymphoma	Anti-VGCC (voltage-gated calcium channel)	EMG: muscle action amplitude↓, 저속자극에 반응↓ 고속자극에 반응↑
Myasthenia gravis	자발근육의 약화/피곤 (눈, 사지), 횡격막 약화	Thymoma	Anti-AChR (acetylcholine receptor)	EMG: 반복 신경자극에 반응↓
Autonomic neuropathy	Panautonomic neuropathy ; 기립성 저혈압, 부정맥, 위장관/방광 기능장애, 연하곤란, 동공반사 장애,	SCLC Thymoma	Anti-Hu Anti-nAChR Anti-CRMP5 (CV2) Anti-amphiphysin	임상양상으로
Subacute peripheral neuropathy	통증, 감각이상, 운동실조, DTR 감소	SCLC, Sarcoma Breast, Ovarian Hodgkin lymphoma	Anti-hu Anti-CRMP5 (CV2) Anti-amphiphysin	신경전도검사 CSF analysis

* PND : 종양과 관련된 모든 신경계 질환
  - 약 60%의 환자는 종양 진단보다 신경 증상이 먼저 발생함
  - 임상적으로 문제가 되는 PND는 0.5~1%의 환자에서 발생
  - but, thymoma (30~50%)와 neuroblastoma or SCLC (2~3%)에서는 흔함

혈액 증상

증상	원인 물질	원인 종양
Erythrocytosis	Erythropoietin	RCC, HCC, Cerebella hemangioblastoma, MM, Pheochromocytoma, Wilm's tumor, Sarcoma, Aldosterone-producing tumor
Granulocytosis (Leukemoid reaction)	G-CSF, GM-CSF, IL-6	Lung ca., GI ca. (e.g., stomach ca.), Ovarian ca., GU ca., Brain ca., Melanoma, Lymphoma
Thrombocytosis	IL-6	Lung ca., GI ca., Breast ca., Ovarian ca., Lymphoma, CLL
Eosinophilia	IL-5	Lymphoma, Leukemia, Lung ca.
Thrombophlebitis	모름	Lung ca., Pancreatic ca., GI ca., Breast ca., GU ca. Ovarian ca., Prostate ca., Lymphoma

(1) Anemia
- autoimmune hemolytic anemia ; B-cell lymphoma, B-CLL, Hodgkin lymphoma, acute leukemia, MDS, alloHCT, ovary, lung ca.
- pure red cell anemia ; thymoma, CLL, LGL (large granular lymphocyte) leukemia
- MAHA/TMA ; breast, prostate, lung, pancreatic, GI tumors
- megaloblastic anemia ; multiple myeloma

c.f.) ACD (AOI)가 암 환자에서 m/c anemia ; reticulocyte↓, EPO↓ (→ Tx ; EPO ± iron)

(2) **Granulocytopenia** ; thymoma

(3) **Thrombocytopenia** … chronic DIC, BM infiltration, TMA 등에 의해 발생 가능
- ITP 비슷 ; lymphoma (CLL, HL, immunoblastic lymphadenopathy)

(4) **DIC** ; APL (AML-M3), mucinous tumors (e.g., pancreatic, gastric, ovarian), brain tumors

(5) **Migratory superficial thrombophlebitis** ; pancreatic ca. ("Trousseau's syndrome")

■ 정맥혈전색전증 (Venous ThromboEmbolism, VTE ; DVT/PE)
- 암 환자의 중요한 사망원인임
- VTE는 혈전 위험도가 가장 높은 단일 위험인자 ; 암 자체는 4배, CTx는 6배 혈전 위험↑
- VTE 호발 암 ; 폐, 췌장, GI, 유방, 난소, GU, lymphoma, brain tumors
  (전신마취 하에 수술을 받는 암 환자는 DVT 발생 위험 20~30%)
- 암 환자에서 VTE의 증가 요인
  - 침상 안정 및 부동, 종양에 의한 혈류 폐쇄/속도저하, 장기간 catheter 삽입, 수술 ...
  - 암세포(or 관련 염증세포)에서 procoagulants or cytokines 분비, 혈소판 응집 촉진
  - CTx (특히 내피세포 손상 유발 약제) ; 정맥혈전증 발생률 11%/yr (일반인의 6배)
    ↳ bleomycin, asparaginase, nitrogen mustard, thalidomide analogues, cisplatin, high doses busulfan & carmustine 등에서 위험 더 증가 (약제간 큰 차이는 없음)

  c.f.) APS의 약 20%는 암 동반 (암을 동반한 APS 환자의 35~45%에서 혈전증 발생)
- 진단 → 호흡기내과 12장 참조
- 치료
  ① 진단 즉시 UFH (IV) or <u>LMWH</u> (SC) : 5일 이상
    - LWMH (enoxaparin, dalteparin, tinzaparin)이 더 권장됨
    - 신기능저하 시에는 (C_{Cr} <30 mL/min) UFH 사용
  ② 유지요법 (active cancer는 6개월 이상 더 오래 치료함)
    - warfarin : INR 2~3 유지, 3~6개월 이상 *or*
    - LMWH : C_{Cr} ≥30 mL/min이면 warfarin보다 권장됨 (∵ VTE 예방 효과 더 우수!) *or*
    - DOAC (direct oral anticoagulant) = <u>NOAC</u> (new oral anticoagulant)

피부 증상

1. 여러 피부질환(악성종양 포함)과 관련된 피부병변

(1) pruritus (itching)
- 악성종양 ; lymphoma (특히 HL), lymphocytic leukemia, PV, myeloid metaplasia, carcinoid, carcinoma (GI, lung, ovary, prostate)
- 기타 ; dry skin (xerosis), drug, cholestatic liver dz., uremia, DM, thyroid dz.

(2) erythroderma (exfoliative dermatitis)
- 악성종양 ; lymphoma (특히 HL), leukemia, mycosis fungoides
- 기타 ; drugs, atopic eczema, psoriasis, contact dermatitis

(3) figurate erythema (나뭇결 같은 모양)
; breast, stomach, bladder, prostate, cervix, tongue, uterine ca.

(4) urticaria-like lesions ; leukemia

(5) Herpes zoster ; lymphoma (HL), CLL, breast ca., CTx.중인 여러 종양들

(6) Paraneoplastic pemphigus
; lymphomas, thymomas, CLL, sarcoma, Waldenström's macroglobulinemia

2. 악성종양과 관련된 피부병변

(1) Nongenetic syndromes
; Paget's disease, Stewart-Treves syndrome, acanthosis nigricans, dermatomyositis, Leser-Trélat syndrome (Seborrheic keratosis - adenocarcinoma), glucagonoma syndrome, Bazex syndrome, pulmonary osteoarthropathy, carcinoid syndrome, lymphomatoid papulosis

(2) Genetic syndromes
; Torr's syndrome, Gardner's syndrome, Cowden's syndrome, multiple endocrine neoplasia, ataxia-telangiectasia

3. Chloroma (granulocytic sarcoma)

- myeloblasts or monoblasts로 구성된 tumors
- 어느 부위에서도 발생 가능 (skin에 m/c)
- 원인 ; AML, CML의 accelerated phase
- t(8;21)을 동반한 AML (M2)이 extramedullary leukemia를 잘 일으킴

기타 부종양 증후군

- fever ; lymphoma, leukemia, RCC, myxoma, hypernephroma, sarcoma, hepatoma
- lactic acidosis ; acute leukemia, lymphoma
- hyperlipidemia ; MM, hepatoma, colon ca.
- hypokalemia & HTN ; renin-producing tumors, lung ca., hypernephroma, Wilm's tumor
- hyperamylasemia ; lung ca.
- hypertrophic pulmonary osteoarthropathy (HPO) ; NSCLC, metastatic lung ca., mesothelioma
- amyloidosis ; MM, lymphoma, hypernephroma
- SLE ; lymphoma, leukemia, thymoma, testicular ca., lung ca., ovary ca.
- tumor cachexia
  - 가장 흔한 paraneoplastic syndrome (암 환자의 약 80%에서 발생)
  - fatigue, anorexia, muscle wasting, 피하지방 소실
  - complex pathogenesis, tumor size와는 관계없다
  - Tx ; megestrol acetate, dronabinol (tetrahydrocannabinol, THC), steroids ...

16 종양학에서의 응급상황

척수압박 (malignant spinal cord compression, MSCC)

1. 원인

- 암이 척추골의 body, pedicle에 전이되어 dura를 압박하여 신경손상을 유발
- 원인 종양 - extradural (epidural) metastatic tumors (모든 암의 5~10%에서 발생)
  ; lung (m/c) > breast > prostate > multiple myeloma, lymphoma 등 거의 모든 종양
- 발생부위 ; thoracic (70%) > lumbosacral (20%) > cervical (10%) spine
  - bone metastasis 자체는 lumbar에 m/c, thoracic spine이 내강이 좁아 증상발생 m/c
  - 다발성 척추 전이는 breast ca.와 prostate ca.에서 흔함

2. 임상양상

- localized back (or neck) pain & tenderness가 m/c 증상
  - 다른 신경 증상보다 대개 며칠~몇달 먼저 발생
  - standing, sneezing, coughing, movement, supine position 등에 의해 악화
- 전형적인 진행 순서 ; back pain & tenderness → radicular pain → weakness → sensory loss
  → motor loss (paralysis) → loss of sphincter control (배뇨/배변 장애 등)

3. 진단

- plain spine X-ray (약 72%에서 진단 가능)
  - pedicles의 erosion/loss ("winking owl" sign) : 가장 초기 sign
  - 기타 ; intrapedicular distance 증가, vertebral destruction, lytic/sclerotic lesions,
    scalloped vertebral bodies, vertebral body collapse (complete fracture), paraspinous mass
  - but, 정상이라도 cancer R/O 못함 (→ MRI 등 다른 검사 시행)
- complete spine MRI : 1차적으로 이용 (sensitive & specific, 척추검사의 choice),
  조기발견 가능, 치료방침 결정에 중요, steroid 투여와 동시에 시행
- 응급으로 MRI를 시행할 수 없으면 대신 CT (±) myelography 시행
- bone scan : sensitivity는 높지만, specificity 떨어짐 (위양성 많음) → screening & F/U에 유용
- ^{18}F-FDG PET/CT : CT (morphologic)와 PET (functional)의 장점을 결합, scan보다 specific,
  정확한 localization 및 soft-tissue 침범도 발견 가능

4. 치료

(1) **응급 처치** : high-dose steroid (dexamethasone) + RTx.
(paraparesis는 보통 steroid 투여 48시간 내에 호전됨)

(2) **개별화 치료** ··· NOMS (Neurologic, Oncologic, Mechanical, Systemic factors)에 따라

N : 척수신경 침범 정도(grade), myelopathy, functional radiculopathy 등

O :

Radiosensitive tumors	Lymphoma, Myeloma, SCLC, Germ cell tumors, Breast cancer, Prostate cancer, Ovarian cancer	⇨ cEBRT
Radioresistant tumors	Melanoma, RCC, NSCLC, GI cancers, Sarcoma	⇨ SBRT

M : mechanical stability of the spine

S : 전신 종양 상태, 동반질환, 수행능력 등

- RTx. : radiosensitive는 cEBRT (conventional external beam RTx) / radioresistant tumors *or* 이전에 RTx를 받았던 부위에서 재발한 경우 SBRT (stereotactic body RTx)로 시행
- mechanical spinal instability 有 (unstable spine)
  - high-grade MSCC or 뼈조각이 튀어나왔으면 → surgical decompression 시행 후 RTx.
  - 아니거나 radiosensitive tumors면 → (minimal) spine stabilization 시행 후 RTx.
    ; open/percutaneous instrumented stabilization, percutaneous cement vertebral repair 등
- mechanical spinal instability 無
  - 이전에 치료받은 적 없는 radiosensitive tumors는 수술 없이 cEBRT만 시행 (grade에 관계×)
    (신경 손상이 있는 high-grade 유방/전립선암에서는 빠른 회복을 위해 수술 가능)
  - radioresistant tumors *or* 이전에 RTx를 받았던 부위에서 재발한 경우
    - low-grade MSCC → SBRT (SBRT 불가능하면 surgical excision 이후 cEBRT 시행)
    - high-grade MSCC → surgical decompression & stabilization 시행 후 SBRT
  - painful pathologic compression fracture → percutaneous vertebroplasty/kyphoplasty가 도움
    (acrylic bone cement 주입 → 통증 감소, 국소 항종양 효과)
- 전신상태가 나쁘거나 기대 수명이 짧아 수술이 불가능하면 steroid + 단기간 cEBRT
- 이전의 RTx. 부위에 발생하고, 수술이 불가능하고, CTx.에 반응하는 종양인 경우는 CTx.도 고려
- 골 전이 환자에서 bisphosphonates and/or denosumab은 MSCC 예방에 도움

5. 예후

- 예후는 tumor type과 radiosensitivity와 관련 (radiosensitive tumors가 예후 좋음)
- 진단 당시의 신경학적 손상의 정도가 가장 중요 → 신경학적 후유증의 정도를 결정
  - 보행이 가능했던 환자의 최대 67~82%는 치료 후에도 계속 보행이 가능
  - paraplegia (보행 불가능) or sphincter tone을 상실한 경우 약 20~40%만 기능 회복 가능!

두개내 전이 (intracranial metastasis)

1. 임상양상

; headache, weakness, N/V, altered mental status, seizure, papilledema

⇨ D/Dx.

① iatrogenic causes ; CTx, narcotics, hypnotics, antiemetics

② metabolic disorders ; hypercalcemia, hyponatremia, hypoglycemia, hypomagnesemia, hyperviscosity, hepatic encephalopathy

③ paraneoplastic syndromes ; subacute cerebral degeneration, dementia, limbic encephalitis, optic neuritis, angioendotheliosis, progressive leukoencephalopaty

④ strokes ; coagulation abnormalities, thrombocytopenia, Trousseau's syndrome

⑤ sepsis

⑥ intracranial metastasis (암 환자의 약 25%는 뇌 전이로 사망함)

- 흔한 원인 종양 ; lung ca. (m/c), GI ca., breast ca., melanoma
  (c.f., CNS 전이 확률이 가장 높은 종양은 melanoma : 약 65%)
- 보통 모양이 둥글고, 주변 정상 뇌조직과 잘 구별됨

2. 진단 : CT, MRI

3. 치료

① hyperventilation (PCO_2 25~30 mmHg 유지), mannitol ⇨ IICP ↓

② high-dose dexamethasone

③ whole brain RTx. : multiple lesions의 경우

④ 수술 : RTx.가 효과없는 종양 or single lesion인 경우 고려 (특히 60세 미만에서)

⑤ 정위 방사선수술(stereotactic radiosurgery) ; gamma knife (m/g), linear accelerator
→ 수술적 접근이 불가능하거나 재발한 종양에서 효과적

⑥ IICP & hydrocephalus → shunt placement
(내과적 치료에도 신경증상이 악화되면 → ventriculotomy or craniotomy 고려)

■ 수막암종증 (Leptomeningeal metastasis, Neoplastic meningitis)

- 전체 암 환자의 3~8%에서 발생, 뇌 전이 환자의 11~31%가 동반
- 원인 종양 ; breast ca., lung ca., melanoma, GI ca., leukemia, lymphoma 등 다양
- central nervous system의 여러 부위를 동시에 침범 → 복합적인 Sx/sign이 특징
  ; encephalopathy, cranial neuropathy, spinal radiculopathy, DTR ↓ 등
- 진단
  - CSF : cytology (but, 위음성이 40% → 의심되면 3회 이상 반복), protein ↑, CEA ↑, 뇌압 ↑ 등
  - MRI (brain + spinal) : meninges의 nodular tumor deposits, diffuse meningeal enhancement
  - radiolabeled CSF study : 최대 70%에서 비정상
  - meningeal biopsy

- 치료 (전체적인 예후는 나쁘지만, 신경 증상의 호전 가능)
  - intrathecal CTx (methotrexate, cytarabine, thiotepa) ; intralumbar, intraventricular (Ommaya)
  - focal RTx : bulky dz.나 폐쇄성 병변시 ↳ 신경축 전체에 잘 전달됨
  - IICP & hydrocephalus → ventriculoperitoneal shunt
- 보통 CNS 밖의 암이 조절되지 않아 발생 → 대부분 예후 매우 나쁨 : 평균 10~12주 생존
  - 치료에 대한 반응은 solid tumors 중에서는 breast ca.가 가장 좋음
  - acute leukemia or lymphoma는 원발 종양이 완치되면 CNS 전이도 완치 가능

상대정맥 증후군 (SVC syndrome, SVCS)

1. 원인

- 정의 : SVC의 폐쇄로 인해 머리, 목, 팔 등에서의 venous return이 심하게 감소되는 현상
- 악성종양(>90%) ; lung cancer (85%, SCLC 및 SCC가 m/c), lymphoma (젊은층에서 m/c 원인), metastatic ca. (종격동 전이 ; testicular ca., breast ca.) ↳ 대부분 NHL (HL는 드묾)
- 기타 ; mediastinal fibrosis (fibrosing mediastinitis, 이전의 RTx. or histoplasmosis에 의해), benign tumors, aortic aneurysm, 갑상선비대, Behçet's syndrome (SVC의 염증 & thrombosis)
  - permanent central catheter or pacemaker (→ thrombosis)에 의한 SVCS가 증가 추세

2. 임상양상

- 두경부 부종 (특히 안와부), 호흡곤란, 기침 등이 흔한 증상
- hoarseness, 흉통, 두통, 혀부종, 코막힘, 코피, 객혈, 삼킴곤란
- 안면홍조(plethora), 청색증, 경정맥 확장, 전흉부의 collateral veins 증가/확장 ...
- 몸을 앞으로 굽히거나 드러누운 자세를 취하면 증상 악화
- 심한 경우 안구돌출, 후두부종(기도폐쇄), 뇌부종 등도 발생 가능 (→ poor Px, 응급 조치 필요)
  ↳ 사망도 가능한 가장 심각한 Cx

3. 진단

- CXR ; sup. mediastinum 확장 (우측이 m/c), pleural effusion (25%)
- CT/MRI ; mediastinum 구조를 가장 정확히 볼 수 있음
- 악성종양을 진단받았던 환자는 자세한 W/U 필요 없음
- 악성종양의 병력이 없는 환자는 치료 시작 전에 원인에 대한 조직학적 진단을 실시하여 치료 방침을 결정 → 대개 medical emergency는 아니므로 조직학적 진단을 먼저 시행함 (e.g., bronchoscopy, percutaneous needle biopsy, mediastinoscopy, thoracotomy 등)

4. 치료/예후

- 대증적 치료 ; bed rest with head elevation, oxygen, diuretics & salt restriction
  - 상지에는 IV를 하지 않는다 (∵ edema를 악화시킴)

- RTx. ; NSCLC 및 기타 metastatic solid tumor 등에서 일차적인 치료
- CTx. ; SCLC, lymphoma, germ cell tumors 등 CTx에 잘 듣는 경우에서 일차적인 치료
  (이미 CTx. 중이라면 RTx. 시행)
- intravascular (endovenous) self-expanding stenting ; 재발(10~30%) or 증상이 심한 경우 고려
  - 생명이 위험한 경우엔 RTx.보다 1차 치료로 권장! (e.g., stridor, 호흡곤란, CNS 기능저하)
  - 기술적 성공률은 95~100%, 환자의 90% 이상에서 증상 호전, 재발 적음 (평균 13%)
  - but, venous return이 갑자기 증가되면 심부전 및 폐울혈 발생 위험
- steroid ; stenting이 불가능한 심한 기도폐쇄, steroid가 크기 감소에 도움이 되는 종양에서만 고려!
  (e.g., lymphoma, thymoma)
- 개흉술로 종양 제거 ; benign process에 의한 SVC obstruction의 경우 (e.g., thymoma)
- collateral circulation이 형성되므로 대부분 임상적으로 호전됨
- 사망률은 정맥 폐쇄 정도보다 원인 질환과 더 관련

심장눌림증/심장압전(cardiac tamponade)

- 원인 종양 (암 환자의 5~10%에서 pericardial dz. 동반)
  ① metastasis (더 흔하다) ; lung, breast, leukemia, lymphoma ...
  ② primary pericardial tumors
- 임상양상 ; 호흡곤란, 간비종대, 하지 부종, 경정맥 확장, hypotension ...
- 진단 ; 2-D echocardiography (m/g)
- 치료
  ① pericardiocentesis ± sclerotherapy (e.g., bleomycin, mitomycin, tetracycline)
  ② RTx., CTx., surgery → 순환기내과 참조

종양 용해 증후군(tumor lysis syndrome, TLS)

1. 원인

- 주로 CTx. 뒤 tumor cells lysis로 intracellular contents가 빠르게 유리되어 발생
  (대개 CTx. 도중 or 직후[1~5일]에 발생, 드물게 tumor cells의 자연 괴사에 의해서도 발생 가능)
- 크기가 크고 cytotoxic agents에 sensitive한 rapidly proliferating tumors에서 발생 위험
  ; high-grade lymphoma (e.g., BL), leukemia with high WBC count (e.g., CLL, ALL) 등

2. 검사소견

- hyperuricemia ┐→ ARF 초래 가능 (BUN↑, Cr↑)
- hyperphosphatemia ┘
- hyperkalemia → arrhythmia와 sudden death 초래 가능 (가장 심각)
- hypocalcemia (∵ 세포가 파괴되면서 나오는 인 성분이 칼슘과 결합되어)
  → neuromuscular irritability (muscle cramps), tetany, arrhythmia
- lactic acidosis & dehydration도 발생 가능 (→ 신세뇨관에 uric acid 침착 촉진)
- U/A ; uric acid crystal, uric acid/creatinine >1 ⇨ acute uric acid nephropathy 시사

* uric acid↑, LDH↑ (>1500 U/L) → total tumor burden 및 TLS 발생 위험과 비례

3. 예방/치료

- TLS 발생 위험 환자를 항암치료 시작 전에 미리 발견하여 예방하는 것이 중요
  ① **aggressive hydration**
     c.f.) 이뇨제(furosemide, mannitol) : 충분한 hydration 후에도 diuresis가 부족한 환자에서 고려
     (∵ 체액이 부족한 환자에서는 신세뇨관에 uric acid or calcium 침착 유발 가능)
  ② **urine alkalinization** (sodium bicarbonate 투여, pH 7 이상 유지) : 전해질, uric acid 배설 촉진
     → 효과가 있은 뒤, CTx. 시행하게 되면 중단
     (∵ 과도한 투여는 hypocalcemia 증상 악화 및 요로계 calcium phosphate 침착 유발 위험)
  ③ **allopurinol** : uric acid 생성 억제, CTx. 2~3일 전부터 투여
  ④ **rasburicase** (recombinant urate oxidase) : allopurinol이 효과 없으면 (uric acid >8, Cr >1.6)
     - TLS 발생 위험이 높은(high-risk) 경우에는 (or 치료 전 uric acid levels ≥8 mg/dL)
       allopurinol 대신 rasburicase 사용이 권장됨
     - uric acid level을 몇 시간 내에 빨리 감소시킴
     - Cx ; hypersensitivity (e.g., bronchospasm, hypoxia, hypotension) 위험
     - C/Ix ; G6PD deficiency (urate oxidase 반응 최종 산물인 hydrogen peroxide를 분해 못해 심한 용혈↑)
  ⑤ **febuxostat** (non-purine selective xanthine oxidase inhibitor)
     - allopurinol보다 효과적, allopurinol과 rasburicase를 모두 사용할 수 없는 경우 고려
     - allopurinol보다 hypersensitivity 적음, mild~moderate 신기능 저하에서는 용량 조절 필요×
     - Cx ; liver dysfunction, nausea, joint pain, rash
- hemodialysis ; 위 치료에 반응 없거나, ARF 발생시
  - 적응증 ★
    - serum K^+ >6 mEq/L
    - serum uric acid >10 mg/dL
    - serum creatinine >10 mg/dL
    - serum phosphate >10 mg/dL or 증가 추세
    - symptomatic hypocalcemia
- 예후는 좋으며, uric acid가 10 mg/dL 이하로 떨어지면 신기능도 회복됨

17 원발병소불명암 (Carcinoma of unknown primary, CUP)

개요

- 정의 : 전이성 종괴가 조직검사에서 악성종양으로 증명되었으나 병력, 진찰소견, 영상검사, 검사실 검사 등에서 원발 병소를 알 수 없는 경우
- 전체 암 환자의 약 3~5% 차지 (남≒여, 나이가 들수록 증가)
  - 25%는 병의 경과중 원발 병소가 발견됨
  - 57%는 사망뒤 부검에서 원발 병소가 발견됨
  - 20%는 부검 후에도 원발 병소 모름

Presentation site에 따른 원발 부위의 가능성

Presentation	가능성 있는 Primary origin site
Lymph nodes	
Upper & middle cervical	Head & neck ca.
Lower cervical & supraclavicular	
Right-side	Lung, breast
Left-side	GI, lung (upper lobe), breast
Axillary	Breast, upper extremity, stomach (rare)
Inguinal	Lower extremity, vulva, anorectum, bladder, prostate
Brain	Lung, breast, melanoma
Lung	Lung, breast, GI, GU
Pleura	Lung, breast, stomach, pancreas, liver
Pericardium	Lung, breast, melanoma
Liver	Pancreas, stomach, colon, lung, breast
Ascites	Ovary, pancreas, stomach, colon
Bone	
Osteolytic lesions	Myeloma, breast, lung (NSCLC), thyroid
Osteoblastic lesions	Prostate, sarcoma, carcinoid, lung (SCLC), breast
Spinal cord compression	Lung, breast, lymphoma, prostate, kidney, GI, sarcoma, myleoma

진단

1. Hx. & P/Ex.

2. 혈청 tumor markers

: 대부분 비특이적이라 원발 병소 확인에 별 도움 안됨

CUP 진단에 유용한 Tumor markers

임상양상	원인	Tumor marker
Mediastinal or retroperitoneal mass	Extragonadal germ cell tumor	AFP, β-hCG
Young male/female pelvic mass	Neuroblastoma, Pheochromocytoma	VMA, HVA
Female: axillary node에서 adenocarcinoma	Breast ca.	CA15-3, CEA
Female: ascites (peritoneal carcinomatosis)	Ovarian ca.	CA125, HE4
Male: lung ± bone의 metastasis	Prostate ca.	PSA
Male/female: liver의 single or multiple metastatic mass	Hepatocellular ca.	AFP, CEA

3. 영상검사

- chest, abdomen, pelvis CT는 기본 → 여기에서 종양이 발견되면 현재는 CUP라고 하지는 않음
- PET-CT, MRI, mammography, breast MRI, endoscopy, bronchoscopy 등
  ↳ 약 ~20-30%에서 원발 종양 확인 가능, 모든 환자에서 시행 권장!

4. 조직검사 (biopsy)

- 조직형에 따른 분류 ; adenocarcinoma (60~70%), SCC (5%), neuroendocrine carcinoma (2%), poorly differentiated tumors (20~30%)
- immunohistochemistry (IHC) : 많이 할수록 좋은 것은 아니고, 임상양상과 관련지어 검사
  ⇨ cytokeratin (CK)을 흔히 이용 ; CK7, CK20 ★

CK7	CK20	
+	+	Urothelial tumors, Ovarian mucinous adenoca., Pancreatic adenoca., Cholangioca., Gastric ca.
+	−	Lung adenoca., Breast ca., Thyroid ca., Endometrial ca., Cervical ca., Ovarian papillary serous ca., Salivary gland ca., Cholangioca., Pancreatic ca. Gastric ca., Esophageal ca.
−	+	Colorectal ca., Merkel cell ca. (dot-like pattern)
−	−	HCC, RCC, Prostate ca., Lung ca. (SCC, SCLC), Head & neck ca.

* 추가로 Leukocyte common Ag (LCA, CD45) 정도 해볼 만함 → Lymphoid neoplasm

- 전자현미경은 거의 이용 안됨

면역조직화학염색(immunohistochemistry, IHC) : additional	
Leukocyte common Ag (LCA, CD45)	Lymphoid neoplasm
B, T cell markers	Lymphoid neoplasm
CD15 (Leu-M1), CD30	Hodgkin lymphoma
Epithelial membrane Ag (EMA), CEA	Carcinoma
Desmin	Sarcoma
Thyroglobulin	Thyroid
Calcitonin	Medullary thyroid carcinoma
Myoglobin	Rhabdomyosarcoma
PSA/prostatic acid phosphatase	Prostate
AFP	Liver, germ cell
Placental ALP, β-hCG	Germ cell
S-100, HMB-45, SOX-10, vimentin	Melanoma
ER, PR, BRST-1, GCDFP-15 (BRST-2), Mammaglobin, Her-2/neu, GATA3	**Breast** (GCDFP: gross cystic disease fibrous protein)
ER, WT1 gene, PAX8, PAX2	Ovary
Factor Ⅷ	Kaposi's sarcoma, Angiosarcoma
TTF-1 (thyroid transcription factor),	Lung (adenocarcinoma), Thyroid
Napsin-A, CD56, Ki-67	Lung ca.
Chromogranin, Synaptophysin, CD56, Neuron specific enolase (NSE)	Neuroendocrine tumors
CDX-2	Gastrointestinal adenoca. (대장 90~100%, 소장 80%, 위 70%)
URO-Ⅲ, Thrombomodulin, Cytokeratin	Urothelial (e.g., bladder)
전자현미경(ultrastructure)	
Actin-myosin filaments	Rhabdomyosarcoma
Secretory granules	Neuroendocrine tumors
Desmosomes	Carcinoma
Premelanosomes	Melanoma
세포유전검사(cytogenetics)	
Isochromosome 12p; 12q(-)	Germ cell
t(11;12)	Ewing's sarcoma, Primitive neuroectodermal tumor
t(8;14)	Lymphoid neoplasm
3p-	SCLC, RCC, Mesothelioma
t(X;18)	Synovial sarcoma
t(12;16)	Myxoid liposarcoma
t(12;22)	Clear cell sarcoma (melanoma of soft parts)
t(2;13)	Alveolar rhabdomyosarcoma
1p(-)	Neuroblastoma
기타	
Signet ring cells	Stomach
Psammoma body, 유두 모양	Ovary, Thyroid
Estrogen/Progesterone recepor	Breast
Ig, TCR, bcl-2	Lymphoid neoplasm
WT-1 (Wilms' tumor gene-1)	Mesothelioma

예) 여성에서 axillary LN adenocarcinoma → breast cancer
여성에서 peritoneal carcinomatosis : adenoca. → ovarian cancer
젊은 남성에서 undifferentiated or poorly differentiated ca. (특히 midline tumor) & β-hCG, AFP 상승 → extragonadal germ cell (testicular) tumor
CK7(-), CK20(+), CDX-2(+) → colon cancer
CK7(+), CK20(-), TTF-1(+) → lung adenocarcinoma (TTF-1은 폐의 원발암 및 전이암 감별에도 도움)
* mesothelioma ; calretinin, mesothelin, WT-1 gene 등 (+)

5. 유전검사

- 세포유전검사 : lymphoma 의심시 도움
- 분자유전검사 : 원발 종양 유추에 가장 도움이 될 것으로 예상됨
  - gene expression profiling ; quantitative RT-PCR, DNA microarray
    → 인공지능을 활용하여 원발 종양을 예측하는 알고리즘 연구 중
  - mRNA- or microRNA-based classifier assays
  - DNA methylation profiling
  - NGS ; 연구 결과 CUP의 85%에서 1개 이상의 GAs (genomic alterations) 존재, 평균 4.2개
    - *TP53* (55%), *KRAS* (20%), *CDKN2A* (19%), *ARID1A* (11%) 등
    - adenoca.에서는 RTK/Ras/MAPK signaling pathway의 GAs가 더 흔했음
      (receptor tyrosine kinase) (mitogen-activated protein kinase)

치료/예후

- 대부분 systemic CTx.가 기본적 치료
- disseminated CUP 환자는 평균 6~10개월 생존
- 예후 인자 ; performance status, 전이 부위/수, CTx에 대한 반응, serum LDH level 등
  (간, 뇌, 부신 등의 전이는 예후 나쁨)

- nonspecific or disseminated CUP의 empirical systemic therapy
  - platinum-based combination CTx. ; paclitaxel + platinum (carboplatin) ± etoposide
  - new agents ; gemcitabine + irinotecan + targeted agents → 더 효과적
  - 25~40%에서 반응, 평균 6~13개월 생존

• 예후가 좋은 그룹의 진단/치료 (예) : 30~40% 정도만 해당

임상양상/조직형	진단	치료
Cervical LN : squamous cell ca.	Triple endoscopy ; rigid laryngoscopy, bronchoS., esophagoS. Tonsillectomy 고려 Neck & chest CT Cervical LN에서 SCC인지 확실하지 않으면 갑상선에 대한 검사도 시행	Locally advanced head & neck ca.에 준해서 치료 Radical neck dissection and/or RTx (± CTx)
여성에서 axillary LN : adenocarcinoma or poorly differentiated ca.	Mammogram, breast US → 음성이면 breast MRI 시행 ER 등의 IHC (앞의 표 참조)	Stage II/III 유방암에 준해서 치료 수술/RTx, CTx and/or hormone therapy
여성에서 peritoneal carcinomatosis : adenocarcinoma (특히 CA125↑, HE4↑ or psammoma body (+))	Abdominal CT	Stage III 난소암에 준해서 치료 수술 + adjuvant CTx (e.g., platinum + paclitaxel)
남성에서 peritoneal carcinomatosis : adenocarcinoma (특히 CDX-2(+))	EGD, colonoscopy	Advanced CRC에 준해서 치료 Platinum-based CTx
50세↓, poorly differentiated ca., rapid growth, lung or retroperitoneal or mediastinal mass or LN 침범,	Serum β-hCG, AFP	Extragonadal germ cell (testicular) tumor에 준해서 치료 CTx (platinum, etoposide 등)
남성에서 blastic bone-only metastasis and/or PSA↑	PSA (혈청 or 조직염색) 반드시 lung ca. R/O	Advanced prostate ca.에 준해서 치료
Neuroendocrine ca. well differentiated (대개 liver metastasis)	Urine 5-HIAA, serum chromogranin	증상이 있을 때만 치료 고려 (e.g., sunitinib, everolimus)
Neuroendocrine ca. poorly differentiated		Platinum-based CTx
단일 전이 병변 : adenoca., poorly differentiated ca.	PET, CT, 남성 PSA, 여성 mammogram 등	국소치료(resection and/or RTx) ± CTx
Inguinal LN : squamous cell ca.	회음부 정밀 진찰, anoscopy, cystoscopy	국소치료(resection and/or RTx) ± CTx
다양한 상황에서 poorly differentiated ca.	PET, CT, serum β-hCG, AFP	경험적 CTx

■ Lymphadenopathy

	원인 예
감염	
세균(localized)	Streptococcal 인두염, 피부감염, 야토병, 흑사병, 고양이할퀸병, 디프테리아, 연성하감, 쥐물음열
세균(generalized)	Brucellosis, Leptospirosis, Lymphogranuloma venereum, Typhoid fever
바이러스	HIV, EBV, HSV, CMV, Mumps, Measles, Rubella, HBV, Dengue fever
Mycobacterium	TB, NTM
진균	Histoplasmosis, Coccidioidomycosis, Cryptococcosis
기생충	Toxoplasmosis, Leishmaniasis
Spirochete	2기 매독, 라임병
암	두경부의 SCC, 전이암, Lymphoma, Leukemia
림프구증식	혈관면역모세포림프절병, 자가면역 림프구증식병, Rosai-Dorfman 병, Hemophagocytic lymphohistiocytosis (HLH), Histiocytosis
면역	Serum sickness, 약물반응(e.g., phenytoin), IgG_4-관련 병
내분비	Addison 병
기타	사르코이드증, 지질축적병, 아밀로이드증, 만성육아종병, Castleman 병, Kikuchi 병, Kawasaki 병, SLE, RA, Still 병, 피부근염, Eosinophilic granulomatosis with polyangiitis (Churg-Strauss)

- 림프절의 물리적 성상
  - (1) 세균감염 : 대개 압통이 동반되며 비대칭이고, 여럿이 뭉쳐진 양상을 보이고, 피부 표면에 염증(발적, 발열)이 동반될 수 있음, 물렁물렁하면 농양 형성을 의심
  - (2) 바이러스감염 : 작고, 압통이 없고 잘 구분되는 유동성 종괴를 형성하며 양측성인 경우가 많음
  - (3) 결핵 : 대개 압통이 없고 단단하나, 화농되거나 피부누공을 만들 수도 있음
  - (4) 전이성 암 : 대개 딱딱하고 주위조직에 고정되어 잘 움직이지 않음
  - (5) 악성림프종 : 대개 고무 같은 경도를 가지며(rubbery), 여럿이 뭉쳐져 있으며, 압통이 없는 경향, 단 빠른 속도로 커지는 림프종이나 육아종성 질환의 경우 피막 팽대와 함께 동통이나 압통을 동반할 수 있음
- 크기 ≤1 cm (inguinal LN ≤1.5 cm) → 대부분 양성임
- supraclavicular LN (SCN) & scalene LN ; 폐, 종격동, 후복강에서 유입되므로 악성 가능성 높음 (e.g., lymphoma, lung, breast, GI, testis, ovary)